言語的思考へ

脱構築と現象学

竹田青嗣

JN019989

講談社学術文庫

目次

言語的思考へ

脱構築と現象学

第1章　現代の反形而上学——『声と現象』のマニフェスト

1　ヨーロッパ思想の自己克服——形而上学批判について

われわれがまず着手しようとする課題は、ジャック・デリダの言語理論の出発点といえる『声と現象』[1]の再検討である。周知のように、ジャック・デリダの言語理論は二十世紀後半の思想界を席巻した「脱構築」思想の理論的な拠点をなしている。それはエドムント・フッサール『論理学研究』[2]に対する批判から、つまり先行する哲学パラダイムである現象学に対する徹底的な批判から開始された。

だが、われわれの意図は、必ずしも、この批判と反批判の立場を再び逆転してフッサールの理論を擁護しようとする点にあるのではない。ジャック・デリダが現代思想の中で占めている位置の全体的意味、またそれがヨーロッパの哲学的思考にとってもつ歴史的な意義が、問題なのである。つまり、最後にゆきつくべき主題は、言語理論それ自体ではなく、本質的な哲学的思考の運命ということにほかならない。

一九八〇年代に入ってジャック・デリダ、ミシェル・フーコー、ジル・ドゥルーズなど、ポスト構造主義と呼ばれるフランスの思想家たちの仕事が日本に輸入され、新しい現代思想の流れを作った。それはマルクス主義、現象学、構造主義といったそれまでの思想を全面的に批判しながら新しい思潮として展開した。このポストモダン思想の中心的理念をひとことでいうと、伝統的なヨーロッパ的知性への総反省、つまりヨーロッパ哲学における「真理主義」「客観主義」「形而上学的思考」等々への徹底的批判ということになる。

十九世紀末にニーチェがキリスト教と近代哲学におけるヨーロッパ的人間観を総批判したが、ポストモダン思想はその反＝哲学あるいは哲学批判という点において、ニーチェ哲学の二十世紀版といった性格をもっているともいえる。キリスト教と近代哲学がニーチェのふたつの大きな仮想敵だったとすると、ポストモダン思想の仮想敵は、近代哲学（教条的マルクス主義を含む）と現行の資本制システムということになる。

デリダの『声と現象』は、ポストモダン思想による総体的なヨーロッパ哲学批判の起点をなす象徴的な意味をもっていた。この書物でデリダはヨーロッパ思想における「音声中心主義」を指摘するのだが、そのあと『グラマトロジーについて』[3]を書き、ここからいわゆる「脱構築（デコンストラクション）」の思想が世界中に広がる。そしてこの脱構築思想は、二十世紀後半の最新思想であるポストモダン思想の中核的理論として、ここ二、三十年来、哲学の領域のみならず人文系の学問世界全体に広範な影響を与えつづけてきた。

われわれが、ここで『声と現象』におけるデリダの言語論を取り上げようとする動機は、ヨーロッパ思想の正嫡としてのポストモダン思想の全体的な評価にかかわるのだが、これに関して、まずふたつの中心的問題を示しておかなくてはならない。

第一に、ポストモダン思想の核心的課題は、近代哲学によって作り上げられた「近代市民社会理念」の乗り超えという点にあること。

第二に、この乗り超えの試みは、形而上学批判という観念にその中心的焦点を結んでいるということ。

第一の点については、つぎのように言える。

ポストモダン思想は、二十世紀前半の最大の世界思想だったマルクス主義が王位を退いたのち、これを継いだヨーロッパ思想の正嫡である。なぜポストモダン思想は、マルクス主義に代わる世界思想の新しい覇者となったか。その理由は、まずマルクス主義が「近代市民社会理念」を超えうる有効な思想原理であると認められなくなったからだ。言い換えれば、現在の資本主義の矛盾を克服する原理をマルクス主義はもはやもちえない、という認識が一般に広がったからである。

二十世紀の前半まで、資本主義の巨大な矛盾を克服しうる最大の〝希望の原理〟と考えられていたマルクス主義思想の威信は、一九五六年のスターリン批判から翳りを見せはじめ、ハンガリー事件やチェコ侵攻をへて、八〇年代末から東欧の民主革命の波、東西ドイツ統一、ソ連邦の解体などにいたって完全に崩壊する。ポストモダン思想は、これに代わる新しい〝希望の原理〟として登場したのである。

そもそも資本主義という社会システムは、ヨーロッパ近代哲学が作り上げた市民社会理念をその土台としている。この市民社会理念は十八世紀にそれが登場したときには、万人の「自由」の解放を実現しうる理念としてヨーロッパにおける真正の希望の原理だった。しかし市民社会理念は、市民革命を経由したのち十九世紀に入ると、国民国家、資本主義という現実的な姿をとるにいたり、そしてその後誰も知るように未曾有の社会的、政治的矛盾を露呈する。

大きくいって、十八世紀にもっとも重要な概念であった「自由」の理念は、そのような理由で十九世紀に入るとさまざまな点で疑問視されるようになる(4)。十九世紀以降ヨーロッパには、初期社会主義、無政府主義、保守主義、マルクス主義、実証主義科学、社会学といった思潮の波がつぎつぎに登場するが、それは、ヨーロッパ思想にとって、自ら作り出した近代社会理念の内的矛盾を克服すべき新しい思想創出の試みを意味していたのである。

ここでは貧富の格差、共同体の解体、いっそう激化する国家どうしの対立、といった新しい矛盾を克服するための思想がさまざまなかたちで模索された。その中から、新民族主義、超国家主義、人種主義など、ファシズムやナチズムに向かうことになるような諸政治思想も現われることになるのだが、しかしそれらの思想でさえその初発の動機は、市民社会＝国民国家が生み出す矛盾を克服するための救済思想という点にあった。

これらのうちでもっとも正統的な思想の力を示したのは、いうまでもなく社会主義思想である。マルクスの思想には、市民社会理念の思想史的意義を十分に受けとった上で、その矛盾を克服しうるひとつの可能性の原理が明瞭に提示されていた。その意味でマルクス主義は、近代市民社会理念に代わる次代の正統的継承者だったといえる。そして、その原理をひとことでいえば「自由競争と私的所有の禁止」ということになる。

資本主義とは、果てしなく競争原理を拡大しつづけるシステムであり、これに歯止めをかける以外にその内在的矛盾を克服する可能性はない。またこの課題は「自由競争と私的所有の禁止」という原理による以外では実現できないし、市民社会理念がはじめの動機としていた万人の本質的な「自由」の解放ということ自体、この課題を通してしか実現しない。

マルクスのこのような考えは、資本主義の巨大な矛盾を眼のあたりにしてきた当時の多くの知識人にとってきわめて「正しい」思想原理と見えた。しかし歴史の現実は、この考えにもまた本質的な欠陥があったことをわれわれに示すことになる。

繰り返しいえば、ポストモダン思想が、二十世紀後半に世界の最先端の思想となった理由は、それがマルクス主義に代わる資本主義の乗り超えの思想を提示するものと期待されたからだ。ポストモダン思想は、この意味で、近代哲学、マルクス主義とつづくヨーロッパ世界思想の正嫡をなす思想なのである。

言い換えれば、それはひとつの本質的な課題を負い、またこの課題を果たすものという期待のもとにヨーロッパの正統思想として登場してきた。ヨーロッパ近代哲学の設計になる近代市民社会理念は、いまや資本主義という巨大な矛盾を生み出してその原理を根本的に疑われているのだが、ポストモダン思想は、どのような考え方によってこれを克服し、新しい〝希望の原理〟を作り出そうとしたのか。ポストモダン思想を本質的なかたちで再吟味するというとき、われわれはまずこの問いを避けて通ることはできない。

第二の点はつぎのようなことになる。

『声と現象』は、デリダの「脱構築」思想のマニフェストとも言える書物である。脱構築とは、一般的には、ある思想家のテクストから、その中心的思想とそれと対立するような思想の可能性(相矛盾する要素)を同時に取り出し、後者によって前者を、あるいはその思想総体そのものを相対化する方法、とされる。『声と現象』におけるフッサール批判ではさほど顕著ではないが、『グラマトロジーについて』でのソシュール批判やレヴィ＝ストロース批判で、この方法の特質はより鮮明に現われる。そして重要なのは、脱構築思想の最大のモチーフは形而上学批判にあるという点だ。

そもそも形而上学批判はポストモダン思想においてその基調をなすモチーフであり、それはたとえば、「真理の形而上学」「主体の形而上学」「現前の形而上学」への批判といった周知の下位項目をもっている。だが、形而上学批判という概念それ自体はポストモダン思想の独創ではない。それは十九世紀後半から二十世紀にかけてヨーロッパ思想に登場し、以後その主流をなす実証主義思潮の核となる概念でもあった。そしてここには、さきに述べたような市民社会理念における内在的矛盾の自己克服というヨーロッパ固有の課題が深くかかわっている。

たとえばすでに十九世紀の半ば、実証主義の創始といわれるオーギュスト・コントに、形而上学についてのよく知られた定式がある。彼は人間の知性のタイプを「神学的」「形而上学的」「実証的」知性という三つの歴史的段階に区分した。[5] コントによれば、「形而上学的知性」は存在の内的性質、あらゆる事物の「起源と目的」、あらゆる世界現象の「本質的発現形式」を根本的に説明しようと試みる。

はじめの段階である「神学的知性」は、これらを超自然世界の擬人化された比喩で語ったのに対して、「形而上学」はこの説明を実在化された抽象概念を使って行なう。また「形而上学」は、存在の根本原理を語りつくそうとするのでこれを「存在論」と呼ぶことができる。そして形而上学的精神は、やがて近代に至って、もっとも合理的で完成された知性のあり方としての「実証主義的精神」にとって代わられる運命にある、とされる。

またたとえばクロポトキンは、「形而上学」つまり観念論的方法に対する明確な反措定として唯物論哲学を対置した。彼は、十九世紀半ばの科学革命の大きな波以降、もはや理性ある人々は誰も帰納法の動かしがたい優位を見て取り、観念論の特質である形而上学の方法を捨て去った、と書いている。[6]

ディルタイもまた伝統的「形而上学」について言及している。形而上学とは、「生そのもの、生活経験及び人生問題に対する諸々の態度」を基本とし、「現実認識と生の評価と目的の定立」とを目標とするところの〝世界観〟である。[7] しかし形而上学は、これらの問いに決定的な解答を与えることはできない。したがってそれをただ生の思考の類型としてだけ把握するべきであると。

ディルタイは必ずしも「形而上学」的思考に否定的ではないが、それでも「形而上学」と近代哲学的思考は等号で結ばれ、それがはらんでいた「真理」への信仰ははっきりと相対化されている。そしてまたわれわれは、近代哲学の最後の巨匠といえるニーチェの苛烈な形而上学批判[8]を知っている。誰でも知っているようにニーチェは、近代哲学のみならず近代ヨーロッパの知の総体を「真の世界」についての「形而上学」として厳しく批判した。

つまり、十九世紀の半ば以降、「形而上学」という言葉は、イギリス経験論・大陸合理論からドイツ観念論という流れをもつ近代哲学の特質的な思考を指す言葉となり、否定的な色彩を強く帯びるものとなった。ニーチェのような「内在的」な哲学批判は別格としても、コント、スペンサーの実証主義、社会主義思想とアナーキズム、デュルケームやジンメルの社会学などが、実在論的唯物論や科学主義的実証主義の立場から、ヨーロッパ哲学の形而上学性を強く批判したのである。

また二十世紀に入ると英米のプラグマティズムから分析哲学への流れも形而上学批判の急先鋒となり、たとえばその起点をなすパースによれば、プラグマティズムの方法の動機は「伝統的形而上学の無意味性（不条理性）」を明らかにすることにあり、「哲学は、そういったがらくたを投げ捨て、科学的な観察によってのみ探究可能な一連の問題を、自己に残された問題としなければならない」、とされる。[9]

このように、十九世紀以後ヨーロッパ思想において、自然科学、実証主義、唯物論、社会科学などからいっせいに形而上学批判の波が現われたのだが、その底にふたつの大きな動機が働いていた。ひとつは、近代哲学の中心的成果である市民社会理念に限界を見て、これを克服する新しい社会理論の構想を模索すること。もうひとつは、近代哲学の基本方法としての「観念論」を科学的合理主義に逆行する時代遅れなもの（＝形而上学的思考法）と見なし、これを超えるより客観的で実証的な知の方法をうち立てることである。そして、二十世紀初頭におけるマルクス主義の世界思想としての制覇は、このふたつの動機がもっとも集約的なかたちで表現されていたという理由によるのである。

さてしかし、ジャック・デリダを中心とするポストモダン思想の形而上学批判は、いま見たような十九世紀以降のヨーロッパの形而上学批判の波とは、また違った独自の性格をもたざるをえなかった。その理由は、それがマルクス主義の本質的欠陥をも克服するための思想として登場してきたからである。

ポストモダン的な見解では、ヨーロッパ哲学全体がキリスト教起源の全体主義、絶対真理主義、普遍主義という根本性格をもつ（この批判はニーチェを源流とする）。そして現在では、それらが社会制度の現実性と合理性の正当化に結びつき、資本主義の隠れたイデオロギーとなっている、とされる。それゆえ、デリダ的（ポストモダン的）観点からは、実証主義や近代の科学主義自身だけでなく、歴史決定論的性格を色濃くもつマルクス主義思想もまた、客観主義や普遍主義的イデオロギーに内属するのである。

　したがって、ヨーロッパ的知性のこのような性格を底で支える「起源」「根源」「全体」「絶対」という中心概念が根底的に顚倒されねばならず、またそれは、言説の領域では「哲学批判」として、制度的領域としては「イデオロギー批判」として成し遂げられなくてはならない。こうした点にデリダをはじめとするポストモダン思想の根本モチーフがあった。すでに触れたように、デリダの脱構築[10]という戦略は、伝統的哲学＝形而上学の「体系的」テクストにいわば「リゾーム的」テクストを対置することによって、その形而上学的、体系的完結性を論理的パラドクスに追い込み、この方法の根拠と正当性を揺るがす、という方法をとる。これを「実証主義的」な形而上学批判に対して「テクスト論的」形而上学批判と呼んでおこう。そしてこういったテクスト論的形而上学批判は、ポストモダン思想だけでなく、現代思想のもうひとつの主流をなす現代分析哲学においても、大なり小なり共通するものといえる。

　現代思想あるいは現代哲学の基本性格は、それが「言語」についての思想であるという点にある。あるいはむしろ、「言語の謎」についての思想であるといえる。われわれはデリダの記号論を起点としてその全体像を再吟味するが、この領域に入り込むほど、それがいわば解決不可能な「言語の謎」についての探求というプロブレマティークを構成していることが分かる。ただ注意すべきは、この「言語の謎」をめぐる思潮全体の底に、前述したような思考の諸形態、つまりまず近代哲学における「形而上学」的思考、これへの反措定としての

「実証主義」的思考、そしてまたその乗り超えの試みとしての現代的「反＝形而上学」的思考、という三つの思考形態のせめぎあいが存在しているということだ。

すなわち、われわれが現代思想の言語論的（記号論的）タームで思考の世界に入り込むとき、それは暗黙のうちに、「形而上学的思考」や「実証主義的思考」に対抗的な思考の態度をとることを意味する。そしてそこには、上述したヨーロッパ思想における根本課題、近代哲学的、近代ヨーロッパ的思考法をいかに克服するか、また近代市民社会理念をいかに克服するかという課題が暗黙のうちに表現されているのである。

現代思想の再吟味を通してわれわれは、見てきたようなヨーロッパ近代思想の歴史的な展開の意義自体を再検討しなくてはならない。すなわち、ここで形而上学的思考と呼ばれているものの本質的な欠陥とは何であったのか、近代の実証主義的思考は、実際に形而上学的思考を乗り超えたのか、また、現代の反＝形而上学的思考は、ほんとうに近代的思考の欠陥を克服して新しい社会と人間の原理を構想しうる可能性をもつのか、といった諸問題を再検討するのでなくてはならない。

このプロブレマティークには、要するに、世界認識あるいは世界観の原理についてのヨーロッパ思想の格闘の劇が封じられている。そして現在、こうした問題の中心にジャック・デリダの現代記号論が位置しているのである。

2　脱構築的マニフェスト

さて、『声と現象』は、デリダの形而上学批判の出発点となった象徴的テクストだが、ここで批判の対象となっているのはフッサールの大著『論理学研究』である。デリダのモチーフは、フッサール言語論批判を軸として現象学の徹底的批判を試み、さらにこれを通して暗にヘーゲル哲学に至る近代哲学の認識論の総体への批判にまで至ろうとする点にある。[11]
まず序論においてデリダは、フッサール現象学におけるふたつの中心的主張を取り上げ、これに疑義を提出する。ひとつは、現象学の方法の基本原理といえる「諸原理の原理」という考え方。もうひとつは、フッサールにおける「イデア的なもの」に対する強固な擁護について。

デリダはこういう。フッサールは、哲学においては「一切の前提なしにはじめなくてはならない」と繰り返し強調する。[12]しかし、われわれはむしろ、フッサールの方法の中に「独断論的ないしは思弁的な或る種の執着をひそめている」ひとつの「形而上学的予断」があるのではないかと疑う。たとえばよく知られたフッサールの「諸原理の原理」の考え方がある。これは「根源的・能与的明証性、充実した根源的直観に対する意味の現前〔present〕ないし現前性〔présence〕を、すべての価値の源泉および保証者とみなすことになるのであるが、まさにこの点に、そうした執着がひそんでいる[13]」と。

フッサールの「諸原理の原理」とは、「いまありありと私の眼前に現われている個的な経験」は、その現象の原因をそれ以上遡行できず、またそれ自体の存在を疑うことが無意味であるような意識現象の基底であるという意味で、一切の知や認識の正当性の源泉をなす、という考え方である。(14)

デリダによれば、ここに示されているような一切の認識についての根本的な源泉が確定できるという思考、またそれが「現前（＝ありありと現われていること）」の意識に根拠づけられるという思考こそ、絶対的真理主義の土台をなすものである。その意味でこれを「現前の形而上学」と呼ぶことができるが、フッサールの「諸原理の原理」の概念は、こうした現象学における「現前の形而上学」を支える要石である。

そこから一切の真理が可能となり、根拠づけられ、保証されるような、ある特定の「根源的原理」を想定できるはずだ、という考え方。この考えへの「執着」を「形而上学的予断」と呼ぶのは、まさしくこの思考こそ、ヨーロッパ哲学の伝統的な真理主義、客観主義、絶対主義の源泉をなしてきたからだ。

「フッサールはたえず形而上学的思弁を批判したが、そのさい彼の念頭にあったのは、彼がいつも真正な形而上学もしくは第一哲学〔philosophia protē〕と考えているもの、そしてそういうものとしてその再興を望んでいるものの、頽廃あるいは変質にほかならない」(15)。つまり、フッサールの方法自体が彼の意図を裏切っている。形而上学的思弁を批判しつつ、じつは彼自身が伝統的形而上学の真理主義や絶対主義を「再興」しようとしているのだ。デリダはそう主張する。

現象学における形而上学的「野望」を支えるもうひとつの中心的主張は、デリダによれば「イデア的同一性」の擁護ということである。フッサールは「イデア的なもの」の存在を強調する。[16]「イデア的なもの」の存在についての否認、あるいは誤解こそは、従来の哲学的思考の決定的な弱点である、と。

ところが、むしろフッサールによる「イデア的なもの」の存在の根拠づけにこそ重大な問題があるのではないか。なるほど「イデア的なもの」はまったく存在しないというわけではないかもしれない。数学的領域もたしかに存在するのであるから。そこであえてこれを言い直せば、「イデア的なもの」＝「理念的諸存在」の根拠は、その「産出の必然的な反復可能性」である、ということになるだろう。そうデリダはいう。

誰かが「一」というとき、この「一」が他の任意の誰かが言表（思念）する「一」と、必ずいつも「同じもの」であること。これが「一」という理念存在の根拠だといえるのだから。言い換えれば、誰がいつ「一」といっても、その「一」がつねに同じ内容の「理念」（＝意味）として産出されつづけるというイデアの「反復可能性」、ここに「イデア的なもの」の根拠があるといえる。

さてしかし、フッサールはこの「イデア的なもの」の反復可能性の根拠を「生ける現在」の現前性なるものに置く。現象学においては、「ありありとした今、ここ」の意識が、一切の知覚、認識の源泉とされるが（＝諸原理の原理）、これは言い換えれば、生き生きした

「生の現在」こそ世界の一切が確実なものとして現われ出る源泉である、ということだ。つまりフッサールは、認識の一切の根拠をこの「生ける現在」ということに結びつけるのだが、まさしくここに重要な疑義がある。

フッサールは、自分では何度も「一切の前提なしに始めよ」といいながら、結局、自分はこの「生の現在」を現象学の全体系のある絶対的な「前提」としていないだろうか。フッサールは、一切の知と認識がそこから発し、またそこに根拠づけられるもっとも根底的な「前提」＝「根源」を想定できると考え、それを「諸原理の原理」と「イデア的同一性」というふたつの概念において根拠づけようとした。しかし、ここにフッサールにおける伝統的な形而上学再建の野望の兆候が見える。むしろ、そもそも根底的な「前提」や「根源」といった概念自体を疑ってみなくてはならない。

さて、このような現象学批判の大枠を提示した後、デリダは具体的な現象学批判に踏み入っていく。序論で問題点として言及しているのは大きくつぎの三点である。

（1）現象学が「生の哲学」であるということについて

イデア性についての「現前の形而上学」である現象学は、「一種の〈生の哲学〉でもあるということ(17)」に注意すべきだ、とデリダはいう。「現象学は生の哲学である」。その意味は、「意味一般の源泉」が記号それ自体のシステム的な本質のうちにあるとされるのではなくて、ある種の「生の作用」として規定されているということである。つまり、フッサールの論理学の体系全体がこの「生の作用」によって根拠づけられている。

言語理論にとって中心の問題は、言語や記号がどのような仕方で「意味」というものを担うのか、あるいはどのようなメカニズムによって一定の「意味」を伝達しうるのか、といった点にあるが、フッサールの現象学的論理学では、「意味作用」の根源は「生の作用」、いまここにありありと生きている人々の生の意識に還元される。ここでは「生」という概念自身は「還元を免れている」、つまりそれだけはある絶対的前提として信じられている。

現象学が「生の哲学」であるという規定は、一切の認識の根拠の学としての現象学の根底をなすものだが、しかし「生」の概念を認識論や知性の根源的根拠として設定することはできないはずだ。むしろ、一切のものに先立つ「前提」とされるこの「生の現在」なるものを詳しく検討するなら、それ自身に還元できない「非 - 現前ないし〈自己への非 - 所属〉、根こそぎできない非 - 原初性」がみられる。[18]

(2) 現象学的な「純粋自我」の概念への批判

つぎにデリダは、フッサールによる「現象学的心理学」と「超越論的現象学」の区別を問題にする。ここで「現象学的心理学」とは、人間の心のあり方を現象学的な内省の方法でそれ自体独立した内省対象として捉えようとする「心理学」を指し、ブレンターノの内観心理学[19]を現象学的に推し進めたものである。これに対して「超越論的現象学」は、「現象学的心理学」の方法を徹底して、これを認識理論一般、あるいは哲学一般の原理論として純化したもので、『イデーン』等で示されているフッサール独自の「超越論的還元」の方法を意味する。

ただ、両者の詳細な区別自身はここでは重要ではない。大事な点は、デリダがこの区分から「経験的自己」と「純粋自我」の違いを問題にし、このことを通して現象学的方法の中心概念である「純粋自我」を批判しているという点だ。

一切の認識の正当性の源泉、根拠をなすものとしての「純粋自我」という概念は背理であるという批判は、ラカンをはじめとする無意識論者やハイデガーの流れを汲む現象学者に至るまで、現在もほぼ相似形を保ってつづけられているが、なかでもデリダの批判はその代表格といえる。

デリダの理解では、フッサールによれば「経験的自己」と「純粋自我」とはまったく異なったものとされる。「純粋自我」(＝超越論的自我)は、「経験的自己」を含み、それ自体を内省しうる根拠でもある。しかし詳細に検討するなら、じつはこの両者は実質的には区別することができない。つまり、そもそも「純粋自我」という概念がひとつの虚構でないだろうか。そうデリダはいう[20]。

超越論的自我は、verweltlichende Selbstapperzeption〔世界化的自己統覚〕の作用において、自己自身を反省しつつ、自己の世界的自我すなわち自己の心を構成し、そしてそれと自己とを対立させるわけであるが、実をいえば、そういう働きにつりあうような言語は一つもない。[21]

フッサールによれば、「超越論的自我」は現象学的還元の方法全体を可能にする「内省」の原理であるとともに、人間が「経験的自己」全体をつねに十全に自己理解にもたらしうる根拠でもあるとされる。つまりそれは、人間の経験を可能にするとともに、経験それ自身を対象として了解（＝内省）しうることの根源的根拠でもある。しかし、このような「根源」概念こそ疑うべきものでなかろうか。

こういった「根源」概念へのデリダの批判は一貫している。ここで「根源」概念とは、それを設定することによって一切の認識や知の正当性が根拠づけられ、また保証されるようなある「根源性」を意味する。すでに見たように、形而上学の基本性格は、世界やその内部の一切の対象についての「根源」「起源」「究極原因」を把握しようとする思考にあった。たとえば、「神とは何か」という問いは、その背後に、世界の一切のできごとや存在の「根本原理」「究極原因」を突き止めようという動機をもっていたことが分かる。

「神の存在論」は、世界の「根本原理」と「究極原因」をつかもうとする人間の形而上学的欲望に支えられている。デリダによれば、現象学の方法はまさしくこのような形而上学的欲望を隠している。そしてそれを方法的に支えるのが、ひとつは「生の哲学」（＝ありありとした生の意識）という本質性格であり、もうひとつが「純粋自我」（＝一切の世界認識の絶対的源泉）の概念にほかならない。

（3）フッサールの論理学における「音声中心主義」の指摘

「音声中心主義」批判はもっとも重要なものであり、デリダの現象学批判の核心点である。「音声中心主義」は、フッサール現象学のみならず、ヨーロッパ哲学の言語理論、認識理論全体を貫く形而上学の隠された秘密、ロゴス中心主義、合理的理性主義、意識主義といったヨーロッパ型思考の核をなすものと想定されているからだ。

次作の『グラマトロジーについて』においてデリダは、ソシュール言語学やレヴィ＝ストロースの人類学の批判を行なうが、ここでも「音声中心主義」批判ということが基本の戦略となる。

デリダはつぎのように問題を提起する。

現象学では「意識」はつねに特権的である。そこでそれは単に対象についての意識であるだけでなく、自己と対象についての関係の意識であり、そういうものとして「イデア的諸対象を構成する可能性」の根拠とされる。現象学では、一切の認識の根拠は「意識内事象」へと還元される。この「還元」の方法が現象学の根本方法である。したがって、還元の作業が正当性をもつには、意識内の「事象」が厳密に言語として表現されうるという可能性が前提となるはずだ。

言い換えれば、意識内に生じた経験事象が厳密な同一性として規定され表現されるという可能性、つまり「イデア的対象」が言語の意味の同一性として構成される可能性に、現象学的方法の根本的な根拠があることになる。すなわちここでは、「言語」と「意識」との本質的な「一致」の可能性が前提とされている。そうデリダはいう。

確認のために必要な解説を加えてみる。現象学的還元の方法の核心は、さまざまな事況についての「確信の条件」を意識内の所与（与えられている現象）において確かめようとする点にある（しかしこのことは後述するように一般に大きな誤解を受けている）。したがって「いま自分が現に（意識において）感じていること」あるいは「経験していること」が正確に言語に置き換えられうるという可能性、つまり「意識経験」がそのまま「イデア的諸対象」へと置き換えられるという可能性が現象学の内省理論の前提であり、かつ根拠となるということになる。

しかしデリダは、この可能性はただ理念的なもの、権利的なものにすぎず、現実的には成立しえないものだ、と主張する。

デリダによれば、「意識」と「言語」はそもそも異なった本性をもつ。両者の間には表現関係があるが、表現関係とは、意識経験としての「A」が言語における「A′」によって正確に〝代行表象〟されるというものではない。表現関係とは、意識内容「A」と言語「A′」との間には本質的な「差異」＝「ズレ」があり、両者は原理的に「同一」のものたりえないということだ。

しかし現象学的論理学は、もともと認識の正当性の根拠づけ（＝真理の基礎づけ）という「形而上学的野望」をその目的（テロス）としてもっているため、「言語」と「意識」という本来「同一」ではありえないものを無理やり「同一視」するという論理的アクロバットを敢行する。そして、このアクロバットを可能にしているのが現象学的な「声（フォネー）(phōnē)」の概念である。そうデリダはいう。

「言語」と「意識」の間には完全な同一性には収まらない「ズレ」がある。これをいかに処理するか。現象学においては、この難問を解くカギが「声」であり、「声」はここで、「意識」と「言語」の間の本質的には埋めえない裂け目を架橋するものとして機能する。つまり、「声」の特権性ということが現象学的論理学の秘密をなしている。

現象学は、「声」に特権を与えることによって「意識」と「言語」との間の本質的乖離を飛び越えようとする。すなわち、いま自分はここに生きているという「生の現在」の意識は、「声」と特権的な仕方で結びつくことによって「言語」の理念性を保証するのだ。この現象学的な「声」の役割の特権性を、デリダは「音声中心主義」と呼ぶ。

現象学においてとくに鮮やかに露呈されている「音声中心主義」、じつはこれこそはまたヨーロッパ哲学の形而上学の秘密でもあった。だから、これを徹底的に検証しその形而上学的本性を明らかにした上で、これを論理的に内破しなくてはならない。ここにデリダによる現象学＝ヨーロッパ形而上学批判の中心的マニフェストがあった。

3 根源概念の禁止——反＝音声中心主義

前述した問題のそれぞれについてデリダは詳細な批判論を展開しているが、本論の主題にとってとくに問題なのは最後の「音声中心主義」批判である。さらに詳細に検討してみよう。大きな順序はつぎのようだ。まずはじめに彼は、現象学的な「声」の特権性の矛盾を指摘し、これに対して「根源」－「痕跡」という対概念を提出する。つぎに、現象学における「意識」と「言語」の特権的つながりを、時間論的に「現前性」の矛盾として批判する。そして最後に、これがもっとも重要だが、デリダ独自の記号論として「補欠」「作家の死」という概念を提出する。

まず、デリダは、現象学における「声」の特権性についてつぎのようにいう。

> 言（パロール）の過程は、すでにみずからを純粋な現象として引き渡すという特異性をもつ。《自分が話すのを聞く》という作業は、絶対的に独自な型の自己－触発である。(22)

あるいはまた、

声は意識である。対話において、能記の伝播はどんな障害にも出くわさないように思われる。なぜなら、能記の伝播は、純粋な自己‐触発の二つの現象学的根源を関連づけるからである。誰かに向かって話しかけることは、たしかに〈自分が話すのを聞くこと〉、自分によって聞かれることであるが、しかし、それは同時にまた、もしその人が他人に聞かれるとすれば、他人がその同じ〈自分が話すのを聞くこと〉を、私がそれを生み出したときのまさにその形のままで、自己のうちで直接的に反復するようにさせることでもある。(23)

「声」によって媒介された言語は、ある意味で、その起源である「意識」(＝発話者の意)を直接性として伝えるかのような性格をもつ。なぜなら、声によるパロール(発話)は、聞き手に、それがまさしく目の前にいる発話者の「心の動き」(＝自己‐触発)の直接的表現として現前したもの、という確信を与えるからだ。

しかしこれに対して、エクリチュール(書き言葉)では事情は違った様相を見せる。そこでは発話者は文字通り現前せず、ただ想定されているだけだ。つまり、書き言葉では、その「意味」の始発点がどのようなものであるのかは決定されえず、未決定のまま留保されるということが一般的となる。逆にいえば、「声」においてのみ言語は、発話者の「意」を直接的に伝達し反復することを促すような仕方で聞き手に現われるにすぎない、ということになる。

ともあれ、パロールにおいては、発話することは、〈自分が話すのを聞くこと〉がそのまま他者の中にも同じかたちで生じるかのように現われるわけだ。

まさしくこの理由で、フッサール現象学では「声」＝パロールのあり方こそ言語作用の本質的モデルとして措定される。「声」においては、「誰かの言わんとすること」（What he wants to say）が正しく、ありのままに表現される可能性の根拠が確保される。また、これをより純粋化すれば、言語が意識の内実をありのままに表現する可能性は〈自分が話すのを聞く〉という孤独な内言にその原型的な根拠をもつことになる。

このような暗黙のうちの「声」の特権化によってフッサールが目論んでいるのは何か。それは言語における「イデア的同一性」を確保することにほかならない。しかしこの論理は正当だろうか。そうデリダは反問する。そして彼は、フッサールの言語論の内的な矛盾を脱構築的手法によって取り出し、この論理が成り立ちえないことを証明しようとするのである。

デリダの反証を検討する前に、フッサールが『論理学研究』で行なった言語論上の試みを概括しておく必要があるだろう。

フッサール現象学の重要なモチーフとして「諸学の基礎づけ」ということがある。認識一般の可能性の原理を哲学的、論理学的に基礎づけるという課題だが、このためには言語の論理的使用がはらむ諸矛盾の原因を解明しなくてはいけない。フッサールの中心的な意図は、言語の「意味」の本質を独自の方法で取り出そうとする点にあった。

「意味」という言葉は、非常に多義的、複義的であり、その本質をはっきりさせることは、言語自体の多義性や複義性、不確定性を解明する上での重要なカギとなるからだ。こういう観点からフッサールは、『論理学研究』において、「意味」の本質を、大きく「意味のイデア的同一性」と「意味作用」というふたつの契機として捉えつつ、探究する。

まず「意味のイデア的同一性」とは、言葉はこれを実際の使用の場面でみればさまざまな多義性や複義性を生み出すが、しかし言葉の「意味」それ自体はある確定的で同一的な「イデア的性格」をもつ、という考えである。この端的な例は数学的言語だ。たとえば、フッサールによれば、「円周率はπである」という命題の「意味」は、「3.1415926……」と無限につづく数列によって表示されるが、この命題が言表されるケースや状況は無限に多様でありうるにもかかわらず、この命題に内属する「意味」は、「常に同一であり、もっとも厳密な意味で同じものである」[24]ということになる。「円周率π」は、その「意味」を「3.1415926……」と無限につづく数列の数値としてもち、「誰もこの総体を増減できない」。だから数学者はこのような数学的真理を作り出すのではなく、ただ「発見」するだけなのだ。

ある言葉、ある概念の「意味」というのは、このようにもっとも基本的形態においては、それ自体の「イデア的同一性」をもっていると考えざるをえない。そう考えなければ、「数学」の世界の厳密性や普遍性は説明のつかないものとなる。これが『論理学研究』で示されている「イデア的同一性」についてのフッサールの考えである。

もうひとつは「意味作用」の概念である。なぜ、言語には独特の多義性や複義性、曖昧性が生じるのかという問いに対して、フッサールはこう答える。「言語記号」の「意味」それ自体には動かしがたい同一性がある。しかしまた言葉は、実際の対話の場面では、これをやりとりする話者と聞き手の間の「意味作用」という契機において成立する。そしてこの「意味作用」に絡むコンテクストの不確定性、曖昧性が、言葉の多義性、複義性等々を作り出している。

こうしてフッサールは、一方で、「意味」の「イデア的同一性」という概念を確定することによって、いわば「厳密な言語」（学的言語）の〝可能性の原理〟を確保し、もう一方で「意味作用」という現象を追いつめて言語行為における「意味理解」の本質契機として「意味付与－意味充実」という作用を見出す。これによって、言語の多義性、曖昧性が生み出される理由を説明しようとするのである。㉕

私の考えを差しはさめば、フッサールが「意味作用」の本質を、記号自身に見出さず「意識」の作用に見出そうとしたことには大きな功績があるが、彼が「意味」（概念）それ自体の本質として「イデア的同一性」を確保しようとしている点には無理がある。フッサールの考えでは、これを置かなければ、数学や自然科学などの領域において「普遍的な共通認識」が成立する理由が説明できないことになるのだが、しかしこれは、現象学的な思考の原則からは不徹底な見解だといわざるをえない。

数学や物理、化学など一定の厳密性をもつ自然科学の領域では、そこに見出される諸概念はある意味で「イデア的同一性」を確保しているかのようにみえる。しかし、この厳密科学の領域を離れると、この「イデア的同一性」は厳密さを確保できず、あいまいな同一性しか成立しなくなる。なぜ厳密科学の領域では、言語の意味が「イデア的同一性」を確保しうるのか、言い換えれば一定の厳密な客観性が成立するのか。

われわれの観点からは、つまり現象学的な考えを徹底するなら、この問題はつぎのように理解されなくてはならない。

自然世界の存在は、ここでは本質的に身体性との相関概念として捉えられる。自然世界が、種、民族、文化の違いを超えて広範な共通了解として成立する根本的理由は、それが人間の自然な「類身体性」の相関項として把握される対象だからだ。「類身体性」とは、たとえば熱いものに触れると火傷をするとか、壁を通り抜けることはできないとかいう人間的身体の生理的共通性を指し、ここでは広範な同一性を想定できる。この領域では、原理を提出し、それを積み重ねていけば、その対象認識についてかなりの高い度合いで共通了解が成立しうるのである。

これに対して、哲学的あるいは文化的領域で普遍的な共通了解が成立しにくいのは、それが人間の「幻想的身体性」にとって現われる「意味と価値」の地平だからである。つまり「類身体性」は、「幻想的身体性」にくらべて比較にならないほどの高い共通性をもっており、そのために高度な共通了解、つまり高度な客観性が成立するのである。[26]

しかしまた、自然科学の領域と同様に（あるいはそれ以上に）、数学的領域でも厳密な「イデア的同一性」が存在するようにみえる。この理由はどう考えればよいだろうか。

数学的領域の「同一性」の理由は、フッサールの考えに反して語や概念に「イデア的同一性」があるからではない。たとえば「一」という概念は、それ自身厳密な同一性をもっているとは言えない。同一性は「一」という概念それ自体に存在するのではなく、むしろ「一」と「多」、「一、二、三」といった概念の対立性における「構造」として存在するのである。

ひとことつけ加えるなら、概念の「構造」の同一性の原型は、たとえば身体を起点とする「右」と「左」の構造の同一性（普遍性）ということと類比的であって、自然科学が対象の諸性質について「単位」を創出しつつ詳細な刻み目を入れていくような「精密な」同一性とは異なっている。つまり、虹の色を何色に分節するかという精密性は任意の基準しかもたないが、「右」と「左」、「上」と「下」、「内」と「外」といった「構造」の同一性は、人間の世界分節の基本構造として動かしがたい共通性をもっている。

数学の領域は、いうならば対象世界を構造化する基礎部分とこの構造化された対象性相互の本質関係だけを展開する領域なのであり、したがってそれははじめから共通構造として可能な領域だけを記述体系として展開してゆくという原理をもっている。すなわち数学的理念の「同一性」は、数学という言語ゲームにおける前提的なルール設定の「同一性」に根拠をもつのであって、諸理念それ自体に、もともと「同一性」が存在するわけではない。

つまり、フッサールはまず数学的領域の同一性の根拠を「言語記号」の「イデア的同一性」という場面で確保しようとし、さらにこれを、無防備に言語の全体的領域に拡張しているといえるのである。

ともあれ、デリダの批判に戻ろう。彼は『論理学研究』におけるこのような弱点をある意味で的確についている。デリダによれば、フッサールの「自分が話すのを聞く」という「孤独な内言」には、「意味」の「イデア的同一性」のある絶対的な起源、源泉が想定されている。そしてこれを起点として意味の「イデア性」の伝達可能性が確定される道すじは以下のようである。

まず根源としての声（パロール）が存在すること。つぎにこの「声」の写しとしての書字（エクリチュール）が生み出されること。そして「声」に封じられた「イデア的なもの」の同一性が書字によって反復されること。

> こうして、人びとはその書字によって、その根源的意味を、つまりその意味のイデア性を創造した純粋思考の作用を、いつでも反復することができるであろう。[27]

もちろん、デリダはこの考え、書字によって「根源的意味」が何度でも「反復」されうる、という考えに同意しない。デリダによれば、フッサールがここで描いている「意識」と「言語」の一致の可能性は、まさしくただ理念的なものに過ぎず、実際にはそれは絶えず危機にさらされ、確実に実現する保証をもたないものにすぎない。「意識」と「言語」の一致は、いわば〝権利上〟可能かもしれないが、実際上は両者が一致しつづける根拠はどこにもない。だから「歴史上のかずかずの沈澱のもとに埋もれた作用の現前を、元通りの姿で構成するのが、しだいにむずかしくなる」[28]。

この批判はデリダがフッサールの「幾何学の起源」の序文で行なった数学的「理念」の権利的反復の考え方への批判と同型のものだが、この議論はさらに、フッサール的な「現前」についての時間論的批判へと接合される。ここも非常に興味深いところだ。「声」が特権化される理由は、フッサールが言語行為の根底に「自己‐触発」ということをおき、これが現象学的意識にとってはたしかに一種の「根源」であるかのような姿を見せるからである。そうデリダは言う。現象学における「自己‐触発」とは、あの「絶対的始まり」「絶対的根源」としての「自分が話すのを聞く」ことである。

フッサールは、「根源的印象はこの産出の絶対的始まり、根源的源泉であり、そこから他の一切のものが不断に産出される当の出発点である」[29]と主張する。なるほどわれわれの意識にとっては、絶えず意識に浮かんでくる想念はある「絶対的始まり」であるようにみえる。しかしほんとうにそう言えるだろうか。むしろこの「自己‐触発」自体がひとつの「差異の奇妙な運動」なのではないだろうか。

けれども、生ける現在の〈自己への現前〉を構成するこの純粋な差異は、そこから排除しうると考えられていた一切の不純性を、根源的に再びそこへ導入するのである。生ける現在は、自己との非‐同一性と過去把持的痕跡の可能性とから湧出する。生ける現在は、つねにすでにひとつの痕跡である。[30]

フッサールは意識の「自己-触発」を「絶対的な起源」として想定する。しかしそれは不可能だ。なるほどある意味では「自己-触発」は「意味」の発生の現場だといえなくない。だが、そこに意味が「発生」しているということは、まさしくそこにひとつの運動が生じているということである。ここで「意味」はいかにして「発生」しうるのかと問えるはずだ。この問いに対するデリダの答えは独創的なものだ。すなわち、彼によれば、「意味」とはつねにすでにある差異の運動の「痕跡」なのである。

この痕跡から出発して〈根源-存在〉〔l'être-originaire（根源的であること）〕を考えねばならないのであって、その逆ではない。このような原-書字が、意味の根源で働いているのである。意味は、フッサールが認めた通り、時間的本性をもつものであるから、決してただ単に現前的〔＝現在的〕であるのではなく、つねにすでにそうした痕跡の《運動》のなかに、すなわち《記号作用》の範疇のなかに、かかわりこんでいるのである。(31)

人は誰もつねに「今の意識」の中で、さまざまな意味が湧き出てくるのを経験している。このことから、この「今の意識」＝「自己-触発」こそ「意味」の絶対的起源である、と考えたくなる。しかし、そうだろうか。「意味」とは何か。「意味」はむしろ原理的に、ある記号の体系の中で差異の運動として生じてくるようなものだといえる。

たとえば、「ウマ」が「ウマ」という意味として生成するのは、この言語記号が「ウシ」や「ブタ」や「ロバ」やその他の記号との差異において存在するからである。またこれを時間論的にいうこともできる。「今日はウマで行く」という言葉は、「今日は」「ウマで」「行く」という言葉の諸意義のシンタグム（連なり）の中で、はじめてひとつの「意味」として確定される。だとすると、ある「意味」がひとつの「意味」として生成しうるのは、じつは純粋な「今の意識」においてではなく、「今」に微妙な「過去」（＝過ぎ去った意味）が絶えず再帰して入り込み、「現在」の意味性を賦活することによってである、といわなくてはならない。

そうであるなら、「生ける現在」としての「自己－触発」こそ「意味」の絶対的源泉であると考えることは背理である。むしろ、いま見たような、絶えず「現在」に再帰する「過去」の運動、つまりある種の「痕跡」の運動こそ、「意味」の生成の源泉であると考えられるべきであろう。

「生ける現在」を意味の絶対的源泉として確保しようとするフッサールの目論見は、こうして不可能であることが分かる。ここがデリダによる現象学的な「根源としての現前性」批判の核心部にほかならない。

しかし、ひとつ注意しておくべきことがある。デリダとしては、意味の根拠としてフッサールが置いたとされる「生ける現在」という絶対的起源、絶対的源泉の概念を禁じ手にしたい。ここまでのデリダの主張を約言すると、フッサール的「自己－触発」＝「生ける現在」

は初源の根拠でなく、むしろこの「自己‐触発」という現象自体が、ある「差異の運動」（＝差延）によって支えられている、ということになる。

しかし、このデリダの主張は、そのままでは、「生ける現在」ではなくむしろ「差異の運動」こそが絶対的な初源あるいは起源だということになるだろう。ところが、もともとデリダのモチーフは「イデア的なもの」の無限の反復可能性、すなわち厳密な認識の正当性の絶対的根拠を相対化する点にあったわけだから、「生ける現在」の代わりに「差異の運動」という「絶対的源泉」をおいたのでは同じことになってしまう。

そこでデリダは、いわば「絶対的起源」と見なされていた「現在」の「自己‐触発」自体がある種の運動の結果（＝「痕跡」）なのだ、という言い方を選ぶ。そのことによってデリダは、「根源」の背後により深い「差延」という根拠を代置するのではなく、およそ認識の正当性の根拠としての「根源性」という概念自体を〝抹消〟しようとするのである。このようなデリダの批判の特質を、われわれはここで「根源概念の禁止」と呼んでおこう。

この「根源概念の禁止」は、『エクリチュールと差異』(32)や『グラマトロジーについて』などをあわせ、この前後、プラトン、ルソー、ヘーゲル、ソシュール、レヴィ＝ストロースなどに対して行なわれたデリダの批判の中で繰り返し現われ、いわゆる「脱構築」の概念の方法的核心をなすものとなる。

形而上学の思考の特質は、デリダによれば「起源と反復」「本質と現象」「根源と代補」「パロールとエクリチュール」などといった価値概念の二項対立的分割（前者が本来的なものとなっている）にあるが、これを顚倒するために、「起源」や「本質」や「根源」といった本来性の概念の「不可能性」を証明することが、何より重要な課題とされるのである。

さて、後にわれわれはこのようなデリダ的脱構築的批判の思想的意義を詳しく吟味しなくてはならないが、さしあたり、彼の方法の論理的特質についてつぎのことを指摘しておこう。

たとえば、バートランド・ラッセルは『西洋哲学史』で、ギリシャのよく知られた懐疑論者ピュロンの弟子、ティモン[33]の懐疑論を紹介している。ギリシャ哲学においては帰納法はまだ確立しておらず演繹法が論理の基本と見なされていたのだが、ティモンはつぎのように説く。あらゆる演繹は「公理」（一般原則 general principle）から出発する。

公理とはつまり、誰もがそれに納得するような「自明なもの」のことである。しかし、どんな「自明なもの」も、これをつぶさに検証してみれば、厳密にはその絶対的な正しさを証明することはできない。したがって、もっとも根本的なもの、もっとも起源的なものは存在しえず、だからまた何ごとも厳密に「正しい」と言えるものは存在しない、と[34]。

私の考えをいえば、ここまで見てきたようなデリダの形而上学批判の基本範型もまた、およそ厳密なものの「根拠」「根源」となるものの懐疑論的な相対化という点にある。デリダのヨーロッパ形而上学批判の規模と射程、その精密さはほとんど未曾有のものであり、明らかに現代思想では抜きん出たものだ。

しかし、哲学史においてかつて現われた本格的な形而上学批判、たとえばプラトン、カント、ニーチェ等における根底的な形而上学批判とその範型を比較すれば、デリダの批判が本質的に論理相対主義的、あるいは〝帰謬論的〟[35]範型をとっていることが分かる。つまり、鋭敏な読者なら、ここまで見てきたデリダの形而上学批判の議論が、大枠の論理構造としてはティモンのそれとほぼ同型であることに気づくだろう。

デリダの「根源概念の禁止」は、きわめて精緻な論理的プロセスをたどるが、それでもつぎのような範型的な論理形式に還元できる。すなわちそれは、形而上学は「絶対的起源としての声」「生き生きした現前＝今」「確実な同一性としてのイデア性」といった概念を学問の真理性や普遍性の根拠としてうち立てようとするが、これらの概念を厳密に検証すれば絶対的な根源や起源と言えるようなものは決して見出すことができない、という論理範型を取っているのだ。

だが、このことの意味については後に検討することにして、デリダによる現象学批判の最後の重要な展開を確認することにしよう。

4　エクリチュールと主体の死

『声と現象』の終章においてデリダは、フッサールが区分した「指標」と「表現」の問題を再び取り上げ、これを詳しく検討する。その概要はつぎのようである。

なぜ言語に関する古典的理論は、さまざまな言語論における多義性のアポリアを回避できなかったのか。このアポリアに関してフッサールはつぎのような例を示している。「ブケファロスは馬だ」と「この馬車馬は馬だ」という言表では、同じ「馬」という語が、異なった対象を指示（＝指標）している[36]。また「イエナの勝者」と「ワーテルローの敗者」という言表では、異なった表現（シニフィアン）が同じ対象（シニフィエ）を指示している[37]。フッサールはこのアポリアを解決するために、言語の基本的契機として「表現」と「指標」という区分を立てる[38]。

フッサールによれば、「指標」は言語記号それ自体がもつ対象指示の機能だが、指標においては「その思念が或る直観によって充実されることは、必ずしも不可欠ではない[39]」。そして言語の多義性は、言語の「表現」という側面、とくに「意味付与」「意味充実」という「意味作用」に由来すると見なされる。

しかし、とデリダはいう。言語記号が「指標」として機能するということは、記号は「起源」としての直観の充実（意味付与）なしでも記号表現として機能する、ということである。むしろ、このことが「指標」と「表現」との分裂を必然的なものにしているのだ。

フッサールは、話者や聞き手が言語に与えたり、読み込んだりする「意味作用」を「表現」の本質として重視する。しかし、言語表現においては、言語記号が「指標」として機能しているということこそ本質的なのである。つまり、言語表現が言語表現であることの本質は、むしろ言語記号が直観による意味作用から独立している、という点にあるはずだ、ということになる。

右の言い方はやや分かりにくいが、デリダが提示する「作家の死」という概念が、彼の「音声中心主義」批判の内実をよく示している。

> 記号作用一般の構造をそれ自体において少しでも考えてみればうなずけるように、直観の不在は記号作用一般の構造によって要求されているのである。直観の不在は根本的に要求されている。いいかえれば、或る言表の主体およびその対象の全面的不在——作家の死、もしくは（および）彼の書きえた諸対象の消滅——は、《意義作用》のテクスト〔texte〕を妨げない。逆にむしろ、この可能性が意義作用を意義作用として生じさせるのであり、意義作用を聞かせたり読ませたりするのである。
>
> （略）書字（エクリチュール）——これが、主観の死による（また、死後の）主観の全面的不在にもかかわらず機能する記号の通常の名称である[40]（略）

敷衍してみよう。「ブケファロスは馬だ」と「この馬車馬は馬だ」というふたつの言表で、「馬」という言葉は、「語義」としての「意味 Bedeutung」は同じなのに、「表現」としての「意味 Sinn」は違っている[41]。つまりそれは「同一対象」を指していない。

フッサールの考えでは、同じ「馬」という語が異なった対象を指示しうるのは、そもそも発話者がそれぞれの「馬」という語に与えていたはじめの「直観」が異なっているからだということになる。しかしじつはわれわれは、「ブケファロスは馬だ」と「この馬車馬は馬だ」という「エクリチュール」(書き言葉)を見るだけで、そこからすぐに、ふたつの「馬」が違う対象を指していると判断できる。ということはわれわれは、ただこのふたつのエクリチュールの違いだけから言語の「意味」の多義性という事態を理解しているのだ。

そう考えると、仮にこの言表の発話者が「馬」をどのような対象として「直観」していた(=意味していた)としても、そのこととはかかわりなく、このふたつのエクリチュールの差異だけから、それぞれの「馬」の指示対象性が異なっているという判断が成立しうる、ということになる。

つまり、「ブケファロスは馬だ」と「この馬車馬は馬だ」という言表は、ひとつの言語の一般的システムの中で一般的な「意味」を表示するものとして成立するのであり、それは発話者がそこに込めていたはじめの「直観」(意味)とはかかわりなくそうなのである。だとすれば、言語記号は「直観的な意味付与の作用なしにも機能しうる」、というよりむしろ、言語が言語として成立するのは言表が言表者のはじめの「直観」(意味付与)とは無関係なものとして自立しうるからだ、というほうがより適切であろう。

言表が「生き生きした現在」の「直観」による意味の賦活によって支えられているからではなく、その「直観」の消滅を刻印した「痕跡」として記号作用を遂行するからこそ、言語は言語として機能するのだ。そうである以上、いわば「主体の死」あるいは「作家の死」ということこそ、言語の意味作用が機能するための本質的条件であると言わなくてはならない。これがデリダの主張である。
もしある人の「ああ、空が青い！」という言語（記号）が、その人独自の空の青さの感覚あるいは感動を表現すべきものだ、ということになれば、その後だれも自分独自の意味で「青い」という言葉を使えなくなってしまう。つまり、「言表と、すべてのBedeutung〔意義〕のイデア的本性とは、或るBedeutung〔意義〕が《つねに新しい》という事態と相容れない」(42)。あるいはまたつぎのようにいえる。

〈私〉の記号的価値は話し手の生に依存しない。知覚陳述に知覚作用が随伴しようとしまいと、〈私〉の陳述に〈自己への現前〉としての生が随伴しようとしまいと、それは意義作用の機能遂行には全くどうでもよいことである。(43)

さて、言語表現は、直観的意味充実の「痕跡」としてのエクリチュールの意義作用のうちにこそその本質的条件をもつというデリダの主張には、たしかに大きな説得力がある。われわれが言葉というものをイメージするとき、まず言表者の「意」（＝言わんとすること）が、その「意」が相手に「正しく」（あるいは誤って）伝達される、と考えるのが自然である。(44)ところがデリダは、独創的な仕方でこの考え方を顚倒する。
「パロール」（話し言葉）においては、われわれはごく自然に、その言葉に相手の「意」が込められていると考える。言葉は彼の「意」の〝表現〟であると。しかし、「エクリチュール」（書き言葉）では、事情は一変する。あるテクストを前にしたとき、われわれはもはやその作者の「意」が何であったかを確実に確かめる術をもたない。ある場合は、その作者は文字通り死んで不在であるということもありうるし、それどころか、作者が存在するのかどうかも分からない場合すらある。デリダによれば、まさしくこの作者の不確実性、不在性、つまりその始源の「意」の確定不可能性（＝確かめ得ないこと）こそが、エクリチュールの本質なのである。

エクリチュールを前にして、われわれは、そのような作者の不在や「意」の不在にもかかわらず、あるいはそれとは無関係にそのテクストから一定の「意味」を受けとっているし、またそうでなければそもそもエクリチュールということが成立しないからだ。

さらにデリダはここからつぎのような議論を展開する。われわれはしばしば、パロールこそ言語の本来のかたちであり、エクリチュールはいわばその「痕跡」にすぎないと考える。しかし、この考えこそ、言語の本質は言表者の「意」とその「表現」の関係にあると思わせる原因であり、ここにも重要な錯覚がある。

じつはパロールはなんら始源の言語ではない。パロールそれ自体がすでに記号の体系（システム）を前提としているからだ。パロールの痕跡としてエクリチュールがあるのではなく、パロール自体がエクリチュールの体系のうちにある。ここでも、言表や発話が「根源」なのではなく、発語自体がすでに「痕跡」の体系によって支えられている。したがって、じつは「痕跡」であるものこそ「起源」であり、しかもこの起源は、それ自体すでに何ものかの「痕跡」としてしか成立しないような起源である。

デリダはこのあらゆる「起源」の「起源性」を抹消するような「起源としての痕跡」（＝「原痕跡」）の概念を、『グラマトロジーについて』では「アルシ・エクリチュール」（原書記）と呼び、それは広く流布されることになる。ともあれ、ここまできてデリダの記号論の全体像もほぼ明らかになる。

デリダの記号論的言語理論は、「意」と「表現」の関係に言語の本質を見る伝統的な言語理論を大きく転回させるものだった。言語の問題は、もはやある「表現」がいかにしてその「意」を「正しく」伝達するかという問題ではなく、ある「テクスト」（記号痕跡）がそれ自体として、なぜ、いかにして、われわれに一定の「意味」を喚起するのか、という問題となる。

これは、後に詳しく見るように、ヴィトゲンシュタイン、クワイン、クリプキなどの現代分析哲学の系譜が、パラドクスとして見出した言語の決定不可能性の問題の、ポストモダン版だといってよい。つまり、言語を徹底的にひとつのテクスト（痕跡）と見なすと、言語の「意味」の決定不可能性こそ言語にとって本質的なものと見えてくるのである。

こうしてデリダは、フッサールの「生ける現在」「諸原理の原理」「声」といった「根源概念」を徹底的に批判する。デリダ的テクスト論では、言表者の「意」と「表現」との繋がりは無意味となる。「声」の本来性の考えが確保していた、起源としての「意」と「表現」の結びつき、連結性の保証、言い換えれば、「イデア的なもの」「理念的なもの」が正しく反復され伝達されるその保証は、もはや存在しない。

『声と現象』の最後にきて、デリダはつぎのように宣言する。

> 形而上学の歴史は絶対的な〈自分が話すのを聞きたい〉〔*le vouloir-s'entendre-parler absolu*〕である。この無限な絶対者が自己自身に対して自己自身の死として現われるとき、この歴史は終結した〔close〕のである。差延なき声、書字なき声は、絶対的に生きていると同時に絶対的に死んでいる。(45)

現象学における「音声中心主義」は、ひとりフッサールの予断であるばかりではない。じつは、それはヘーゲルを頂点とするヨーロッパ形而上学の「真理」への予断の歴史でもあった。それは、起源としての「意」が絶対的に伝達されうる可能性によって、「理念」や「真理」の絶対性の権利を確保しようとする形而上学的予断の歴史であった。

しかし、この「声」の特権性の歴史は、「作家の死」というエクリチュールの本質が明らかになるやいなや、終結する。それとともに、形而上学における絶対的な「真理」や「理念」の歴史も終結する。「真理」や「絶対知」へ届こうとする哲学と形而上学の野望も終結する。こうしてデリダは『声と現象』をつぎのような言い方で総括する。

> われわれはここで、人々が「絶対的な根源」と考えたものの根拠として、むしろ「差延」という概念を手に入れた。しかし、これはもうひとつのより深い「根源」なのではない。そ

れは「痕跡」としての根源、一切の根源概念を禁じ手にするような根源である。したがって、われわれはこれについて、いままでとはちがった仕方で、つまり「或る未聞の問いの開幕において」問わなければならない。

とはいえ、この未聞の問いは、知に向かって開くのでもなければ、来たるべき知としての不知に向かって開くのでもない。この問いの開幕においては、もはやわれわれは知るのではない。[46]

ここで開かれた新しい「知」は、伝統的な「真理」という概念とは切り離されたものであることを、彼一流の言い方でデリダは強調する。

ここで自分は、これまでの「根源」概念を可能にするものとしての「差延」という概念を示したが、それは真のより深い「根拠」とされてはならない。それは、およそ根拠、根源、起源といった概念の禁止なのであるから。「真理」の絶対性を「われわれが力とか差延という古びた名称で呼んでいるものは、《根源的なもの》よりも一層《古い》のではないかどうか――そのことを、したがってわれわれはもはや知らない[47]」。

こうしてデリダの『声と現象』はその形而上学批判のたたかいを締めくくる。デリダ独自の「痕跡」の記号学、「差延」概念は、この後、現代思想を席巻する「脱構築思想」の、つまり「散種」「反復可能性」「マーク」「幽霊」「全き他者」などといった諸概念へと展開されるデリダ思想全体の、根本的な礎石となるのである。

第2章　デリダ的脱構築と懐疑論

1　「純粋自我」の逆説

デリダによるフッサール現象学批判の柱は大きくふたつあった。ひとつは、「純粋自我」の概念（生の哲学と結びついている）は背理であり、この概念が「現前の形而上学」を支えているという批判。もうひとつは、フッサール言語理論は「音声中心主義」であり「エクリチュール」の概念によって顚倒されねばならない、という批判である。

いま、デリダのこれらの批判が本質的な批判として妥当性をもつかどうかを吟味してみよう。

まず、現象学の「純粋自我」[1]の概念に対する批判からはじめてみる。「諸原理の原理」「純粋自我」「生ける現在」などは現象学の中心概念をなすが、これらはすべて形而上学的な「根源性」を確保するための概念として互いに支え合っている、というのがデリダの主張である。しかし、私の考えからは、そもそもこの批判は現象学の方法に対する基本的な誤解にもとづいたものである。

現象学における「諸原理の原理」や「純粋自我」の概念は、デリダ（あるいはヨーロッパの現代哲学者たち）によって理解されているものとはかなり違っている。現象学の「純粋自我」（＝超越論的自我）の概念は、デリダをはじめまた多くの反＝現象学的論者たちが主張するような「一切の認識の根拠となる根源概念」ではない。これは、現象学の根本モチーフを「真理の基礎づけ」と見なす長くつづいてきた通念的な誤解と強く結びあっているのである。

この通念によれば「現象学的還元」とは、人間のあらゆる認識や知を「純粋自我」に「還元」することであり、「純粋自我」は一切の認識と知の正当性を根拠づける絶対的根源である。またここから「純粋自我」が世界を「構成」するプロセスを確定することで正しい世界認識の可能性を厳密に規定することができる、とされる。

しかし、これまでわたしがさまざまな場所で繰り返し主張してきたように、現象学の根本方法は、「厳密な認識」が構成される条件を主観内部のプロセスおよび構造として規定することではなく（これはカントのとった方法である）、世界についての「確信成立の条件と構造」を解明することにある。

そもそも、フッサール現象学の最大の功績は、認識論の問題においては、「真理の条件が何であるか」ではなく「確信成立の条件が何であるか」を問うことに問題の本質があることを明らかにした点にある。現象学の方法の本質がこの点に存在するのでなければ、それはせいぜい近代哲学におけるヒューム的、カント的「認識論」を精緻化しただけのものにすぎず、そもそも現代哲学として何らかの重要性をもつものとはいいがたい。

　現象学の方法の本質が「確信成立の条件」の解明にあるということの詳細については、すでにいくつかの著作があるので、[2] ここでは、現象学的還元の方法を「真理の条件の探求」ではなく「確信成立の条件の解明」と考えたとき、「純粋自我」の概念がどのように理解されるべきかについて概説してみよう。

　上述した観点からは「現象学的還元」の方法の要諦を、認識のプロセスにおける「対象」と「認識」の関係の因果性について自然主義的ドクサ[3]を逆転すること、と約言することができる。

　たとえば、ふつうわれわれは眼前のリンゴを目にして、「いま目の前にリンゴが存在するので、自分にこれこれのリンゴの像が見える」と考える。ここではリンゴの実在が原因で、像の現象は結果である。現象学的還元の方法は、思考におけるこのような「自然的態度」、まず事物が存在しそれが視覚を通してわれわれの「意識」に現われるという「原因－結果」の系列を逆転させ、むしろ、「自分にこれこれの像がこのような形で現われているがゆえに、私はリンゴの現実存在を疑いえないものと見なす」と考える。

　ここでは自然な思考の順序を方法的に逆転して、像を「原因」とし、リンゴの存在確信を「結果」と考えるのである。つまり、対象の客観存在を前提せず、われわれがかくかくの対象、事態についての存在や意味の「確信」をもつのは、どのような条件（と構造）においてかとつねに問うこと、これが現象学的還元の基本方法なのである。

リンゴなどの自然対象の存在についてそのように考えることは、一見馬鹿げたことのように思えるかもしれない。しかし、もともと近代哲学に端を発した認識問題の根本動機は、世界観、価値観、美意識などの不一致や対立の問題を解明しようとする点にあった[4]。このためには、対象存在をあらかじめ前提するのではなく、むしろそれをわれわれの観念的諸条件によって生じた「信念」と考えるほうが理にかなっている。

認識問題を解明するためには、何が現実存在するのかという問いは無効であり、それを「信念」（＝認識）形成の条件の問題として問う以外にはないのである。つまり、そのような局面では、何が「真理」か、あるいはどの考えがもっとも正しいかではなく、多様な信念体系が成立し、それが互いに対立しあうその動機、理由を問うことこそ本質的だといわねばならない。

さて、現象学の方法を「確信成立の条件」あるいは「信念条件」の解明という本質において捉えるかぎり、「純粋自我」（＝超越論的自我）の概念を、デリダのいうような「厳密な認識」を可能にする絶対的起源あるいは絶対的根拠と見なすことは不可能というほかない。デリダと同様に多くの論者が「純粋自我」の概念を認識や知の絶対的源泉、しかもその存在を実証できない哲学的フィクションと考えてきた。しかし「純粋自我」とは、ただ、諸経験の「確信成立の条件」を問うという動機によって敢行される、対象と認識の因果関係についての方法的な〝視線変更〟を意味すると考えなくてはならない。つまりそれは、さまざまな事態についての「超越論的問題」[5]を明確化するために必要な視線変更にすぎない。

この視線変更は、「存在→意識現象」という因果の順序を「意識現象→存在確信」へと逆転する、というものであり、視線変更を行なう理由は「確信成立の条件」を解明するためである。余計な注釈をつけなければ、いま述べたことで「現象学的還元」の方法の核心はすべて尽くされている。

しかし、もう少し敷衍してみる。いま誰かが目の前にあるリンゴをありありと見て、その存在を確信しているとする。一般的にいって、このとき誰もが自分のうちのリンゴの存在確信の根拠や理由（＝「条件」）を自分自身の意識のうちに問い、それを確かめることができる。いま感性的事物についての存在確信の一般条件を概括的にいえば、以下のようになる。一般に、何らかの事物対象が存在しているという確信をわれわれに与えるのは、それが意識に「知覚」という形式で与えられる場合である。では、ある対象が「知覚」として意識に与えられているといえる条件は何か。この諸条件を「ありありとした現前」「射映」「反復可能性」等々と名づけることができる……。現象学的還元の方法はこのような道をとって進むのである。

別の場面を考えてみよう。ふつう大部分の人は、自分の母親を実の母親と信じて疑っていない。この自分の暗黙の確信の「条件」をなしているのは何か、と問うことができ、これを自分に現に与えられている内在的所与として確かめることができる。母親以前の保護者の記憶がないこと、母親、父親、きょうだいなどが自分に嘘をついているとは思えないこと、彼らが嘘をつく理由も考えつかずとくに思いあたるフシもないこと、等々。そして、これらを「確信成立の条件」として確認するなら、「実の母親」の確信が、誰にとってもかなりの程度の可疑性をもつものであることが明らかになる。

たとえばわれわれは、役所に出向いて自分で「戸籍簿」を確認したり、病院に行って出産記録を見ることもできる。これらの確認の作業はわれわれの「確信」を補強する。にもかかわらず、それは決して「絶対的な確認」を与えないということが分かる(6)。

要するに、このような内省を通して人は、自分が普段暗黙のうちにもっているさまざまな確信の「根拠」となっているものを確かめることができる。この「確信条件」の確認は、もはや明らかであろうが、認識の絶対的な正当性や妥当性の根拠の確認といったことをまったく意味していない。それはむしろ、さまざまな確信の「確度」「可疑性の度合い」の確認を意味している。したがってそれは、どこまでこの確認作業が遂行可能なのか、どこでそれがあいまいなものとなり、不可能となり、また無意味となる臨界点か、等々についての確証の原理であり、まさしくそれゆえに、カント の理性批判（＝人間の認識能力の限界の指摘と確定）のより本質的な原理化なのである。

もはや明らかなように、このような現象学の方法の基本原理は、客観認識や厳密な認識の基礎づけといった概念とはまったく相容れないものなのだ。

さらにいえば、この内省による確信条件の確かめは権利的なものにすぎず事実的なものではない、という批判も多く存在する。しかしこの批判も、確かめの〝根拠づけ〟（＝確信条件の確認）を「絶対的事実の確定」ということと混同することからくる誤解にすぎない。確信成立の条件の確かめの可能性とは、この条件の絶対的確定ということではない。どこまでが確実なものとして確定でき、どこからはそれが不可能になるかという臨界性についての確かめの可能性を意味する。そうである以上、この確かめの可能性はただ権利的なものにすぎず現実的なものでない、と言うことは背理なのだ。

ここまでが確実だと言えここからは確実ではないと言える境界を〝内的に〟確かめられないということは、簡単にいって、人間は現実と夢を決して区別できないということであり、あるいはまた、「地」と「図」によって構成されるひとつの模様を決して確実には認知できないということであり、さらにある人間を別の人間と確実に区別することは決してできないということになる。だが、このような主張は、ただ論理的にのみ可能であって、現実的には可能ではないのである。

確信条件における確度、可疑性、確認作用の限界点などを内省的に「確認」しうることの可能性は、権利的かつ現実的な原理である。なぜならこの〝確かめ〟の遂行は、日常的に誰もが行なっていることであり、人間の日常生活全般がむしろそのような確認遂行の可能性によってはじめて成り立っているのだからである。

この遂行可能性は、一般的に言えば、狂気と正気を分割する基準線なのだ。そして、人間である以上誰もがもっているこの自己確認と世界了解の基礎能力を、認識問題の解明のための基本概念として方法的に取り出したものが、「純粋自我」の概念にほかならない。

さきに見たような誤解は、要するに、現象学の方法が「厳密な認識」の基礎づけにあるのではなく、およそ認識というものの「正当性」の基礎づけにあること、客観認識というものが「背理」であるにもかかわらず、しかしどのような条件において共通了解ということが「正当化」されるかについての基礎づけにあることへの無理解から発しているのである。

さらに敷衍すればこうなる。フッサールはヘーゲルとともに、カントの形而上学批判の意味を深く理解していただけでなく、その理解は遥かにカントのそれを超えている。

客観という概念が「背理」であることはフッサールにとっては基本的な前提だった。しかし「客観認識」というものが背理であるからといって、人間の認識そのものが、まったく無効であったり無意味であるとはいえない。人間は、本質的な理由によって絶対的な客観認識というものには到達しない。しかしそれは、カントのいうような認識能力の限界ということではなく、およそ認識というものの本性としてそうなのである。

だがまた、客観認識の原理的不可能性は、人間的世界において認識の客観性、普遍性という概念が一定の条件のもとで妥当性をもつということと決して矛盾しない。自然科学的認識の妥当性はそのことを示唆しているのであり、認識論の本質は、まさしくそのような認識の「正当性」の基礎づけ、つまりある認識が妥当性をもつための条件の解明、ということに存在するのでなくてはならない。

この課題は「存在妥当」（＝確信成立）の概念によってのみ可能となる、とフッサールは考えた。逆算的に言えば、フッサールの答えは、客観認識の可能性という問題は、精密で絶対的な客観的認識という発想をとるかぎり不可能であり、ただ諸信念間の間主観的な関係性、信念の相互了解の普遍性という考え方においてのみ可能である、というものだった。現象学の方法原理がこのようなものである以上、その世界了解の方法が、厳密認識の基礎づけであるはずがなく、またそうである以上この方法的思考領域である「純粋自我」が厳密認識の絶対的起源であるはずがないのである。

ともあれ、そのようなわけで現象学における「純粋自我」の概念は、カントにおける「純粋統覚」やベルクソンの「純粋持続」とは違って、論理的な「純粋理念」ではなく、確信成立の条件を解明するためのあの方法的「視線変更」の領域としての「意識」ということを哲学的術語として表現したものである。(7)「純粋自我」は形而上学的な絶対根源を根拠づける絶対概念である、というデリダの批判は、まず「純粋自我」をカント風の「純粋理念」として理解している点で大きな誤解を示しており、さらにフッサールがこれを「認識」の正当性の絶対的根拠としている、という理解もまた、明らかな誤謬であるというほかはない。

2　懐疑論の本質——哲学的思考の解体

さて、しかし、デリダのフッサール理解に前提的な誤解があるとして、そのことはすぐさまデリダの形而上学批判の思考を完全に無効化するわけではない。すでに触れたように、彼の批判は、どのような「根源概念」も成立しえないということを相手の論理内部に否定と矛盾を見出すことで証明する帰謬論的、懐疑論的本質をもっていたが、形而上学というものが伝統的には絶対的な「根源」や「起源」の概念を隠しもち、これをさまざまな形態で再生しようとするものである以上、デリダの批判にも正当性があるように見える。

またそれは、スコラ哲学に代表されるそれまでの形而上学の思考の基本類型を「アンチノミー」に追い込むことで解体したカントの本質的方法に通じる面もある。しかしわれわれはここで、この懐疑論的批判の範型性それ自体を思考原理の問題として検討してみよう。

デリダの現象学批判は、じつはさらに重要な仮想敵としてヘーゲル哲学をその形而上学批判の照準にすえている。ヘーゲルとフッサールは、デリダにとってヨーロッパ哲学における絶対的真理主義のシンボルとなっているからだ。だがデリダのヘーゲル理解もまた、そのフッサール理解がねじれている度合いに対応してやはり大きな誤解のうちにある。[8]

たとえばヘーゲルは、『哲学史講義』[9]で懐疑論について透徹した議論を行なっている。現代思想がヘーゲルに対して強固にもっているさまざまな偏見を取り払って考えれば、ここでのヘーゲルの議論は、むしろヘーゲル哲学によるデリダ的思考における形而上学性の批判として読むことさえ可能である。

ヘーゲルは懐疑論についてつぎのように書く。

懐疑派は、そう思われがちだが、反対論をもちだしたり、べつの考えやイメージの可能性を示唆したり、いま主張されていることと偶然ちがう思いつきを提示したりするものではない。経験にもとづいてふるまうのではなく、学問的な使命をはたそうとするのが懐疑主義です。懐疑派の方式は限定という概念ないし本質にねらいをさだめ、限定されたものをあくまで否定しようとするものです。否定こそが懐疑主義の主張であり、そこに個人としての偉大さが思いえがかれる。（略）懐疑派の方式は、分析的思考がどうしてもおちいらざるをえない対立を提示していて、分析的思考の構想する形而上学の欠点はすべてそこにふくまれる。無限背進や前提（直接の知）の矛盾は、今日でもよく見かけるものです。この方式の攻撃目標は、一つの原理を明確な命題に定式化するような独断哲学です。そうした原理はつねに限定つきのもので、したがって、自分自身を解体するような弁証法の運動をみずからおこなう。この方式は、分析的思考にとらわれた哲学を攻撃する上で、基本的な武器となるものであり、懐疑派はこの方式を日常の意識にたいしても、哲学的原理にたいしてもするどくつきつけたのです。

さて、以上が懐疑主義と懐疑的な意識のあらましです。（略）懐疑派の方式がさまざまな学問にどう適用されたかは、ここでくわしくはたちいりませんが、懐疑派の意識が最高度にきたえあげられた弁証法的思考を展開しているのはたしかです。[10]

ヘーゲルの叙述は、懐疑論の歴史的意味ばかりでなくその思考の本質を深く捉えた見事なものだ。とりわけ、懐疑論は弁証法的な思考の本質を発揮して自明と見られる根拠概念を検証し、より深い矛盾を示すことで概念のさらなる展開を促す役割を果たす、というところが重要である。

これも敷衍してみよう。哲学的思考は、抽象概念を論理的に用いて普遍的洞察を可能にするための「原理」を提出する。それが哲学的思考の基本ルールである。哲学における「原理」の概念は、了解の普遍性、共通了解を作り出すために提出されるいわば「キーワード」というほどの意味であって、「真理」や一切を客観的に理解するための絶対的視点といったことを意味するのではない。だから提出された「原理」は、時代の中でつねにその妥当性を検証し直されなくてはならないのである。

しかし哲学的言説では、しばしば一元論-多元論、唯心論-実在論といった論理的二項対立が作り出されて論理の展開が固定化されたり、また一定の権威と権力を後盾にして世界観が絶対化され、独断論と権威主義が哲学の思考を支配するといったことが起こる。つまり哲学はしばしば形而上学化するのである。そして、懐疑論的思考は、哲学の思考がそのような絶対化や固定化の傾向を露呈するときに登場して一定の役割を担うことになる。

懐疑論は、哲学の形而上学的思考に対抗して、それがもつ根拠や前提の絶対性を疑い、その論理矛盾を弁証法的な「否定」の力によって露呈させる。こうして懐疑論はしばしば形而上学批判の始発点となる。実際デカルトが、スコラ哲学に対する懐疑論の流れに乗じ、「方法的懐疑」という手段でスコラ哲学的議論を批判して、近代の哲学的思考を再興したように。これが懐疑論的思考に対するヘーゲルの基本的な評価である。

しかしヘーゲルはまたつぎのように言う。懐疑論は、敵の議論を根拠の「無限背進」に追い込んだり、その相対性に注目して「循環論」に追い込んだりする。ヘーゲルはここで、さきに触れたティモンの師である懐疑論者ピュロンについて彼はまだ軽薄な懐疑論にすぎないとして一蹴し、むしろその後に登場するセクストス・エンペイリコスをギリシャ最大の懐疑論者として高く評価する。[11]それはエンペイリコスが懐疑論の思考を周到に体系化し、それぞれの個別的議論を徹底的に吟味しつつその全体像を描き出しているからである。

たとえばセクストス・エンペイリコスは、懐疑論的方法の範型として五つの基本方式を挙げ、この方法の本質を十全に描き出している。これは人間の認識が決して一義的には現われないその諸条件や諸原因を枚挙したものでもある。それを簡潔に整理して示すとつぎのようになる。[12]

（1）見解の違いを主張する方式……多くの独断論がどれも等しい権利で主張されうる。

（2）無限背進に追い込む方式……「懐疑派の証明するのは、ある主張の根拠としてもちだされるものが、それ自身また根拠を必要とし、その根拠がまたべつの根拠を必要とする、といったふうな無限背進が生ずることである」。

（3）認識の相対性に注目する方式……「われわれにあらわれる対象は、一方で判断主体と関係し、他方で他の事物と関係しつつあらわれるので、それ自体がありのままのすがたであらわれることはないのである」。

(4) 前提を問題とする方式……「独断派は、無限背進の危険をさとると、証明されることのないある事柄を原理としてたて、それを単純に証明なしに承認しようとする、――それが公理である」と主張する。

(5) 循環論法ないし循環証明に追い込む方式……問題となる事柄の根拠として提出されたものが、別の根拠を必要とするとき、その根拠としてはじめのことがらがもちだされて、ふたつの事柄が互いに相手の根拠となる。たとえば「現象の根拠はなにか。力である。しかし、力とはなにかといえば、それがまた現象の諸要素からくみたてられるほかないのです」。

懐疑論は、絶対の根拠や起源を主張するものに対して弁証法的な否定の力をふるうので、いわば原理的に論理上の優位を確保できる。このことで懐疑論は哲学の思考がしばしば陥る二元論的対立の固定化や形而上学化を相対化する。ヘーゲルはさしあたりこのような言い方で懐疑論の役割を評価する。

ところで、ここで少し回り道をとって、哲学的思考がしばしばそのような二項対立や形而上学に陥る前提的な事情について、必要な解説を加えてみる。

哲学的思考は、(1) 物語を禁じ手にし、(2) 抽象概念を論理的に使用して、(3) ものごとの普遍洞察=普遍了解のための「原理」を提出する、という方法をその基本原理とする。前述したように、それが哲学という言語ゲームの基本ルールである。ここでの「原理」とは、一般にそう見なされているような「真理」につながる「根本原理」や「究極原因」ということを意味していない。それはたとえば電気における「プラス」と「マイナス」が、あるいはまた身体における「健康」と「病気」が、現象についての広範な共通了解をもたらすための「原理」とはいえるが、それについての「根本原理」や「究極原因」でないのと同じである。

もちろん、このことは、個々の哲学者において十分明瞭に自覚されていたわけではない。「原理」の思考は、概念的「原理」によって世界の森羅万象を説明しつくせるというドクサを哲学者たちに与え、そこから、たとえば「世界は一である」に対して「世界は多である」が、また「世界は同である」に対して「世界は絶えず変化する」といった世界像の二項対立図式が定型的に生じ、決着のつかないものとなる。ここでは概念がもつ記号論的本質が実体化されるのだ。

哲学の思考はまた、「原理」の提出ということで世界の全体性や完全性を一挙に根本的に言いあてようとする欲望を触発する。そこで哲学のディスクールは、しばしば世界の「根本原理」や「究極原因」を言いあてようとする言語ゲームとなるような性格をもつ。つまり哲学は、「概念の論理的使用」と「原理の提出」という独自の方法によって、宗教的世界説明が決して得られなかった普遍性（＝共同体の限界を超え出ること）を獲得したが、この方法的特質はまた哲学の固有の弱点の原因でもあり、そこから必然的に「存在の謎」（世界存在

の形而上学）と「言語の謎」（認識・言語の形而上学）というふたつのアポリアを呼び寄せるという性格をもつのである。(13)

「存在の謎」は、世界の存在は「一」か「多」か、「同」か「不同」か、「動」か「不変」か、といった排他的な二者択一的問いを構成するが、論理的にはどちらの答えも相手を包括できる十全性をもてないために、問題自体が決定不可能性を露呈するというかたちをとる。プラトンのいうドクサとエピステーメーの対立は、日常的、平均的な知と哲学的知の対立であるとともに、この「存在の謎」に無自覚な知とこれを深く自覚しその罠を克服しうる知との対立、という意味をもっている。

一方、「言語の謎」は、とくにわれわれの主題にかかわっている。一見、言語は現実や事態や心意をありのままに表現するもののようだが、じつはそれは記号体系としての独自の秩序をもっている。そこでわれわれは、言葉の使用のうちに奇妙な矛盾をさまざまなかたちで経験することになるだけでなく、これを意識的に作り出すことさえできる。

もしその気になれば、ちょうど画家が、三次元的空間を二次元のカンバスの上に描くことでさまざまな錯覚絵（だまし絵）を作り出すことができるように、論理家は、言葉を論理的に操ることでさまざまな詭弁やパラドクスを作り出すことができる。

言語の論理的使用につきまとうパラドクスや詭弁やアポリアは、ギリシャ哲学のみならずインド哲学でも中国哲学においても古くから自覚されている。

ゼノンによる「アキレスと亀のパラドクス」は、快足のアキレスを亀の後方に立たせて同じ方向に向けて同時にスタートさせる。常識的にはアキレスはたちまち亀を追い抜くはずだが、論理的にこれを考えると、「アキレスは決して亀を追い越せない」というパラドクスが現われる。これは、「無限」や「有限」という抽象概念を「量的な表象」として実体的に扱うことによって作り出された仮象的な矛盾である。[14] またヘラクレイトスは「人は同じ川に二度入ることはできない」といい、弟子のクラテュロスはさらにこれを推し進めて「人は一度たりとも同じ川に入ることはできない」といった。これは「同一性」の概念を論理的に追いつめるとどんなことも厳密には確定できないことについてのパラドクスである。

古代中国にも、諸子百家の詭弁論者の一人公孫龍子に「指物論」というのがある。「これが指だ」と言ってある指を指すと他の指は指でなくなってしまうので、そのような言い方はすべきでない、とされる。また、『荘子』に言葉による世界分割という話がある。世界は「一」である、というと、この言葉と「世界は一である」という事実とで世界は「二」になる。さらに、もとの言葉と事実に分化する以前の未分化の世界を入れると、世界は「三」だということになる、というものだ。

これとほとんど同じ議論が、インド哲学の中観派の論理にも見られる。その他、三段論法の矛盾や、個別的なものと一般的なものとの矛盾を利用するような詭弁やパラドクスは、いくらでも列挙することができる。

要するに言語あるいは論理というものは独自の性格をもっており、その使用法によってさまざまな矛盾やパラドクスを生み出すことができる。ソフィストや詭弁論者は、言語や論理のこのような性格をいちはやく自覚し、自らのレトリックに利用したのである。

ところで、哲学の思考につきまとうこの「言語の謎」は、デリダ的脱構築の問題に深くかかわっている。デリダの脱構築の方法は、ヴィトゲンシュタインの思想とともに、現代思想が「言語の謎」をめぐる思考であることをよく象徴するものだ。デリダの「脱構築」、ヴィトゲンシュタインの「言語ゲーム」、そして「形而上学批判」は、現代思想におけるもっとも象徴的なテーマであるといってよい。

たとえば、現代哲学においてよく知られている「言語の謎」の例を挙げてみよう。「すべてのクレタ島人は嘘つきである、と一人のクレタ島人が言った」。この言葉自体はエピメニデスによるものだが、これは少し前にポストモダン思想が入ってきたとき大いに話題となったパラドクスで、ロジカル・タイプ（論理階型性）の混同による「自己言及的なパラドクス」と呼ばれた。この言明は「真実か嘘か」決定できない、というわけである。

ポール・ド・マンの「What's the difference?」という例文もよく知られている。違いはどこにあるのか、と聞いているのか、何の違いもないといっているのか、両義的であるとされる。また、ベイトソンによれば、「私の命令に従うな」という命令文は自己決定について のダブルバインド的状態を作り出す。これらは総じて「決定不可能性」と呼ばれるパラドクスで、ここにあげた「自己言及的」「両義的」「ダブルバインド的」といった分類にとくに重要性はない。

注意すべきは、このような言語の決定不可能性という現象は古代以来の「言語の謎」と同じ本質をもつのだが、現代哲学ではとくに重要なプロブレマティークとなっているという点だ。

ある意味で現代言語哲学は、言語におけるこれらの「謎」を整理し、共通認識を生み出しうる言語の論理的使用についての整合的規則を見出そうとするところから出発したといってよい。ムーア、ラッセル、フレーゲ、初期ヴィトゲンシュタインなどがその代表である。また、現代言語哲学のこのような動きには、さきに見たヨーロッパの伝統哲学、つまり形而上学的哲学への反措定という意味も含まれていた。形而上学者の使う「全体」「永遠」「一者」「完全性」「本質」などといった概念は、どこまで客観的なものか確定しがたい面があるからだ。

現代言語哲学の初発のモチーフは、ちょうどデカルトが数学的な思考法の発見によってスコラ哲学を打ち倒したように、言語の厳密で客観的な使用によってヨーロッパ哲学の形而上学的思考を克服しようとするところにあったといってよい。しかし、右にあげた言語哲学者たちによる言語規則の整合化の試みは結局成功しなかった。そしてそこには本質的な理由があった。

重要なのは、現代言語哲学が直面した言語の「意味」と「表現」についての難問は、じつは近代哲学における「認識問題」、つまり「主観‐客観の一致」の難問とほぼ相同的な意味をもっている、という点だ。

主観と客観の「一致」は原理的に可能であるか否か。この問いは、厳密な客観認識や普遍的認識の可能性の根拠についての問いを意味する。もし「厳密な一致」が可能なら、厳密で正確な客観認識は可能だということになる。これと同様に、もし言語が発話者の「意」をつねに正しく「表現」しうるという根拠があるなら（デリダのフッサール理解では「意識」と「言葉」の間の厳密な対応関係）、それはやはり「言語」が「現実」を正しく表現しうるということの根拠となりうる。しかし、認識論における「主客」の「一致」が原理的に証明できないのと同様に、言語論においても、「意識」と「言葉」、「現実」と「言語」、「意味」と「表現」といった項目は、決して「厳密な一致」を見出すことができない。

要するに現代言語哲学は、近代哲学が認識問題というパラダイムにおいてぶつかっていた問題を、「言語問題」というパラダイムでもう一度反復しているのだ。両者はその問題の本質を同じくし、一方の問題で本質的な解明がもたらされれば、それはもう一方にも妥当するという性格をもっているのである。

プラトンによれば、哲学的思考の本質は、本来、異なった「意見」（＝思わく(ドクサ)）からより深い共通了解（＝知識(エピステーメー)）を取り出すための普遍的洞察の方法であるという点にある。しかし「存在の謎」と「言語の謎」は、哲学の思考に内在的であり、そのため哲学本来の普遍洞察的思考を疎外する。哲学の思考は、形而上学的問題設定の圏域に入り込むほど、パラドクスやアンチノミー（＝二律背反）を果てなく考えつづける思考の迷宮となる。まさしくこの理由で、哲学においてはつねに適切な形而上学批判が要請される。(15)

哲学において形而上学批判が衰弱すると、哲学は壮大かつ空虚な議論のコロセウムと化し、哲学の本質は枯渇するのである。

さて、ヘーゲルの議論に戻ろう。彼は哲学的思考が一方で固定的な二項対立的世界図式を作り上げ形而上学化すること、これに対して懐疑論が一定の重要な役割を果たすことを深く理解していた。しかし注意すべきは、懐疑論の論理的本質が、いわばあの「言語の謎」を利用することで哲学的思考のもつ正統的な分析能力を相対化する点にある、ということであり、ヘーゲルによれば、まさしくそこに懐疑論自身の内在的な限界が現われる。

> かくて、懐疑主義は文字どおり哲学的な理念を展開し、その重要性をしめすものだといえる。有限なもののもつ矛盾をしめすことは理論哲学の方法の要点だからです。（略）が、独断的な分析的思考にたいしては否定の弁証法の力が発揮できても、思索を本位とする真の哲学にたいしては懐疑主義は無力です。というのも、哲学的理念というものは限定のあるものではなく、命題に表現されるような一面性をもたず、有限でもなく、自分で自分を否定する力をもち、内部に対立をうむ力をもつからです。（略）そこには懐疑主義の介入する余地はない。哲学的思索のうちには他なるものがすでにふくまれるので、そこでの同一性は分析的思考の同一性ではない。対象は具体的な内容をもち、自分自身と対立し、同時にまた、この対立を克服するものでもある。だから、哲学的思索は命題の形で表現することができないのです。[16]

ヘーゲルの主張を補ってみる。懐疑論は、哲学の思考がしばしば陥る二項対立的議論の固定化や形而上学化を相対化する。そのことには重要な意味がある。しかし懐疑論は、それを超えて本質的な哲学思考それ自身をも否定し、解体しようとする。しかしこのとき懐疑論は根本的な逸脱を行なっている。

本質的な哲学の思考は、「原理」を提出することによって現実それ自体に向き合う。なぜなら「原理」を提示することは、その概念が、現実の多様な諸局面、諸現象をよく説明しうるものかどうか、という試練にさらされることだからである。現実のほうは「原理」的概念の効力を測り試す力を自分自身のうちにもっている。「真の哲学」はそのような方法で自らを展開するので、概念の運動が外見上示す、世界像の固定的な有限性のうちにはとどまらない。

つまり、本質的な哲学の思考は、自らが提出した「原理」によって現実の多様な諸局面から抵抗を受け、概念が必然的にはらむ一面性を自覚してこの「原理」をさらに展開しようとする。哲学の思考が一定の「命題」（世界は一である、世界は四因をもつ、等々）で表現できないのはそのためで、だからそれは必ず「概念の運動」という形式をとる。

しかしながら、この運動も哲学の思考である以上、論理形式というかたちで表現される以外にない。それは文学的、比喩的、物語的な形式を内実とはしない。だから本質的な哲学の思考は一見、絶対的な同一性をたどっていくように見えるし、これを概念の形式としてのみ捉えるなら、そこに矛盾やアポリアを指摘することができる。そこが懐疑論のつけめとなり、懐疑論はそのような哲学の概念的思考そのものに無効性と不可能性を宣告したがる。しかしそこに根本的な錯誤がある。

哲学の思考は、形式的には概念的な論理形式、言い換えれば分析的思考のかたちを取る以外にない。だから本質的な哲学の思考も形而上学化した思考も形式上は同じようなかたちをとらざるを得ない。懐疑論は哲学の形而上学的性格を鋭敏に感知してこれを批判するのだが、このとき、本質的な思考と形而上学的思考を区別できず、ひたすら分析的思考の限界を示すという方法によってすべてを否定しようとするのである。

哲学は概念を論理的に使用する。このことは一面、現実の多様で豊かな側面を捨象することを意味する。しかし哲学は「原理」を提出し、それがはらむ矛盾を展開することで、むしろ現実の多様な局面をはじめて言葉の中に包括していくという力をうる。

つまり、哲学がそのような本質的な思考であるときには、それ自体のうちに「他なるものがすでにふくまれ」ており、哲学的思考はそれによって具体的な現実を感知し自分自身の内的な矛盾を克服していく。そして哲学的思考がこのような運動の本質力を発揮するかぎり、「そこに懐疑論の介入する余地はない」。

こうしてヘーゲルの結論はつぎのようになる。なるほど、懐疑論はその本性によって、「真理にかんするすべての観念」について分析的論理的思考における内部的矛盾を指摘し、その限界を示すことができる。だが、この懐疑論の相対化の本質力は、もともと分析的な論理思考を極限化することで得られたものであり、自分自身が分析的思考を基礎としている。したがって懐疑論は、原理的に分析的思考を超え出ることができず、もしそれが自らを徹底するなら、分析的思考の解体と運命をともにして必然的に自らの思想の根拠をも没落させずにはいない。

3 差延と超越性――デリダ記号論（グラマトロジー）

さて、デリダの脱構築の思想がヘーゲルの言うように、単に固定化され絶対化された形而上学的思考を相対化し解体することにとどまらず、形而上学的思考と本質的な哲学思考とを区別できずに、およそ哲学の分析的思考一般への否認や否定という踏みはずしを行なっているかどうか、またその懐疑論的本性に従って自ら企てた分析的思考の解体とともに没落すべきものかについて、まだただちに結論づける必要はないように思える。

ただ、われわれが見てきたように、彼のフッサール批判が現象学の根本動機に対する、また「純粋自我」や「諸原理の原理」などの概念に対する基本的な誤解の上に成り立っていたことは明らかだ。また、その形而上学批判の基本的論理構成が、相手の議論を無限背進や循環論に追い込んだり、根源概念の根源性の不可能性を指摘するといった典型的な帰謬論的、懐疑論的類型をとっていたことも動かせない。さらにさきに述べたようなヘーゲルの本質的な懐疑論批判は、近代哲学の思考法＝形而上学という実証主義以来の形而上学批判の定型について再検証することをわれわれに促す。

しかし、にもかかわらず私は、デリダのフッサール批判には単なる「根源概念の不可能性」の論証にとどまらないひとつの積極的かつ独創的な側面が存在することを、確認しておきたいと思う。デリダの形而上学批判が単に懐疑論的批判の典型といった意味しかもたなかったのであれば、脱構築思想が現代思想の代表的な潮流のひとつとなり、かくも広範な影響力をもちえることはなかったろう。『声と現象』のフッサール批判で特筆すべきは、なによりあの「主体の死」の概念に支えられた彼独自の記号理論である。その中心となるポイントはふたつある。

第一に、言語理論としての「主体の死」の概念は、「発話者」と「言語表現」の間の代行表象関係をはっきりと切断することで、「意味」理論の〝テクスト論的〟刷新を果たした、という点である。

現代論理学の出発点となっている基本図式は、「言語記号」はいかにして発話主体の「意」を正しく受け手に伝えうるか、というものだ。アリストテレスがソフィスト的詭弁論の生み出した混乱に対して、矛盾律や排中律などの論理学的規則を考えようとしたように、近代哲学の形而上学的語法にあいまいさを見、「言語」をある事実や事態の正確な代行表現と見なし、その再現性を確保するための規則を整備しようとするのが、現代論理学のはじめの発想だったといってよい。

この基本構図が、近代哲学における「主観と客観は正しく一致するか」という認識問題と正確に相似形をなしていることについてはすでに述べた。「主観」(認識)はいかに正しく「客観」を捉えうるか、という認識論の問題は、言語論的には、「言語記号」がいかに正しく「現実」を代行=表現しうるかという問題と完全に互換的なのである。

デリダの「主体の死」の概念は、言語問題からこのような「正しさ」の問題を一挙に解除するものだった。それは、ちょうどニーチェが近代哲学の「認識問題」の総体を、「現実それ自体などというものはない、解釈があるだけだ」という観点によって解体したのと酷似した構図をもったのである。

デリダの「差延」や「アルシ=エクリチュール」の概念は、芸術表現における「テクスト理論」として、『物語の構造分析』[17]や『テクストの快楽』[18]におけるロラン・バルトのテクスト理論とともに大いに広まった。たとえば、デリダの「差延」の概念が示すのは、テクストの背後にある「超越論的な意味」の不在だといわれる。また「作者の死」というエッセイでバルトは、「あるテクストの統一性は、テクストの起源ではなく、テクストの宛て先にある」と書く[19]。彼らの作品理論に共通するのは、テクストの「意味」の作者の「意」への還元不可能性(=意味の起源論の拒否)、作品解釈の原理的多義性と多数性、解読の一回性(そのつどの解読の地平が成立すること)などの主張である。

こうした「テクスト論」が担った新しい意味の中心は、たとえば古典的文芸理論やマルクス主義的な文芸理論における、表現についての「作者=神」理論や作品の現実反映説への反措定という点にあった。バルトやデリダの世代にとって、これらの古典理論は、芸術に現実や社会認識の機能を担わせようとする圧迫的表現理論となっていた。テクスト理論はなにより表現者の自由を解放するような意味をもっていたのである。

第二のポイントは、「差延」の概念は「超越性」の意味の現代的な刷新、という側面をもつという点だ。

すでに見たように、「根源」概念を論理的パラドクスによって相対化するという方法自体は古くからあったが、それは問題を最終的に解決しない。懐疑論は普遍性の思考の論理矛盾を指摘するが、ことがらの普遍性が成立する理由自体を解体することはできず、したがって普遍的な諸事態の存在を論理的に説明できないからである。だから、「普遍性」や「根本原理」に対するパラドクシカルな懐疑論的帰謬論は哲学史の中でつねに存在するが、にもかかわらず普遍的な思考の努力が完全に消滅することもない。

現代哲学においても、一方で相対論や懐疑論が生じるとともに、もう一方で論理実証主義のような厳密認識への努力も必ず並行して存在する。しかしにもかかわらず、デリダの「差延」の概念には、単なる懐疑論的相対主義には見られない独自のニュアンスがあり、それが彼の主張と影響力を強力なものにしているのである。

もう一度振り返ってみよう。デリダは、「自己‐触発」という意味の現場に生じている事態をある「根源的な差異の運動」と呼ぶ。そして、フッサールがこれを遡行不可能で絶対的な意味の原場面として措定するのを批判する。

フッサールは差異を能記の外面性のうちに押しやりはしたものの、意味と現前の根源において差異が働いていることを、認めないではいられなかったわけである。声の作業としての自己‐触発は、或る純粋な差異が〈自己への現前〉を分裂させに来ることを予想していたのである。このような純粋な差異のうちにこそ、空間、外面、世界、身体、等々といった、自己‐触発から排除しうると考えられているすべてのものの可能性が、根を張っている。[20]

デリダがいいたいのはつぎのようなことだ。われわれの生においてさまざまな「意味」が生成するその原場面というものを想定してみよう。それは、ひとつの「同定」されうる始発の状態であるというより、ある名づけられない「運動」と考えたほうがよい。われわれが「意味」の生成の現場を生きるとは、「意味」についての多くの時間的始発点をもつというより、むしろわれわれが時間のうちを生きているということであり、つまり、それはひとつの状態ではなく、運動としてしか捉ええないものであろう。人はある時点でひとつの「意識」をもち、また別の「意識」がこれを受け継ぐというのではなく、「意識」自体が絶えざる「運動」であり、その意味でそれは「純粋な差異」の持続なのである、と。

デリダの「運動」という言い方は、ここでベルクソン的な「持続」のニュアンスに近づいている。このようなデリダの発想は、現象学的な術語あるいは伝統哲学的な観念論的術語よりも、たしかに人間存在の感情的本質や身体的本質を巧みに言いあてている。

たとえば、われわれはひとつの「意識」（＝思念）である、というより、「感情」や「身体」の持続として存在する、というほうが、よりわれわれの内的な存在感覚にかなっている。またわれわれは、「身体」や「感情」としての自分自身を厳密な同一性として規定し、分析しつくせないことを暗々裏に知っている。「身体」や「感情」（これらは「無意識」と呼んでも同じことだ）のみならず、そのカウンターパートとしての「世界」もまた同様である。

世界は生きられる現場としては、客観世界ではなく、無限の多様性、多数性をもった諸世界の地平として現出する。それらもまた、厳密な規定や分析を受けつけない。だから人間の「生の現場」は、厳密な規定として捉えうる（と見える）「超越論的自我」というより、「根源的な差異の運動」と呼んだほうがよりわれわれの実感をよく表現するのである。

繰り返すが、デリダによる伝統的理論への批判の論理自体は、懐疑論的、帰謬論的な類型のうちにある。しかし、その思想の動機としては、規定しつくせず、また分析しつくせないものとしての人間の「実存」についての了解感覚がある。批判論理としてはそれは、厳密性、規定性、同一性などの概念に、多数性、多様性、規定不可能性、差異性などの概念を対置することによって表現される。しかしこの対項論理の形式性はまたひとつの概念的規定性をかたちづくることになるだろう。概念‐非概念や、言語規定性‐言語的規定不可能性という対立項自身が、また新しい概念規定となるからだ。

にもかかわらず、デリダの「差延」の概念には、いわば人間の実存の「超越性」をあらゆる規定性から自由なものとして措定しようとする志向があり、おそらくこの感度が時代の中で多くの人々の共感をえた理由なのである。

しかし、それでもなおわれわれは、デリダの言語理論を言語論的本質の中でもう一度精密に検証し直すべき理由をもっている。見たように「差延」の概念に象徴されるデリダの記号学には、たしかに独自の現代的な意義があった。それは一切を否定するニヒリズムとしての単なる懐疑論的情熱ではなく、ひとつの世代が時代から汲んだ切実な思想的動機による先行世代に対する本質的な異議申し立ての表現だった。しかし、われわれにとってさらに重要なのは、デリダがその端緒においた形而上学批判という動機であり、この動機だけは、哲学と思想の自己再生にかかわるものとして、これを本質的なかたちで貫徹させないわけにはいかないのである。それなしには哲学的思考は内閉し、哲学とその方法原理を共有する諸科学もまたその「危機」と混迷をますます深めることになるからだ。

現代の哲学的思弁が形而上学性を抜け出すことができないとしたら、それはどこに本質的な理由をもつのか。この形而上学を真に解体する可能性があるとしたら、それはどのような思考においてなのか。デリダの提示した「言語の謎」は、こうして「哲学的思考」についてのより本質的課題を提起しているのであり、われわれはデリダの形而上学批判の仕事を引きついで、これをさらに根底的な場所にまで徹底しなくてはならないように思える。

第3章　「現象学的」言語理論について

1　形而上学の解体

問題は、デリダが現象学の基本原理に対する誤解の上に立って現象学批判を展開している、ということにとどまらない。現象学の根本動機に対するデリダの誤解は、彼のヨーロッパ形而上学の総体的批判という前提的動機それ自身にもかかわっている。

すでに見たように、哲学の方法は本性的に「存在の謎」と「言語の謎」というアポリアをはらみ、形而上学批判はこの問題と深く関連している。しかし、現代思想における近代哲学批判＝形而上学批判の流れが、その本来の動機にふさわしいものであるかどうかについては大きな疑義がある。いまこのことを確認してみなくてはならない。

マルクスはその「哲学批判」を、ドイツ・イデオロギー批判として、つまり近代「観念論哲学」の批判として行なった。このとき彼の批判の前提には、近代哲学の基本性格は「観念論」であり、観念論とはまず「主観‐客観の一致」の可能性という問題構図をとり、また世界の実在を否認する主観主義という性格をもち、さらに世界の究極原因についての「真理」を探究する形而上学である、という十九世紀後半の一般通念があった。

それは、ヨーロッパの市民社会原理が疑問にさらされることによって登場した初期社会主義、無政府主義、社会主義、実証主義、社会科学といったヨーロッパの新しい思潮に共有されていた通念であり、これが現代哲学における形而上学批判につながっていることは見てきたとおりである。しかし、この近代哲学についての一般像には、大きな偏りがあったといわざるをえない。

一般にイギリス経験論者たちの方法は「観念論」的といわれている（このため現代思想では大陸系のスピノザなどが相対的に評価されることが多い）。この場合「観念論」とは、一般的には、世界の客観実在を認めず「観念」を世界の「原因」であると考える思考、と見なされている。

しかしこのような理解は、主として俗流唯物論者から流布された通念的デマゴギーであって、観念論の歴史的意義をまったく理解しないものといわねばならない。

バークリーのような極端な場合を除けば、彼らの観念論的方法の根本動機はきわめて明瞭かつ本質的なものだった。その最大のモチーフは、世界の事実についての「判断（ドクサ）」をいったん留保して、その確信条件を徹底的に探求するという点にあった。その理由は明らかであって、当時自明のものとされていた神学的世界像を疑義にふし、カトリックとプロテスタント、キリスト教と自然科学、ヨーロッパ的世界観と異文化世界観といった諸世界観の対立という現象の意味を原理的に解明する点にその根本動機があったからだ。
ロックやヒュームは「観念」こそ「実在」に先行すると考えたのではまったくない。ヨーロッパ人が「絶対神」を信じ、他の文明では異なった神が信じられているその「理由」を明らかにするという課題を遂行するには、「絶対神の存在」という当時の世界像の自明性をいったんエポケー（epoche 判断中止）しなければならない。そして、このヨーロッパ人の確信（信念・信仰）の条件を明らかにするには、人々の「観念の内部」をこそ対象領域として問わなくてはならない。ここに観念論の根本動機があった。世界像の自明性を確信条件の探求というかたちで問題にするなら、「客観」や「現実」を前提することはできず、まず人々の「観念」を対象とせざるをえないからだ。

そもそも認識問題の本質的動機は、単に客観的で厳密な認識が可能かどうかといった問題にあるのではなく、むしろ諸世界観の対立をいかに克服するかという問題にあった。すでに触れたように現象学は、この問題はただ「確信成立の条件」を解明するという発想によってのみ本質的に解きうると考えた。近代観念論は、「客観存在」というものの扱いについて不十分だったため最後の解明にまでゆきつかなかったが、しかし問題を解くための原理的な発想としては現象学の方法と本質的な共通性をもち、またそれに先駆けているのである。

カントの「先験的観念論」もヘーゲルの「意識の現象学」もまったく同じ観念論的動機を前提としている。カントはこの動機は、主観－客観問題を解明するための超越論的動機というかたちをとった。カントの先験的哲学が表現する「超越論的動機」に関して、〝誰もメタレベルに立てないという原則の確認〟といった解釈もあるが、妥当とはいえない。それが意味するのは、当時の文脈に即してより正確に言い直せば、誰も「主観」の外に出て「客観」を直接確認できないという認識論的原理の確認であり、認識問題はこの前提の上でのみ構想されねばならないという思考原則の提示である。

ヘーゲルではまったく同じ問題意識が「弁証法」という方法を生み出した。ヘーゲルの「弁証法」の概念をつぎのように概括することができる。「真理」とは、「概念」の運動としてその本質をもつ。それはどういうことか。「真理」とは何か即自的で絶対的な実体ではない。どんな認識も概念として提示されることで、まず現実的な矛盾を生み出し、そこでこの初発の概念の一面性を克服すべき課題が生じる。そのことが新しい概念を生み出しつづける動力となり、概念はその一面性を絶えず展開しつづけて普遍性を獲得していくプロセスをもつ。そして、このプロセスの総体についての十全な了解（これをヘーゲルは「表象」ではなく「概念」と呼ぶ）こそ、「真理」と呼ぶに値するものである。(1)

つまり、ヘーゲルは「真理」という概念の伝統的理念を完全に廃棄し、認識がそこにゆきつくべき認識の絶対値としてではなく、個々の局面的認識が普遍的なものとなりゆくプロセスの総体として、またその総体についての了解性（＝洞察性）それ自身としてこれを摑み直しているのである。

一般的通念に反して、近代哲学の主流をなす優れた哲学者では、「真理」はなんら絶対的な実体あるいは理念として捉えられていない。近代的な「真理」概念の客観主義的かつ絶対的性格は、哲学史的にはむしろ十九世紀後半からの唯物論哲学の優勢と科学的実証主義の潮流とが強く結びつくことで完成したものである。このことの重要性を誰より強調したのが『道徳の系譜』[2]におけるニーチェだったことを忘れるわけにはいかない[3]。

実証主義の流れは、近代哲学をその観念論的性格のゆえに「形而上学」と呼んだが、デリダ的ポストモダン思想は、ニーチェの立場を継承して、近代実証主義（マルクス主義的唯物論を含む）とヘーゲル、フッサールという観念論哲学の系譜をともに「形而上学」として指弾するのである。

しかし、現代思想におけるこの反＝形而上学の潮流は、前述したような近代哲学の根本動機に対する誤解の上にうち立てられたものであり、そのことによって形而上学批判の本来的な動機が見えにくくなっている。近代における本質的な形而上学批判の象徴的な範例は、いうまでもなくカントの「理性批判」だが、ここでその意味を再確認してみよう。

よく知られているように、カントは『純粋理性批判』[4]で純粋理性のアンチノミー（二律背反）について論じている。そこで彼は、（1）宇宙の時間・空間的起源と限界、（2）事物の究極単位の存在、（3）根源的自由の存在、（4）至高存在（＝神）の存在があるかないかについて徹底的な検証を行なった上で、人間の理性は原理的にこれらの問題について答えを与えることができないことを〝証明〟する。このカントの証明は、一般にそう見なされている以上に本質的かつ原理的である。

そもそも形而上学という概念自体は、アリストテレスの自然存在の究極原因の探求という考え方に端を発する。哲学は「第一哲学」（＝形而上学）を中心的課題とする、と彼がいうとき、それはあらゆる存在者の「原理」を解明してその究極原因に至る、という課題を含んでいる。

形而上学の概念は中世では神学と結びつき、ここでは至高存在の存在本質を探求するという課題をもった。ところでカントでは、「形而上学」という言葉は必ずしも敵視されてはおらず、「哲学」とほぼ同義に使用されているのだが、しかし形而上学の中心課題として、これまでの形而上学的思考の根本的批判が遂行されるべきとされる。

カントによれば、人間の「理性」は、現にある与件から原因の系列を「完全性」「全体性」にまで遡行せずにはいないような本性をもつ。「理性」は推論の能力だからである。そしてそれは、「世界」についても「私」についても、究極原因や絶対的根源にまで至ろうとする思考として現われる。

理性はその本性に従って「知」の完全性、全体性、完結性、絶対性をめざすが、そもそも存在の「全体」や「絶対」という概念自体が理性の限界を超え出ており、本質的に背理である[5]。だから形而上学は、原理的に目標に達することはなく、理性の本性に即したいくつか推測可能な仮説的命題のまわりをめぐりつづけることになる。もちろんこのような思考は無意味であり、不毛でもある。哲学の本来の思考の領域は、このような形而上学的場面（世界の全体存在や究極原因など）には存在せず、むしろ人間の存在本質という領域にある。そしてこれと比べ形而上学についてのカントのこのような思考原理はじつに透徹している。

較すれば、コント以来の実証主義的、唯物論的な形而上学理解とその批判は、きわめて不十分かつ不徹底なものといわなくてはならない。

理論的な形而上学はまた、世界観についての究極原因、絶対起源や根源を確定しようとする。したがってそれは、単一の世界観を確定しようとする傾向をもち、それが権力と結びつくと絶対的支配や権威の正当性を補強するイデオロギー装置となり、世界観の多様性や多数性は強圧的に排除されることになる。こういう場合に形而上学の「形而上学性」はもっとも露わなかたちをとって現象する。

世界観や世界像は原理的に多様性、多数性をもつものだ。世界観の多数性は、人間が価値の秩序を生きており、またこの価値秩序が関係幻想的なものであるという本質的な理由に由来する。にもかかわらず世界観が一元化されると、人間の自由の感覚は圧迫され人間的価値の秩序が危機に陥る。本質的な哲学の思考がつねに形而上学的思考に対抗し、これを批判の対象とする課題をもつのはそのためなのである。

さて、われわれは形而上学の概念をこのように捉え直した上で、もう一度、現代哲学における「言語の謎」をめぐる議論に立ち戻ってみなくてはならない。

2　言語ゲーム――ヴィトゲンシュタインのロジシズム批判

「言語の謎」の解明は、「存在の謎」の解明とともに形而上学批判の中心的課題であり、現代言語哲学の努力は、ひとことで言ってこの「言語の謎」を解こうとする努力だったと言える。その大きな輪郭を素描してみよう。

たとえばフレーゲは、言語の多義性の問題を解決しようとして、言語の「意味」を「意義 Sinn」と「意味 Bedeutung」に分割した。[6] 彼によれば、「宵の明星」と「明けの明星」は、「意味 Bedeutung」は同じだが、「意義 Sinn」が違うとされる。[7] フレーゲのこの区分はある意味で現代言語哲学の出発点となった。

ホワイトヘッドとともに「数学原理」を書いて現代論理学のもうひとつの起点をなしたバートランド・ラッセルは、フレーゲのこの区分では命題の真偽の問題が解決しない、と考えてこれを批判する。[8]

ラッセルは、フレーゲの「意義 Sinn」と「意味 Bedeutung」の区分を、語における内包と外延の区分と捉え直す。「宵の明星」と「明けの明星」は外延（指示対象＝レファレンス）としては「同じ」であるが、内包（概念の内実）としては違ったニュアンスをもつ。しかし、この区分では、外延をもたない固有名は論理学的には扱えなくなってしまう。

たとえば、「現在のフランス王は禿である」という文があるとして、これはフレーゲの区分で考えれば、「現在のフランス王」という語自体が「意味 Bedeutung」（＝レファレンス）をもたないので無意味（ナンセンス）ということになり（現在、フランスは王制ではない）、論理学的な「真偽」としては扱えなくなる。

論理学の「排中律」のルールでは、「現在のフランス王は禿である」か「現在のフランス王は禿ではない」ということのどちらかが真でなければならない。そこでラッセルは、明らかに偽といえる前の命題をまず排除し、後の命題「現在のフランス王は禿ではない」を「いまフランス王であってしかも禿頭ではないようなあるものが存在する」と「いまフランス王であってしかも禿頭であるようなあるものが存在する、ということはない」というふたつの背立する命題に変換できる、と考える。そして、前者であればそれは「偽」であり、後者であれば「真」だといえる、と主張する。

言語の多義性や諸矛盾についてのラッセルの解決は、総じて、そのままでは真偽を問えない文や命題を集合論的に分解し、その諸要素の帰属性を確定することで論理学的に真偽を扱うことを可能にする、というものだ。しかしすぐに分かるように、ラッセルのこのような思考法は、いわば論理学のベッドの寸法に合わせて日常言語の脚を切りつめるようなやり方であって、「言語の謎」の本質的解明ということからはほど遠いといわなくてはならない。「現在のフランス王は禿である」という言葉が示しているのは、必ずしもこの言明が偽であるか真であるかという決定についての要請ではない。ラッセルの解決は、論理的操作によってあらゆる命題を「真偽判定」が可能な形式性に作り変えるということにすぎず、言語の多義性の本質を解明するということとは関係がない。

むしろ、ここで姿を見せているのは、ある言明において事実としての「真偽」が問題とならないようなときには、その言葉の「意味」をどのように受けとるべきかは決して一義的には決定できない、という問題なのである。つまり、いかに真偽を判定するかが問題ではなく、**真偽の判定が問題にならないような場合、言語はどのような「意味」をもつといえるのか**、ということが解明されなくてはならないのである。

しかし、ラッセルからカルナップにつづく「厳密論理主義」的な論理学では、どんな命題も厳密な真偽の形式として扱うことができるためには論理学をどのように体系化すべきか、ということが中心的な課題とされた。肝心なのは、「真偽」にかかわらない言葉や命題をどのように理解するかということなのだが、厳密論理主義ではこの思考の順序は総じて逆転される。もともと論理学が、あいまいさを排して精密な言語使用の規則を整備するというモチーフをもつ以上、このロジシズム（＝厳密論理主義）への接近は避けがたい傾向となるが、そうなるほど論理学的探究は本来の意味での言語の本質の解明から遠ざかることになるのである。

ここには現代論理学が直面せずにはすまなかった必然的な難関が姿を見せている。この現代哲学の困難を象徴的に示しているのが、『論理哲学論考』[9]から出発しつつ、自らの論理実証主義的発想の誤りに気づき、『哲学的探究』[10]においてはじめの発想を徹底的に否定したヴィトゲンシュタインの仕事である。彼が果たした仕事の中心部を整理してみよう。

ヴィトゲンシュタインは、ラッセルの手がけた厳密論理主義的な試みを『論理哲学論考』においてさらに徹底したかたちで行なった。彼はまず、世界は「事物の総体」ではなく「事実の総体」である、という前提をたてる。そして、もっとも「単純な事実」を想定し、これを「要素命題(11)」という概念で表示する。彼の構想では、事実の世界と言葉の世界は完全に対応的である。複雑な事実は複数の単純な事実から構成されており、要素命題の組み合わせとしての複合命題によって表わされる。

要するにヴィトゲンシュタインは、ちょうど自然科学がもっとも単純な単位を想定し、世界の多様性をその複合的構成として説明するのと同じ考え方を、言語の領域にもち込んだといえる。

しかし、ヴィトゲンシュタインの思考は徹底したものだったので、この試みはきわめて興味深い論理学的諸帰結をもたらした。重要な点をいくつかあげてみる。まず、「ある命題が真であることを、その命題自身は表示することはできない」ということ。そして、論理学はただ「命題の真理条件」を表示できるだけだということ。この「命題の真理条件」は真理関数(12)として示されるが、ここから論理学的な意味での「真理」の条件は「同義反復的命題」だけだと結論が導かれる。そしてこれはきわめて逆説的な結論である。

言葉はまず「事実」を表現するものだ、という前提を立ててこれを論理的にどこまでも追いつめてみる。すると、「事実の表現」としての「真理」の概念は消え、「真理」とはただあることとあることが等しいことという概念形式に還元される。これがヴィトゲンシュタインが遂行した思考実験の要諦だが、少なくともこの思考は、概念や論理の実体化ということを無効化し、そのことで形而上学批判のひとつの拠点となったのである。

ここから、「思考することのできぬものを思考することはできない。とすれば、思考することのできぬものを語ることもできない」「倫理学は、明らかに、ことばには出せぬものである」「語りえぬことについては、沈黙しなくてはならない」などといった、周知のヴィトゲンシュタイン言語哲学の反＝形而上学的テーゼが導かれることになる。

『論理哲学論考』におけるヴィトゲンシュタインの立場は、あくまで言葉と現実の事態の厳密な対応関係を前提とするロジシズムである。しかし、にもかかわらず彼の思考の徹底性は、ロジシズムがしばしば陥る図式性を超えて現代的な形而上学批判のひとつの立場を提出しえている。

　現象学的な立場からいえば、『論理哲学論考』の前提である厳密論理主義、つまり現実領域と言語領域との厳密対応主義は、歴史的にニーチェやフッサールが果たした〝真理概念の欲望相関主義的な転回〟を通過しておらず、暗黙のうちに客観存在を想定する「自然主義的な」観点にまだとどまっている。にもかかわらず、ヴィトゲンシュタインの思考は、むしろロジシズムの前提を徹底することで、「論理上」の正しさの概念は結局「同義反復」ということに帰着せざるをえないことを明らかにしているのだ。

　この思考の射程はきわめて大きい。また、「真理条件」という考え方は、現象学の「確信成立の条件」の発想と通じる点もある。『論理哲学論考』では、言語を厳密な事実対応の領域だけに限定することで「論理学」の領域しか扱えなくなっているが、それでも「真理」を〝条件〟の問題として考える発想には重要な意味がある。言語がその「正しさ」について語りうるためには条件がある。この条件を意識できなければ、世界についての思考は「真理」

について の果てしないおしゃべり（＝形而上学）になる。ここに『論理哲学論考』における形而上学批判の直観的核心がある。

さてしかし、後期の『哲学的探究』でヴィトゲンシュタインは、『論理哲学論考』におけるロジシズム的前提の誤りをはっきり認め、これをもう一度徹底的に再検証する。

この過程において彼は、いわばカントからニーチェへといたる道を一人で歩き抜いたと言えなくない。現実世界と言語世界が厳密に対応するという前提を立てると、そこに無数のパラドクスやアポリアが生じる。『哲学的探究』において彼は、そのようなパラドクスやアポリアを徹底的に描き出し検証する。そのことを通してヴィトゲンシュタインは、どんな厳密な論理主義の試みも原理的に成立不可能であることを強い説得力で〝論証〟する。

たとえば、こんな具合である。

しかし、実在を構成する単純な構成要素とは何か？——例えば、椅子を構成する単純な構成要素は何か？（略）かく言うとき「単純」とは、「構成されていない」という事である。そこで問題は、「構成されていない」とは、如何なる意味で「構成されていない」のか、という事である。したがって問題は、「単純」とは、如何なる意味で「単純」なのか、という事である。それ故、「椅子を構成する単純な構成要素」について、それが如何なる意味で「単純」なのかを規定せずに、ただ「絶対的な意味で」語るという事は、全く意味が無いのである。（略）

しかし、例えばチェス盤は、明らかに絶対的な意味で構成されているのではないのか？——君はきっと、チェス盤は32個の白い正方形と32個の黒い正方形によって構成されている、と考えているのであろう。しかし我々は、例えば、チェス盤は白い色と黒い色および正方形の網模様によって構成されている、とも言えないであろうか？ そして、もしここには種々様々な全く異なった見方が存在するとすれば、それでも君は依然として、チェス盤は明らかに絶対的な意味で「構成されている」、と言うであろうか？[13]

カントはアンチノミーによって、物体がもっとも単純な実体から「構成」（＝合成）されているか否かという問いが不可能な問い、つまり形而上学的問いであることを明らかにした。カントはこれを「存在問題」として扱ったが、ヴィトゲンシュタインは同じことを「言語問題」として行なっているといえる。形而上学は世界と事態を究極原因や根本原理において問う。あらゆる種類の論理主義（ロジシズム）はこの思考に対応しており、つまり、対象、事態、世界についての絶対的規定が可能であるはずだと考えるがそれは背理であると。『哲学的探究』におけるヴィトゲンシュタインのロジシズム批判はいくつかのアクセントをもつ。

第一に、語というものがある特定の対象を名指す、という考え方への批判。

これは要素命題という自分自身の考えへの批判でもある。たとえば彼は『哲学的探究』の冒頭で「台石」「柱石」「板石」「梁石」という四つの語からなる「言語ゲーム」なるものを想定する。ある人間がもう一人の人間に「板石！」と叫ぶ。このとき「板石」という語は、ある建材としての特定の対象を指示しているだけではなく、ある場合それを「もってこい」という命令であったり、また別のときには、それが「板石」であることの教示であったりする。

言葉はただ定められた一義的意味を表現するわけではない。それはその具体的状況に応じて、規定された対象を指示するだけでなく、つねにそれ以上の何かをも指示し、告知し、示唆し、表現する。しかし、言葉につきまとうそのような「働き」は、決して言語自体のうちには示されていない。つまり、言語をその具体的な働き（言語ゲーム）において捉えるとき、まず言語の「多義性」の問題として「言語の謎」が姿を現わす。

第二に、言語の内的意味についての批判。

ヴィトゲンシュタインは、言語がもっとも原初的な場面である人間の内面（観念、情動、あるいは痛みなど）の直接的表現であるという考えを否定する。それは主として「私的言語」の批判というかたちをとる。

> さて、如何なる意味で私の感覚は私的であるのか？　――これに対しては、さよう、私のみが、私が実際に痛みを持っているか否かを、知り得るのであり、他人はその事を単に推測し得るのみである、と言われるかもしれない。――しかし、この答えは、或る意味では偽であり、或る別の意味では無意味である。[14]

ヴィトゲンシュタインの「私的言語」批判は、デリダの音声中心主義批判と共通性をもっている。つまりそれは、やはり言語における「イデア的なもの」の絶対的「根源」の不可能性を示唆する。

第三に、これがもっとも重要だが、言語規則を絶対的に規定することの不可能性。言語規則を絶対的には規定できないという原則は、語義の規定不可能性からはじまり、大きな言語規則そのものの規定不可能性にまでいたる。したがって、これは結局、第一の批判と第二の批判を統合するものでもある。たとえばつぎのような具合だ。

「しからば、如何にして規則は私に、私はここに於いて何を為すべきかを、教える事が出来るのか。たとえ私が何を為そうと、それでもそれは、何らかの解釈によって、その規則に一致させられ得るのである。」——違う。そのように言われてはならない。(略) 如何なる解釈も、それが解釈するものと共に、空中に浮かんでいるのである：如何なる解釈も、それが解釈するものの支えの役は、果たし得ないのである：解釈だけでは、それらをいくら連ねても、それらが解釈するものの意味は決定しないのである。⑮

ここでいわれているのは、いわゆる規則の根拠の無限遡行性のことである。あるルールの適用を決定するのがひとつの解釈だとすると、さらにこの解釈の必然性をいうためには、その解釈を規定するもうひとつの解釈が想定される。そしてこの循環はさらにつづくが、結局、それは最終項には達しない。この事情は、一般的には「ルールのルールのルールの……」というかたちで表現できる。

このような無限遡行性の指摘も、エンペイリコスにおける「無限背進に追い込む方式」という類型にあてはまるが、ともあれ上述のような仕方でヴィトゲンシュタインは、伝統的なすべての言語的論理主義の根拠を無効化しようとする。これも整理して示してみよう。

（1）言語名称観……いわゆる「ノマンクラチュール」。言語をひとつひとつの対象にレッテルのように名が貼り付けられているようなものと考える見方。
（2）還元主義……『論理哲学論考』における自らの「現実」＝「言語」対応の写像理論。
（3）言語心理主義……言語主観主義。ヒュームや初期フッサールの立場で、概念や語の根拠を心理的経験に求める。
（4）言語理念主義……イデア主義的立場。

さて、では、すべての言語的ロジシズムを否定することでヴィトゲンシュタイン自身はどのような場所に立ったか。「言語ゲーム」と「家族的類似性」という概念がその立場をもっともよく象徴する。

ここに於いて我々は、このようなあらゆる考察の背後に控えている、大きな問題に逢着する。――何故なら、人は今や私に次のように反論するかもしれないから：「君は安易な道を歩んでいる！　君は、あらゆる可能な言語ゲームについて語っているが、しかし君は、一体何が言語ゲームの――したがってまた言語の――本質であるかを、どこに於いても語ってはいないのである。君は、何が、これら全ての「言語ゲーム」と言われる事象に共通しており、そして、それらの事象を言語ゲーム或いは言語ゲームの部分となすのかを、どこに於いても語ってはいないのである。（略）

　そのとおりなのである。――我々が言語ゲームと呼ぶものの全てに共通な何かを述べる代わりに、私はこう言っているのである：或る一つのもの――それが在るために我々が「言語ゲーム」と言われるこれらの事象全てに「言語ゲーム」というこの同じ一つの語を用いるところの、或る一つのもの――そのようなものが、それらの事象全てに共有されているわけでは全くなく、――それらの事象は相互に多くの様々な仕方で血縁関係にあるのである。そしてこの血縁関係或いは諸血縁関係のために、我々はそれらの事象全てを「言語ゲーム」と呼ぶのである。[16]

　私はこの類似性を、「家族的類似性（Familienähnlichkeit）」という語による以外、より良く特徴づける術を知らない：何故なら、家族のメンバーの間に成り立つ――体格、顔つき、眼の色、歩き方、気質、等々に於ける――種々多様な類似性は、当にそのように相互に重なりあい交差しあっているのであるから。――そして、私はこう言うであろう：「ゲーム」は一つの家族を構成しているのだ。[17]

「言語ゲーム」という概念の内実をひとことでいえば、言語とは厳密なルールの体系ではなく、プレイが行なわれながらそのつどルールが暗黙のうちに提示され承認されるような、あるゆるやかなルールゲームである、ということになる。また「家族的類似性」とは、あらゆるゲームはそのような厳密な規定不可能性という点でのみ似ているということ、つまり、そのルールのありかたは決して厳密に規定できないということを意味する。

われわれはヴィトゲンシュタインのこの仕事の意義についても後に詳しく吟味するが、さしあたり言えば、『哲学的探究』は、現代の論理主義哲学の前提のもとでは「言語の謎」の本質的解明が原理的に不可能であることを示した点で、画期的な意味をもっていた。「言語ゲーム」という非常に示唆に富んだ概念は、彼の哲学的モチーフが「言語の形而上学」の根底的批判にあったことをよく示している。

しかし、わたしの考えでは、ヴィトゲンシュタインは、いわば現代論理学の前提のもとで、「言語の謎」が不可避であることを明らかにしたのであって、「言語の謎」を解明したわけではない。その点でもデリダとヴィトゲンシュタインは相通じるところがある。

デリダとヴィトゲンシュタインという二人の思想家は、現代思想の言語論的性格をよく象徴するとともに、哲学の思考における形而上学批判の問題をもっとも先端の場所で引き受けた思想家たちだった。だがわれわれはもう一度、形而上学批判の本質的動機を確認してみなくてはならない。

問題の核心はふたつあった。ひとつは、形而上学は世界と諸事態についての「根本原理」や「究極原因」の探求から発するが、この発想はしばしば世界観についての絶対的ドグマを作り上げる要因となるということ。もうひとつは、世界の絶対認識の欲望としての形而上学は、絶対論理主義のカウンターパートとして絶対懐疑主義を生み出すということ。

絶対認識の要請と絶対懐疑主義の理論的対抗は、二項対立的な対立形式を作り上げることで解決不可能なものとなり、そこから論理的な「存在の謎」と「言語の謎」（＝「認識の謎」）が生み出される。こうして形而上学は、絶対認識主義と絶対懐疑論、また中間項としての論理相対主義という円環をめぐって果てしなく議論を延命させることになる。

したがって、本質的な意味での形而上学批判は、この内閉した論理思考の領域の不毛性を明らかにし、そのことを通して哲学の思考を人間生活の実質的問題に置き戻すという課題に向けられなければならない。「言語の謎」の解明はまさしくこの課題の現代的核心点なのである。

3　「言語」の現象学——ふたつの信憑構造

現代言語哲学が直面している「言語の謎」は、煎じ詰めればふたつの問題に還元できる。言語における「多義性」の問題と、言語規則の「規定不可能性」という問題である。このふたつの問題は本質的には切り離すことができない。

これらの問題の核をかたちづくっているのは、言語における「意味」の本質という問題である。もちろん、「言語の意味」の問題は言語理論の全体を覆うわけではない。しかし、言語の「意味」とは何か、という問いに本質的なかたちで答えることができれば、現代哲学にとって大きな難関となってきたさまざまな言語のアポリアは解明されるはずである。そしてそのことは、言語理論がどのような課題をもつべきかについて、つぎの新しい展望を与えることになるだろう。

現代言語理論の問題は、何度か触れてきたように、近代哲学における「認識問題」の現代的な変奏形式といってよい。それらは厳密な認識の根拠づけという初発の動機をもっており、議論はその可能性をめぐっている。近代哲学の「主客の一致」の問題は、現象学の「確信成立の条件」という発想によってもっとも本質的なかたちで解かれうるものとなったが、わたしの考えに妥当性があるなら、「言語の謎」が「認識問題」とその本質を同じくするかぎり、これもまた現象学の根本的な発想によって解明されるはずである。

現象学による認識問題の解明の核心をもう一度整理すれば、つぎのようになる。

現象学の観点からは「主客の一致」の可能性という構図は否定される。客観的実在という概念自体が否定されるのだ。したがって厳密で精密な客観的認識という考え方自体が背理と見なされる。どんな認識も認識論的には原理的に「意識相関的」な「確信」(＝信憑)なのであり、したがって対象自体についての絶対的な「真理性」を問題とすることはできない。むしろただ対象の「確信」(あるいは「判断」)についての妥当性、不可避性を問題とすることができるだけである。そして、この「確信」の妥当性、不可避性の度合いを検証する一般原則は経験的一般性として必ず取り出すことができる[18]。

このことによって、あらゆる「認識」は、〝間主観的な諸要素によって変更の可能性をもつ一定の妥当性と普遍性をもった共有された「信念」〟として理解しなおされることになる。そしてまた、この共有された「信念」(相互承認的共通了解)は、つねに新しい間主観的諸関係に向けて開かれているのでなくてはならない。これまで伝統的に「真理」や「客観」と呼ばれていた概念の「本質」は、そのようなかたちで捉え直されるのである[19]。

さて、現象学が哲学的思考の原理的方法である以上、認識問題についてのこのような現象学的発想は、言語理論についてもまた適用されるものでなくてはならない。いま、議論を進めるために、とりあえず言語行為についての一般的なモデルを提出してみる。

言語の一般的図式**モデル①**において、言語理論上の問題は大きくふたつある。

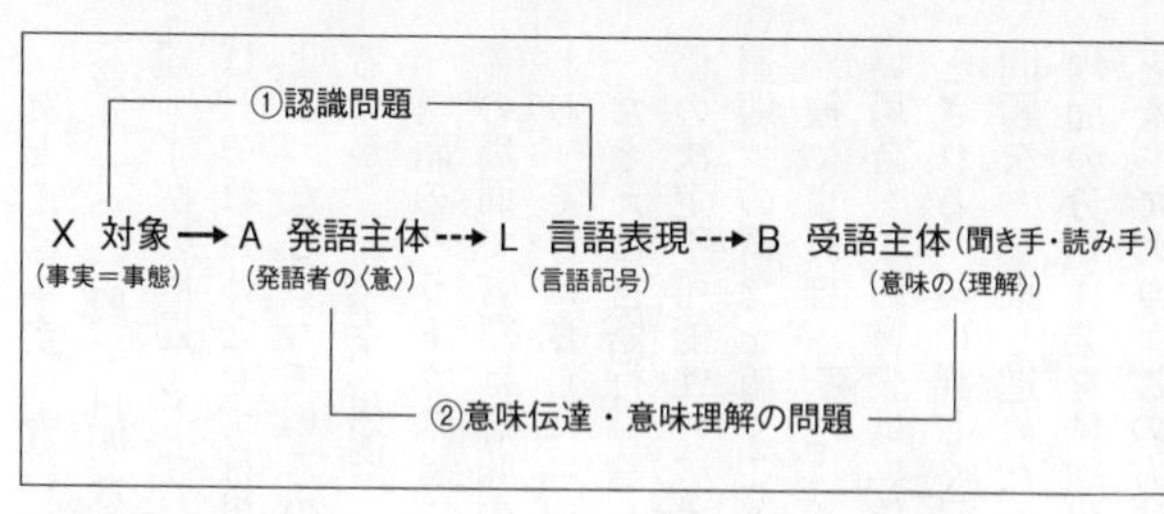

モデル①

（1）「対象」↓「発語主体」↓「言語表現」という系列の問題。すなわち「発語主体」が事実を正しく言語化できるか、という問題。

（2）「発語主体」↓「言語表現」↓「受語主体」という系列の問題。すなわち「受語主体」が「発語主体」の「意」を正しく理解できるか、という問題。

（1）は、主観が客観を正しく認識しこれを適切に表現できるか、という「認識＝表現」の問題領域であり、いわゆる伝統的な「認識問題」にあたる。これに対して（2）は、発語者の言葉がその「意」を正しく伝達できるか、あるいは受語主体がその「意」を正しく受けとることができるかという問題、すなわち「意味伝達」あるいは「意味理解」の問題領域である。現代言語哲学における言葉の多義性や曖昧性の難問はとくに（2）の領域に大きくかかわっており、まずこの「意味伝達」あるいは「意味理解」の問題から出発することにしよう。

たとえば「空は青い」という言表があるとする。認識論的な問題としては、この言表の「意味」は一般に自明なものとされ、なんら問題はないように見える。しかし、「意味」の伝達＝了解の問題としては、すぐにアポリアが生じる。つまり、この「空は青い」という言葉は、それ自体としては単なる事実の叙述なのか、感動を表現するものなのか、今日は晴れでよかったといっているのか、また空の色は「青」であって他の色ではないことを指示しているのか、〝決定不可能〟である。

言語のパラドクスはこういった「意味の伝達＝了解」の問題に重要な焦点をもっている。この場面で言語は意味の多義性を露呈し、ここから「真偽の決定不可能性」のアポリアが現われ、それはさらに「規則の無限背進性」のアポリアへと展開されることになる。

たとえば言語行為論を構想したオースティンは、フレーゲやラッセルなどで露わになる真偽の決定不可能性のアポリアを回避するため、意味の「真偽」の問題を廃棄し、「適切」「不適切」の概念を置くことでこの混乱を切り抜けようとする。[20]

彼によれば、「ジョンの子供は皆、禿である」という言表において、ジョンに子供がいない場合、この言表は「偽」ではなく「無効」（「無効」は「不適切」のひとつ）と呼ぶべきだとされる。後に詳しく見るが言語行為論という発想は、論理主義の本質的な限界を指摘し、言語問題を一歩推し進めたものといえる。しかし、オースティンの試みは、煎じつめれば、言語場面の分類作業を精緻化することによって多様な意味の現われを整理するという発想が基本となっており、この方法では言語の「意味」の本質的解明という課題に近づくことができない。だが、意味の多義性の問題を、いわば意味の「意味」を詳細に分類することで決着しようとする傾向は、言語を形式論的体系として合理化しようとする現代言語理論の趨勢である。[21]

「規則の無限背進性」のアポリアもよく知られたもので、ヴィトゲンシュタインが印象的に示したように「ルールのルールのルール……」というかたちをとる。

たとえば「空は青い」という言葉が、「一般叙述」を意味するか「感動」を意味するか等々といったことは、前後のコンテクストによるというほかないが、それがどのようなコンテクストに属するかは、慣習的ルールに依存するとしかいえない。つまり、ある規則（ルール）を適用するには上位の規則（メタルール）が必要であり、以下それは無限に背進する（ゲーデルの「不完全性定理」はこの原理を数学的な領域におけるアポリアとして表現したものだ）。

オースティンのような試み、意味の実践的な区分による多義性の乗り超えの試みは、あくまで便宜的＝実際的なものにすぎず、理論的には本質的根拠を示せない。だから、ヴィトゲンシュタインの論理相対主義の徹底による言語規則の「無根拠性」の発見をこれに対置すると、前者の試みは後者によって相対化されることになる。実際、オースティンの言語行為論は、デリダ的テクスト論から批判を受けることになる。[22]

しかし一方、言語の多義性や規則の相対性を強調する論者たちでは、ちょうど「存在の謎」において世界が「存在すること自体」への形而上学的驚きがしばしば見出されるように、「言語が通じていることへの驚き」がその分析の終着点となることが多い。要するに、コンテクストの分類による意味の形態論的整理も、ルールの無根拠性の発見も、言語理論としてはともに本質的なものとはいえないのである。

この問題を本質論として論じるための前提は何だろうか。さしあたりいえば、言語表現としては「同一」である「空は青い」が、多様な「意味」を表示しうることの不可避性を単に指摘するだけではなく、この「表現」の単一性に対する「意味」の多数性という現象の本質的な意味を解明しなくてはならないのである。

たとえばフッサールも『論理学研究』でこの問題に取り組んでいた。すでに見たように彼は、「意味」の多義性や曖昧性の原因を発話主体と聞き手の間に生じる「意味作用」に求めつつ、一方で語それ自体の「理念的意味」を「イデア的同一性」として確保しようとする。しかし、『論理学研究』におけるフッサール言語論では、現象学的還元の概念がまだ確立されておらずイデア論的な偏りから十分に脱していない[23]。そこで、わたしはむしろ『論理学研究』にこだわらず、現象学的還元の方法に則って構想された「現象学的言語理論」をここで提示してみようと思う。

現象学の方法の核心は「現象学的還元」の遂行にある。これを「認識論」の問題に適用すると、意識の内部において存在妥当についての「確信成立の条件」を問う「超越論的還元」となり、哲学的諸「本質」の問題を扱う場合には、概念や事態の「本質」の意識内的存在様態を問う「形相的還元」となる。「超越論的還元」の基本方法については、「純粋自我」の概念を説明する際に触れたが、対象存在の客観的な実在性をいったんエポケーし（対象の実在を前提としないこと）、意識内事象と対象の関係についての「原因と結果」を逆転させる視線変更を行なうということがその要諦である。いまこの方法で言語現象の本質考察を行なってみる。

この場合、「純粋自我」（＝純粋意識）の領域にあたるものはふたつ想定される。「発語主体」と「受語主体」（受け手＝聞き手・読み手）である。この意味はつまり、われわれは日常的に「発語主体」であったり「受語主体」であったりするが、必ず誰もがそれぞれの経験のあり方を内省的に想像変容し、発語および受語という経験の本質を取り出しうる、ということだ。言語における「意味」は、現象学的環元の原則からは、これらの「自我＝主体」における或る種の「確信」として〝構成〟されるもの、と見なされる。したがってこの「意味」確信の成立条件を内省的に確認してゆくという作業が必要なのである。

さて、あらかじめいえば、現象学的な言語の本質考察の核心点はつぎの点にある。すなわち、ここにはふたつの関係、第一に「発語主体」と「言語表現」の関係、第二に「言語表現」と「受語主体」の関係があるわけだが、このふたつの関係の構造的本質を「確信成立の条件」として考察するということがそれである。

しかし、言語構造の本格的な現象学的分析に踏み込むまえに、われわれはその予備作業として、「言語の意味」とは何か、という問いに関して一定の輪郭づけを行なっておかなくてはならない。

4 ハイデガーの言語意味論——意義連関

言語現象においては、「意味」を、記号それ自身または記号のシステムのうちに実在するものと考えるわけにはいかないし、また観念のうちに存在するものと見なすこともできない。「意味」はどこかに存在したり実在したりするものではない。意味は心的事象であり、ただ人間の幻想関係の本質的契機として存在するのである。

われわれは誰でも「意味」という現象それ自体についてはよく知悉している。それはまったく日常的な現象であり、それどころかわれわれの「生」それ自体の本質的な契機をなしているのだが、しかし、その内実を的確に言いあてようとすると容易ではない。実際、言語における「意味」の定義ということだけをとっても、現代言語哲学にはこれまでたどってきたような大きな混乱が存在する。

「意味」の本質は何か。これはまさしく現象学的なテーマである。現象学は本質観取という仕方である概念やことがらの「本質」に近づく方法を確立しているからだ。しかしここでわたしは、「意味」の本質に関してすでに遂行されたひとつの本質観取を範例的に示すことにしたい。この実例は、現象学的な本質観取における「本質」の把捉ということがどのような仕方で行なわれ、またどのような根拠と理由をもっているかを鮮やかに示すものだからである。

マルチン・ハイデガーは、現象学を自らの「存在論」哲学の基本方法としているが、『存在と時間』における「内存在」の分析で、まさしく「意味」とは何かという問題をたて、その本質観取を行なっている。

「意味」というものは、心的な像や表象に還元できないとか、記号に内属する実体でないとか、対象（＝レファレンス）に貼り付けられた表示ではないといった実在論に対する反対論証は、ヴィトゲンシュタインもフッサールも同じように行なっている。しかし「意味」の本質論としていえば、いまのところ、ハイデガーの本質考察がもっとも核心をついたものである。たとえば彼はつぎのように書く[24]。

> 意味は、現存在の一つの実存範疇なのであって、存在者に付着しているとか、存在者の「背後」にあるとか、あるいは「中間領域」としてどこかに漂い浮かんでいるとかといった一つの固有性ではないのである。意味を「もつ」のは現存在だけであり、それも、世界内存在の開示性がこの開示性において暴露されうる存在者によって「充実されうる」かぎりにおいて、現存在だけなのである[25]。

ハイデガーのいうところを言い直してみよう。「意味」は、もちろん事物存在ではないし、また単に数とか概念などの理念的存在のことだともいえない。それはむしろ人間的関係のうちに生起する関係的存在であり、また事物存在や理念存在を人間にとってそのようなものたらしめている当の根本的契機である。

われわれは、さまざまなものが「意味」を〝もつ〟という。しかしじつは、このとき「意味」をもつのは、〝人間の存在のありかた〟それ自体である。「意味」は、あくまで、人間的関係の現実においてのみ現われる独自の現象にほかならない。

さて、では「意味」のこの関係的存在性をどのように規定できるだろうか。ハイデガーの議論は以下のようにつづく。

人間の「実存」の本質契機は、「情状性」「了解」「語り」という三つである。[26]「情状性」は、「気分（＝情動、感情など気持ちの色合い）をもつこと」、「了解」は、自分の気分をそれと気づくことだが、この気づき（了解）は、潜在的にある新しい存在可能へのめがけを含んでいる。「情状性」は、情動による自己のかくあったの「規定」であり、「了解」は、それが促す新しい存在可能へのめがけである。こうして「情状性」と「了解」は、人間存在を、過去－現在－未来という「時間性」の中で存在せしめる根本契機であるとされる。

以上のようなハイデガーの考えを、たとえば頭痛の経験といったもので翻案してみよう。――私はふと自分の頭痛に気づく、つまりいつからかその不快に捉えられていた自分に気づく。そこで、私は窓を開け、新しい空気を吸いたいと思う。私は窓を開ける。しかし、かすかな頭痛は去らず、むしろ次第にその存在を主張しているように感じられる。そこで私は頭痛薬のことを思い浮かべる。

たとえば、こういう場面で私に生じているのはどのような事態か。それはつまり、ある気分（不快、倦怠、不安、欲望、希望など）に捉えられ、そのことにおいて自分の状態を「了解」し、そしてこの了解が自分の新しい「ありうる」（〜したい）の起点となり自分の態度や行為を促す、という事態にほかならない。そして、ここに「実存」という現象の基本的な原型がある、とハイデガーは説く。

ハイデガーの言うところをさらに祖述してみる。人間的実存の中心には「気分」があり、これが現存在という存在仕方の根底をなしている。これを「現事実」と呼んでおく。すると「意味」とは、人間の世界および他者との関係全般の実存論的原理であるが、それは「気分」とその「了解」という実存の現事実性にその存在根拠をもつといえる。気分の「了解」は、「気遣い Sorge」という存在可能の中心点を作り出す。

たとえば頭痛における不快は、われわれのうちに不快を何らかのかたちで処理（対処）しようとする気遣い（＝関心・欲望）を生む。気遣いはまた、われわれの「まわりの世界 Umwelt」の諸対象を、「道具的存在[27] Zuhandensein」として開示する。「ありうる」（〜したい）は「なすべき」に連接し、「なすべき」はまた、「〜のために」という目的性、目標性の創出を介して、事物を「〜のための、〜として」というかたちで規定された存在（＝道具）として開示する。そして「意味」は、この「気遣い」−「目的・関心性」−「手段性」−「道具性」といった実存的連関の分節性、として生起するのである。

清々しい空気を吸いたいと感じたとき、外が晴れているか雨が降っているか等々は、

「私」にとって「意味」をもつ。窓の外が雑踏でないかどうか、あるいは窓がさびついて開かないかどうかは意味をもつ。また、頭痛薬を思い浮かべたとき、その薬が古くないかどうかには意味がある。薬箱のある部屋にカギがかかっているかどうかには意味がある……。

こうして「意味」とは、事物が「道具存在」として存在するかぎりにおいて、私の「気遣い」という中心から発する意味の連関（＝有意義連関）として生起したり死滅したりするところのものなのである。

ハイデガーはまたこう述べる。

> 意味とは、或るものの了解可能性がそのうちに保たれている当のもののことなのである。了解しつつ開示することにおいて分節可能であるものを、われわれは意味と名づけるのである。意味という概念は、了解しつつある解釈が分節するものに必然的に属する当のものの形式的な骨組を包括している。意味は、予持、予視、および予握によって構造づけられている企投の基盤なのであって、そうした基盤のほうから、或るものとしての或るものが了解可能になるのである。(28)

それが何であるかについてわれわれが気づいたり、考えたり、理解したりできるという事態のうちに、ある対象の「意味」というものがある。「意味」とは、欲望＝関心相関として現われた世界の分節化の連関であるだけでなく、同時にその〝了解可能性の連関の構造〟なのであって、つねにその中心に各人の実存の核である「気遣い」がある。だから「意味」は、さまざまな事象の「〜のために」と「〜として」という秩序において分節化された〝世界の秩序と色模様〟として生じるのだが、つねにその起点として、「かくありうる」という実存者の投げかけをもっている。[29] そうハイデガーは言っている。

さて、もはや明らかなように、ハイデガーが行なっている「意味論」の方法上の特質は「意味」の本質を実存論的観点から捉えようとする点にあるが、「意味」の本質をこのような仕方で取り出すことは「観念論」であり「主観主義」にほかならないという批判も強固に存在している。しかし、認識方法というものは認識すべき対象の本質に規定されるべきものだから、探求すべき対象の存在本質の適切な理解なしには、われわれは「方法」という概念すら確定することができないであろう。

「意味」は自然存在、事物存在ではなく、人間の関係意識として生じる独自の関係的存在であり、これを「主観」や「意識」を超えた客観的対象としては措定しえないことを認めるなら、このような批判は無効であることが分かる。心的な領域として存在本質をもつ諸対象を実在的領域の諸対象と混同することは、「事実」的対象と「本質」的対象とを混同し、その間にある差異をまったく見ないことである。このような混同と混乱はまさしく素朴な実在論や唯物論に固有のものであり、それは極端な観念論や独我論が一切を心的事実に還元するのとちょうど裏腹なのである。

「意味」はある関係性の意識として生起し、したがってまさしくわれわれの「意識」に生じていることがらの共通の普遍性として捉えられなくてはならない。このような場面で「意味」を何らかの客観存在として想定することは、まさしく〝悪しき意味〟での「実念論」ということになるのである。

われわれの言語的常識は、「意味」の存在を何か言語記号に内属する存在として、あるいは言語記号の差異のシステムから生じる存在としてイメージしようとする傾向がある。しかし、この「表象」こそ「意味」の客観主義的、実念論的顚倒の結果である。また、この「意味」の存在表象的顚倒が、意味の「主観主義」対「客観主義」という素朴な対立構図の原因でもある。

重要なのは、「意味」の本質が記号論的、形式論的定義においては必ずパラドクスを必然的なものとするということ、またそのことの解明は実存論的な「意味」本質論によってしか果たされないということである。すなわち、「意味」論においては、その対象存在の本性によって現象学的、実存論的な方法上の優位が存在するのである。

「意味」の本質論は、実存論的あるいはその展開としての欲望論的カテゴリーによってはじめて可能な対象領域であり、論理形式論的術語ではそれを記述することができない。われわれはハイデガーの「意味」の本質観取をはじめの端緒としたが、さらに現象学的方法による言語の本質論を展開しつつこのことを確認してみよう。

第4章　エクリチュールと「作家の死」

1　言語の信憑構造――言語コンテクストと了解

現象学的方法を徹底するなら、言語の「意味」理論は、「主体」における「意味」の「確信成立の構造」として把握されるべきことをすでに私は示した。モデル①（一〇五頁参照）を推し進めると**モデル②**のようになる。

「還元」の方法の基本は、対象の客観存在を前提せず、それを徹底的に「存在確信」として扱うことである。これを一般的な言語の伝達図式に適用してみよう。

伝統的な言語理論では、「発語主体」と「受語主体」の関係は、「L 言語表現」（以下とくに必要ない場合「言語」と略記する）を媒介として「A 発語主体」と「意」が正しく「B 受語主体」に伝わるかどうかということが基本的問題とされる。だが、すでにみたように、ここにはふたつの「主体‐対象」関係が存在する。

まず、「A 発語主体」と「L 言語」の間には、「認識＝表現関係」がある。伝達的な観点からは、「X 対象（事実＝事態）」が「A 発語主体」を通して適切に「L 言語」にもたらされる原理が見出されるなら、それは「厳密な認識」の原理の基礎づけを意味するだろう。

たとえばカルナップは、「プロトコル言語」という概念によって、あらゆる種類の言語を客観的な「物理的言語」に翻訳しうることを論証しようとした。(1) もちろんこの試みは成功してはおらず、論理的な破綻も明らかで経験主義的相対主義の立場をとるクワインなどからの鋭い批判を浴びている。(2)

つぎに、「L 言語」と「B 受語主体」の間には、「伝達＝了解関係」がある。ここでもまた、「発語主体」の「言わんとするところ meaning」がつねに正しく「聞き手」に伝わり、了解される原理が見出されるなら、それは「正しい意味伝達」の原理的基礎づけを意味する。しかし、見てきたようにここには、「空は青い」といったごくふつうの言葉ですら「言語」の厳密な一義的理解が成立しない、というアポリアが待ち受けている。

ともあれ、まずつぎのことが言える。ひとつは、もし言語における「認識＝表現関係」と「伝達＝了解関係」についてそれぞれの項「A」と「L」、「L」と「B」を繋ぐ「＝」（等号）の妥当性が基礎づけられるなら、それは「客観認識」あるいは「厳密な認識」の基礎づけを意味する、ということ。もうひとつは、ラッセル、前期ヴィトゲンシュタイン、カルナップへとつづく論理実証主義の試みはまさしくそのような基礎づけの試みであったが、この可能性は「主客の一致」という近代哲学の「真理」図式、あるいは近代実証主義の「客観認識」の考え方と重なっている、ということだ。

しかし、すでにデカルトは近代哲学の出発点の場面で、「客観」と「主体」の間の「一

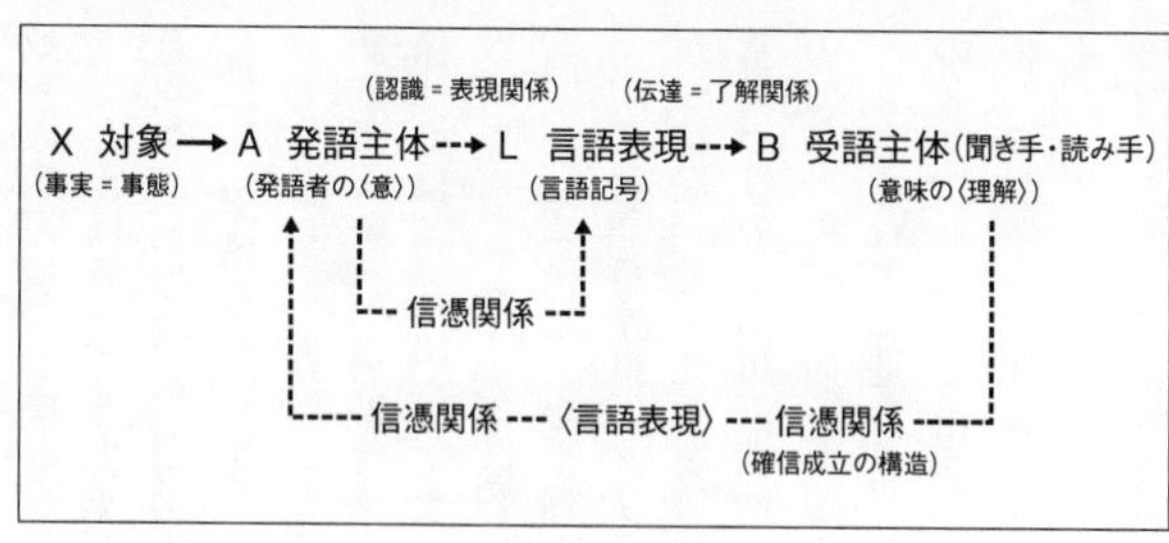

モデル②

致」の原理的不可能性を、われわれは自分の「夢」が「夢」であることを絶対的には証明できない、という仕方で論証していたが、この原理は、言語論においても妥当する。

たとえば、「L 言語」が「A 発語主体」を介して「X 対象＝事実」を正しく表現しているか否かは、最終的には「L」と「X」とを参照＝照合することができるのでなければ判定できない。しかし、人間はまさしく「対象」の認識を「言語」によって行なうので、これは同義反復になってしまう。「L 言語」と「B 受語主体」（受け手）の関係も同様である。「B 受語主体」の理解が「L 言語」を通して「A 発語主体」の意に正しく的中しているか否かは、一見困難なく確かめられるような気がするが、少し立ち止まって考えれば、ここでも「B」と「A」との直接的な参照＝照合は、絶対的には決して与えられないことが分かる。

ヴィトゲンシュタインの『哲学的探究』では、このような「認識＝表現関係」と「伝達＝了解関係」における「一致」の想定につきまとうさまざまなアポリアが論じ尽くされている。

たとえば彼はこう書く。「赤い花をもってこい」という言葉を聞くとき、この「赤い」の意味をいかに厳密に規定できるだろうか。つまり、彼のいう「赤」が私の念頭に浮かぶ「赤」と厳密な同一性をもつことをいかに証明できるだろうか、と。[3]

要するに、「認識＝表現関係」においては、「経験」（事実＝事態）と「経験についての言語的再表象」との間に厳密な「同一性」が成り立つかどうかが問題となり、「伝達＝了解関係」では、「言語」によって表現されるはずのことがらと「受語主体」の理解との間の「一致」（＝同一性）が問題になる。しかし、どちらにおいても、論理的には、そこでの厳密な「同一性」（一致）を根拠づけることはできない。

現代言語哲学は、まずこの言語関係における「同一性」の基礎づけの試みとして出発したが、結局、その挫折を確認するという方向で進んできたといえる。つまり、この厳密認識の基礎づけの「不可能性」がもっぱら言語のパラドクスやアポリアとして示されつづけてきたのであって、その「不可能性」の意味と本質はまだ解明されていないのである。

ともあれ先に進もう。右に挙げた言語の一般モデルを現象学の方法で再考察してみる。このとき、もっとも重要なのは、「認識＝表現関係」（発語主体→言語）と、「伝達＝了解関係」（言語→受語主体）のふたつを「信憑関係」（＝確信成立の構造）として捉えることである。

たとえば、伝統的な言語理論では、一般的なパロールにおいて「空は青い」は発話者の

「意」の言語表現[4]と見なされる。つまりここでは、発話者の「意」が認識（＝理解）されるべき「客観」なのである。しかし現象学では、「空は青い」は、「聞き手」の現象学的「意識」に与えられたひとつの意識与件、一定の条件において一定の確信を成立させる意識与件として扱われなくてはならない。

　相手が「空は青い」と発語したのを聞くとき、われわれのうちにどういうことが生じるかについて、現象学的に内省してみよう。

　一般的にいえば、この言葉は単なる叙景と理解されることもあるし、発話者の感動の表現と理解されることもある。また、今日は晴れでよかったという感懐として理解されることもありうる。そういう意味では、「空は青い」という言表の「意味」は、リテラルには多数性をもち、いわば〝決定不可能〟だと言える。

　しかし、実際の会話の場面では、われわれはほとんどの場合、これらの可能性のうちのどれかひとつを相手の言葉の「意味」として受けとる。つまり、「意味」が決定不可能なものとして現われることはめったになく、決定は自然なかたちで〝生じている〟。すなわち、相手の「意」の理解についてなんらかの「確信」が成立しているということだ。

　ヴィトゲンシュタインなら、このときわれわれをしてある一定の理解を可能にするその「用法」や「規則」は厳密には規定できない、というだろう。しかし、そういう言い方は不徹底である。現象学ではこのような場合、「意」の正しい「伝達＝了解」が成立したとは考えず、「聞き手」のうちに相手の言葉の「意味」についての何らかの確信が成立した、と考え、そしてこの「確信成立の条件」を考察するのである。

するとʼ、まずつぎのことが分かる。パロールの場合、個々の発語の意味理解を決定するのは、つまり個々の意味確信（＝妥当）を成立させるのは、かなり広範な言語の「状況コンテクスト」である。相手、場所、時、彼我の関係的な来歴、発話の前後の具体的状況、等々。もちろん、「状況コンテクスト」によっても明確な確信が成立せず、相手の「意」がよく理解できないまま会話が進むということもあるが、たいていは、相手の発語をそのような「状況コンテクスト」において受けとり、われわれはそのつど相手の「意」について自然な「確信」を成立させていることが分かる。逆にいえば、もしこの言語の「状況コンテクスト」が取り払われるなら、ほとんどのケースで、多義性（＝あいまい性）と、決定不可能性が現われ出ることは明らかであろう。

つぎにエクリチュールの場合では、その確信成立の条件がパロールとくらべてかなり限定されることも理解される。そこでは「状況コンテクスト」ではなく、「テクスト内コンテクスト」が確信成立の主な条件になっている。しかし、ここでも「状況コンテクスト」がなくなるわけではない。たとえば、「立て札」「説明書」「手紙」などでは、状況コンテクストの役割はかなりの重要性をもつ。言語の確信成立の主要条件をなすこのふたつの「コンテクスト」を「言語コンテクスト」と呼んでおくことにしよう。

ポストモダン思想では、この「テクスト内コンテクスト」は「インターテクスチュアリティ」[5]などと呼ばれて、かなり大仰な（＝フロイト主義的）扱いを受けている。しかし、要するにそれは、前後の文脈、あるいはテクスト間（哲学や文学的書物の間の）文脈ということにすぎない。エクリチュールにおいて「テクスト内コンテクスト」、つまり「インターテクスチュアリティ」が「言語コンテクスト」の主要契機であることは、現在では誰もが理解していることでとくに重要な認識とはいえない。

むしろここで重要なのは、ふたつの「言語コンテクスト」は受語主体がそのつど了解の確信を成立させる根拠であるが、その「確信」は本質的に信憑であり、したがって絶対的な確定に至ることは決してないということである。

さらに注意すべき点がある。ポストモダン的な「インターテクスチュアリティ」の概念は、この了解の「非確定性」を、解釈が無限にありうること（解釈の絶対的な多数性）、また正解がどこにもありえないこと（超越論的な「意味」の不在）、といったかたちで理解する。これに対して現象学では、同じものを信憑関係の構造的な普遍性として把握する。

現象学では、事物存在の「確信」は、「ノエシス－ノエマ」[6]構造における「ノエマ」、あるいは「内在－超越」構造における「超越」にあたる。「これはリンゴである」というどれほど強固な確信も、よく検証してみたら「リンゴのまがいもの」だったという可能性を原理的には排除できない、というのが存在確信における「超越」の概念の内実である。

ポストモダン的「インターテクスチュアリティ」の概念と比較して、現象学的な超越＝確信成立の概念の特質をいえば、「空は青い」という言表は無限の解釈可能性をもつ、というのではない。そういった言い方は実情に即さない。実際の聞いたり読んだりする場合では、われわれは「空は青い」という相手の言表から無限の解釈可能性を受けとることはありえず、むしろそのつど、状況コンテクストを手がかりとして、自然に何らかの了解確信を作り上げると言うべきである。そして、その「確信」が「ノエマ」あるいは「超越」にあたる。というのは、それは絶対的なものとして確定されることはありえず、あくまで了解の構造として原理的に「確信」にとどまり、他の条件の変更によって確信像（＝「妥当」）の変更の可能性を必然的にもっているからである。

言い換えればこうなる。われわれはどんな自明に思える相手の言葉も、その「意」を絶対的に確かめることは不可能である。しかし、つねにそのつど内的な自然な確信としてこれを受けとっており、しかしまたこの確信は、じつはそうではなかったという訂正可能性を原理的にもっている。このことはしばしば、人間が「嘘」をつく存在だから、という根拠で考えられているがそうではない。仮に相手が絶対に嘘をつかない存在だとしても、言語行為におけるこの信憑関係の構造は原理的なものだ。なぜなら、相手の言葉が「嘘」であるかどうかということも、原理的に確信成立の構造のうちにあるからである。

2　言語の「意味」とは何か

さて、いまわれわれは現象学的言語理論の基本的な構図を示してきた。ここでは「意味」理解の問題は、「意」と「理解」の「一致」という構図では現われない。あくまで了解確信が自然なものとして成立するための条件の解明、ということが問題となる。この地点からわれわれは、言語における「意味」の本質について、前に見たハイデガーの考察をさらに推し進めてみることにしよう。

繰り返し述べたように、フッサールの『論理学研究』では現象学的方法が徹底されているとはいえない面があるが、それが真理主義的動機をもつというのはデリダの誤解にすぎない。言語が多義性をもつこと、定義やその使用についての規則を厳密に規定することができないこと、これらのことについてはフッサールは十分に理解していた（実際フッサールは第二巻「表現と意味」第二六節以後でこの問題を論じている）。

しかし、絶対的な客観や真理が存在しえないことを深く理解することと、にもかかわらず数学や論理学の領域で一定の厳密性が成り立っている事実をどう理解するかということとは、また別の問題である。ヴィトゲンシュタインやデリダは、言語ルールの規定不可能性を言うことに関しては独創的な仕事をしたが、ではなぜ数学や自然科学の領域で高いレベルでの共通了解性が成立しているのか、という必然的な問いに十分に答えてはいない。論理相対主義ではこれに本質的なかたちで答えることはできないのである。フッサールの努力もまた主としてこの難問に向かっており、彼の思考はカルナップなどの「論理実証主義」とはまったく違ったかたちを見せている。

たとえばフッサールは、一方で、「意味」の内実を語に内属する「イデア的同一性」として確保しようとするが、もう一方で、「意味」の本質についてつぎのように述べる。

《意味》とは何かということは、色や音とは何かということがわれわれに与えられているのと同様、直接的にわれわれに与えられているであろう。それはもうそれ以上定義されず、記述的に最後のものである。われわれがある表現をしたり、それを理解したりするたびに、その表現はわれわれに対して何かを意味し、われわれはその表現の意味(ジン)を顕在的に意識するのである。[7]

フッサールの「意味」の追いつめの作業の原則ははっきりしている。一方で彼は、言語の意味が多義性や曖昧性を生み出す諸要素をひとつひとつ排去してゆき、最後に残る「厳密なもの」の核を「イデア的同一性」として取り出そうとする（この方法を彼は、デカルトの方法的懐疑から自覚的に取り出している）。そしてこれが、数学や論理学的な領域での厳密性の根拠と見なされる。

ただフッサールは、この「イデア的同一性」の概念に適切な現象学的規定を与えることができておらず、そのためさきにも見たようにこの概念は〝実念論的〟なものと誤解される余地を大いにもっている。しかしにもかかわらず、フッサールが言語における「厳密なるもの」の契機を追いつめようとした動機自体は、数学的・論理学的領域で厳密性が存在することの理由を明らかにしようとするという意味において正当であり、この作業を「真理の基礎づけ」だというのは誤読というほかない。繰り返しいうように、フッサール現象学には、そもそも「真理主義」的思考は存在しないからである。

さて、右の引用でフッサールが言わんとしているのは、つぎのようなことだ。われわれが「ある表現」をそれを理解しつつ行なうとき、そのつど、その行為はわれわれにとって「意味」というものを生じる起点になっている。そして重要なのは、なぜそうなのかについてわれわれは決していうことができないということ、つまりそこが意味というものの分析可能性の底板になっている、ということだ。意味とは「直接的に」与えられており「記述的に最後のものである」とは、そういうことである。

フロイトが、深層心理の分析は、これをたどっていくと必ずそれ以上たどれない分析不可能性の地点にぶつかると言ったのが認識原理論として正しいように、フッサールのこの言い方もまた正しい。およそ認識問題についてはこれを追いつめると必ず分析の限界となる地点が現われるということは、原理的だからである。重要なのは、このいわば認識の臨界点を適切に扱うこと、言い換えればその本質性格を明らかにすることなのである[8]。

いまフッサールの考察について言えば、彼はここで「意味」というものの遡行可能性の限界を指摘しているのだが、いっそう重要なのは、それが分析可能性の臨界点であること以上に、むしろ人間のさまざまな分析行為一般を可能にしているある一点でもある、という彼の直観がここで動いていることである。フッサールのこの記述を手がかりに、さらに具体的に「発語行為」の本質観取を行なってみよう。ただ、ここで問題となっているのは、あくまで言語の意味の本質であって「意味」それ自体の本質ではないということをあらかじめいっておかなくてはならない。

たとえば、「私」が朝、仕事場で同僚に「昨日のあれは、大丈夫？」と聞くとする。このとき「私」は、昨日同僚に託した書類のことを念頭に思い浮かべている。フッサールによれば、このときすでに「意味」が生じているということになるが、この場合、「意味」とはどういうことだろうか。

発語主体と言語との関係は「信憑構造」であると私は述べた。いま「私」が「昨日のあれは、大丈夫？」と言いながら自然に「昨日の書類」を思い浮かべているといった場合、「意味」はいわばまだ顕在化していない。しかし、そう言いながら、昨日、同僚といくつかの仕事を行なっていて「あれ」と呼べるものが必ずしも「書類」だけとは限らないことに気づいたとする。私は、「昨日の書類は大丈夫だよね」と言い直すか、すぐあとに「あの書類は」といった言葉を付け加えるだろう。このとき私は、自分の言葉の「意味」が適切に通じているか誤解を呼んでいないかなどについて、暗々裏に配慮している。つまり、「言語」が自分（主体）の「意」を適切に「表現」しているという「確信」が自分の中に成立しない場合は、言い直したり言葉を付け加えたりするのだ。

まさしくこのような場面で、発語主体にとって、「意味」が伝わるとか伝わらないとか、「意味」があるとかないとかいったことが問題になっている、と言える。つまり、「意味」とは、言語記号に内属する対象指示性でもなく、個々人の内的思念、「起源としての思念」のことでもない。むしろ、自分の思念（感覚、感情等々）が表現にもたらされるとき、そのつど、「表現」（＝語、言表、文）との関係において、われわれにとって問題となるところのものだ、とさしあたり言えるだろう。

形式論的な論理学では、「意味」は、まず語に内属するイデア的な同一性として、あるいは記号と対象との指標関係として、記号に喚起される表象として、またその他さまざまなものとして規定される。そしてこのような「意味」の複義性は必然的に「意味」の分類学を生み出す。しかし、「意味」の本質論を遂行するためには、形式論理は原理的に無効である。言語についての形式論理的思考では、言語の「意味」は、大きくいえば、「語」の指標的機能であると考えるか（実在論的）、発話者の「オリジナルな思念」であると考えるか（観念論的）のふたつに区分される。しかし、まさしくこの区分からさまざまなアポリアが生じるのだ。

現象学的には「意味」とは、われわれの表現行為において生じるひとつの関係の意識そのものである。われわれがなにかを思ったり感じたりするそのときに、「起源的思念」として「意味」が脳裏に生じているというのではない。そこにはただ、何らかの「直観」、もしくはその「表象」のようなものがあるといえるだけである。だが、われわれがその思いや感じを何らかのかたちで「表現」（内言、独語、発語等）したり「理解」したりするそのたびに「意味」（言語的な）という現象が現われる。

つまり言語の「意味」は、はじめの直観や思念（と想定されるもの）と「表現」との、ある関係の意識として生起する。そして、この「関係の意識」の核をなすのは、直観的な「思

念」と「表現」との間にある「妥当＝一致」がある、あるいはないという「信憑」の意識なのである。(9)

フッサールが「われわれがある表現をしたり、それを理解したりするたびに、（略）われわれはその表現の意味を顕在的に意識する」というのは、そのような直観によっている。さきにも見たように、「言語の意味」はある「関係の意識」であるという考え方は、心理主義的、観念論的であるという批判がある。しかし、ハイデガーの考察で見たように、「意味」それ自体の本質は、何らかの「気遣い」を起点とする「〜のために」や「〜として」の「意義連関」の意識として存在する。あるいはこの「意識」に連繫する了解可能性の連関の全体のことである。「言語の意味」もまた「意味」のひとつである以上、そのような「意味」の本質の一形態として考察しなくてはならない。一般的にいえば、「意味」は体系的に分節化された了解の諸連関と考えられがちだが、この体系的分節自体が「関係の意識」の諸変容によって根拠づけられているのである。

観点を変えてみよう。「言葉の意味」は、言葉が実存にとっての「道具的存在」として存在することによって出来する。これは、「事物の意味」（や価値）が、われわれの「欲望＝関心」と、その事物の「〜のために」や「〜として」といった意義の可能的連関性として生じるのと本質的に相同的構造をもつ。そして、言語の「意味」においては、この意義連関は、思念と「言語表現」との妥当＝一致についての「信憑の意識」として規定される。

たとえば、いまわたしの脳裏に「昨日の書類」のことがちらりとよぎっただけなら、そこで「意味」それ自身は動いていると言えるが、「言語的な意味」はまだ問題とはなっていない。しかし「書類」を思い浮かべながら、「あれは、まず大丈夫」と内言したとする。このような内言では、「意」は「言葉」と「妥当＝一致」していることが自明であり、まだ問題は起こらない。

しかし、たとえばひとりで「まったく猫に小判だ」と独語するつもりでいて、なにかの近接的連合によってふと「まったくブタに小判だ」と独語し、自分でおかしくてつい笑ってしまうなどということがある。「言わんとすること」と「表現」の間にある「ズレ」を感じたからである。独語もまた「表現」であり、そこに「妥当＝一致」の自然な確信が生じない場合、われわれはすぐにそれを意識する。このとき「表現」の「意味」が問題になっているのである。

「昨日の書類」を念頭におきつつ、「あれは大丈夫だね」と同僚にいう場合では、言表の「意味」はある意味で顕在的になる。しかしこの場合でさえ、この言葉が自明のこととして通じるときには、言表の「意味」は問題とはならない。だがさきのように「あれ」が多義性をもつ場合、われわれは「言表」が自分の「意」を正しく伝えているかどうか気になる。ここで言葉の「意味」がわれわれにとって問題となり、「意味」が通じていないと思えばこれを言い直したりするのである。

要するにつぎのようにいえる。自分の「言葉」が自分の「意」を妥当なかたちで表現しているという自然な確信をもつとき、われわれは「意味」の存在についてとくに意識しない。

しかし、その事態を反省して対象化するなら、そこにある「意味」が存在し、生きて動いていたということをいつでも確認できる。

また、この「妥当＝一致」の確信がうまく生じなかったり、ひび割れたりするときには、そのズレはただちに意識され、われわれは言い直したり付け加えたりする。それが誰もが行なっていることである。つまり、言語においてわれわれが「意味」と呼ぶものは、基本的に、「意」と「表現」の「妥当＝一致」についての「確信」の意識にかかわっているのである。

たとえば、つぎのような経験も誰もがよく知っていることだ。文章を書く場合、われわれは一行書いて、それが自分の「意」とうまくそぐわないと感じると書き直す。書くことにおいては、両項の弁証法的関係がより明瞭に現われる。

ここで表現行為は、単にまず「思念」があり、それが適切に「表現」にもたらされるというのではなく、自分の「思念」（＝直観）を適切な表現にもたらそうとする努力が、また自分の「思念」をより明確にしたりあるいは刷新したりする。はじめのまだ明確なかたちを取らない思念や直観は、その「表現」への努力という関係を繰り返すことによっていっそう明瞭なかたちを与えられ、豊富にされるのである。

こうして、実存論的には、「意味」は、われわれが発するそのつどの「欲望＝関心」を起点とし、この「欲望＝関心」が出来させる諸事態の「〜のために」と「〜として」の関連性の意識として立ち上がる。そして、この原的な「意味」は、当の連関の有意義性と了解可能

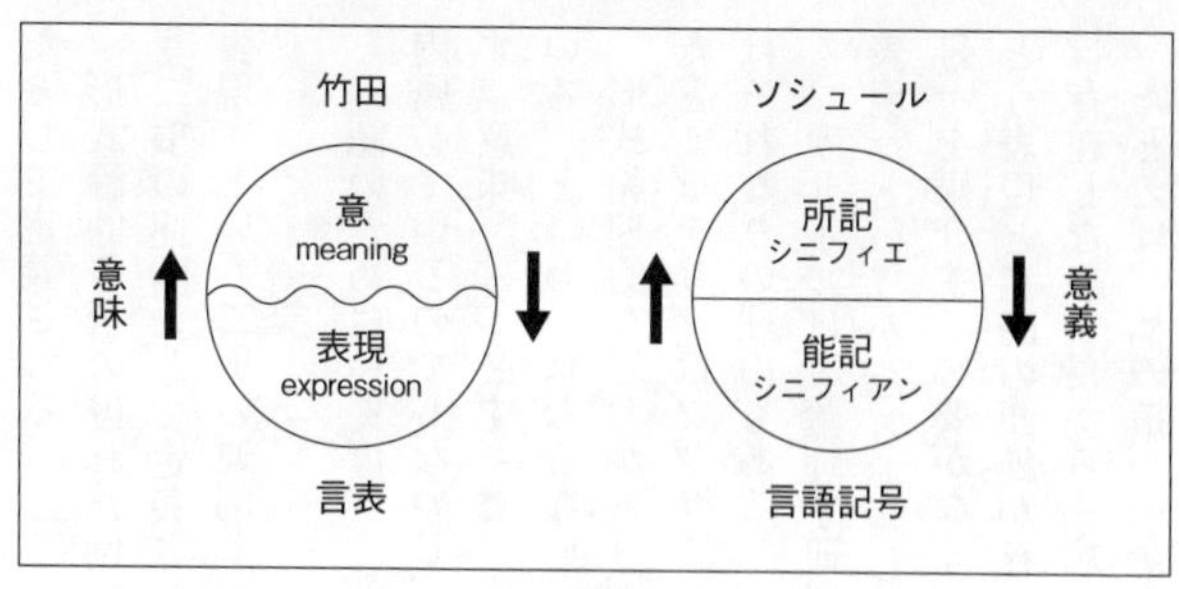

図

性の全体性として意識されるが、中心にあるのはつねに人間の各自的な（＝そのつどの）「実存可能性」である。

言い換えれば、言葉はそのつどの「意」の表現の「道具的存在」であり、したがってそのつどの「意」の伝達や表現が起点的な「欲望＝関心」となり、ここからこの道具的存在の有意義性や了解可能性などが、つまり「〜のために」や「〜として」の有効性や適合性などがつねに問題となる。この有意義性、了解可能性の全体的な連関をわれわれは言語の「意味」と呼んでいるのである。

繰り返しいえば、「意味」は実存論的範疇に属すものであり、ただ実存論的本質としてのみその核心が把握されうる。「言語の意味」は、「思念」や「言葉」に内属するものではなく、「意」という「欲望＝関心」を起点とする言語の有意義性、了解可能性の全体的連関として理解されなくてはならない。

かくして「言語の意味」は、言語主体（発語主体・受語主体）における「意」と「表現」の有意義連関についての、適合性、有意味性に関する「確信成立」のありかたとして定義される。

形式論的分析の優れた例であるソシュールでは、語の「意義」は〈能記（シニフィアン）／所記（シニフィエ）〉という二項の連関として定義されるが、現象学的「意味」本質論では、「言語の意味」は〈意／表現〉という二項の連関として示されることになるだろう（前頁の図を参照）。

確認のためにいえば、「意味」は、脳裏に生起するはじめの「思念」や「直観」のうちに内属しているのでもないし、また個々の内的観念それ自体でもない。しかし、にもかかわらず「意味」は、必ず「意」の核となる何らかの「思念」や「直観」を実存論的な起点としている、といわねばならない。

形式論理的な思考からは、このような考えは、観念論的な意味本質論と見なされてきた。たとえばデリダはフッサールの「意味論」をまさしくそのようなものと捉える。そのことにはそれなりの理由もある。

フッサールは『論理学研究』[10]で、「意味作用」の純粋モデルを「孤独な心的生活における表現」というかたちで論じる。フッサールがいうのは、孤独な内言では、言語は「言語記号」を媒介する必要がなく、したがって他者を想定した一般の言語表現において必ずつきまとう表現と意図の断絶が存在しないということだ。「孤独な内言」では「伝達」という契機は存在しない。だから「意」と表現の間の「妥当＝一致」は問題にならない。

たとえば、私の指が何かにぶつかって痛みを感じ思わず「イタイ！」と内言した場合、この「イタイ！」は、いま私の指が感じたその固有の痛みと何の齟齬もなくぴたりと重なっている、といえる。そこでは、表現された「言語」につきまとう多義性や解釈の多数性の可能性は、すべて排除される。フッサールは、いわばここに「意味」というものの純粋形を想定する。そしてデリダはこれを、フッサールの「現前＝生き生きした現在」と「言語」の絶対的結びつきを保証しようとする「企み」として、つまり「音声中心主義」として批判したのである。

ヴィトゲンシュタインもまた、「私的言語」という概念で、「意味」の本質を主観の内的観念として捉える思考に疑問を投げる。彼によれば、人間は「痛い」という言葉によって「自分の固有の痛み」を表現することはできない。なぜなら、言語は記号であり、そうである以上本質的に一般的なものだからである。

デリダにもヴィトゲンシュタインにも、「主観の内的な思念」が正しく「言語」によって表現される、といういわば「実念論」的言語論への強い批判がある。しかしこの批判も、現象学的な「意味」の本質論に対しては無効である。現象学的意味論は、「意味」の本質を「思念」と「言語」の妥当（有意義性）についての主体の「確信」のありかたと考えるのであって、その「一致」に置くのではないからだ。

思念と言語の「一致」が「意味」を成立させるのだとすると、われわれは「オリジンとしての思念」の「同一性」をまず確定できるのでなくてはならないだろう。しかしヴィトゲンシュタインに言わせると、誰かが「他人はここに存在する他ならぬこの痛みを持つ事は出来ない」と言うときも、[11]本人でさえ「この痛み」の「同一性」を確定することはできない。それはちょうど「主観」と「客観」の一致を確証するためには、まず「客観」の同一性を確定しなければならず、しかしすでにそのこと自体が背理であるという事情と同じである。フッサールが「孤独な内言」という言葉でいわんとしたのは、「言語の意味」とはわれわれの脳裏に発生する初発的思念それ自体のことだ、ということではない。むしろ言語の意味というものは、何らかの思念が言語表現のかたちをとるやいなやそのつど問題となる、ということである。

言語の意味は、思念と表現の関係の意識において動き出すのだ。そうである以上、初発的思念が「意味」でありそれが言語によって表現されるのだ、ということはできないが、何らかの思念あるいは直観的表象といった起点なしにはそもそも「表現」ということ自体が問題にならず、また意味があるのかないのか、妥当なのか、間違っているのか、といったこと自身が言語主体にとって問題とならない、といえる。その意味で、フッサールが「孤独な内言」を意味発生の象徴的な純粋状態と考えたのには理がある。

「意味」は心的作用の発動それ自身ではないが、しかし心的作用の発動のまったくないところに「意味」の存在ということを考えるのは背理である。このことは、実存論的には、欲望相関性を欠いたかたちで意味や価値の存在は考えられないという事態に根拠づけられている。

3　エクリチュールの構造

前節でわれわれは「言語の意味」の本質を、「A 発語主体」と「L 言語」との関係（認識＝表現関係）を中心として考察してきた。そして、ここで「意味」があるとかないとかといったことが問題になるのは、つまり意味の「意味性」が生起するのは、あくまで発語主体の意識のうちに「言語表現[12]」とその動機となった思念の間の「関係意識」が生じる場合である、ということを見てきた。

つぎにこの問題を、受語主体を中心とする関係、つまり表現された「L 言語」と「B 受語主体」の関係（伝達＝了解関係）に即して考察する必要がある。

「A－L」関係と同様に「L－B」の関係においてもまた言語構造上の「信憑関係」が構成されるが、このふたつの信憑関係は対称的ではない。すなわちここにあるのは、単に「言語表現」と「受語主体」の間の了解確信の成立ということではない。そしてここに言語のアポリアが本格的に現われる大きな理由がある。「伝達＝了解関係」についても本質考察を試みてみよう。

たとえばいま私が、ある人の「今日の空は青い」という言葉を聞き、何の違和感もなくそれを受けとったとする。このパロールにおいて信憑関係は、一見「L 言語表現」と「B 聴取主体」の了解関係として成立しているように見える。しかしそうではない。それはつぎのような例を考えれば明らかだ。

同僚が「昨日のあれは大丈夫？」と私にいったとする。しかしその「意味」がよく分からない場合がありうる。たとえば、指示代名詞「あれ」が指しうる対象がいくつか考えられたり、曖昧あるいは不明な場合である。このとき私は、相手のいう「意味」が分からないとか不分明とか感じ、必要であればそう相手にいうだろう。こういう場合どういう事態が生じているのか。

さしあたっていえば、「あれは大丈夫？」といった表現の「意味」がよく分からない理由、表現の多義性、曖昧性の理由自体は、これを形式的に分類するならいくらでも列挙できる。そして言語学者はしばしばそのような分類を行なう。たとえば、フッサールも『論理学研究』で言語の多義性の理由について論じている。

フッサールによれば、言語には「本質的に偶因的な表現」というものがあり、これが言語の意味の曖昧性や多義性をもたらす大きな要因である。「あれ」とか「ここ」とかいった「指示代名詞」、また「私」といった「人称代名詞」がそうで、言表は、これらの語を含む場合、その発話状況の具体的なコンテクストなしには「意味」が確定されない。

たとえば「あれがほしい」と言うときの「あれ」は、コンテクストなしではその指示対象を確定できないし、「私はうれしい」という命題は、同じ「意味」をもつ文として「そのつど自分自身を表示する話者はうれしい」という命題に置き換えることはできない。この場合「私」という語は、そのつどの発話の状況に応じて異なった「意味」をもつからだ。したがって、これらの語（人称、指示代名詞）を含むすべての表現は、それ自体として「既に客観的意味（ジン）を失っている」[13]。

ここでもフッサールは、例のデカルト的方法、疑わしいものをひとつずつ排去して最後に「確実なもの」を取り出すという発想で、言語の多義性をもたらす「偶因的表現」などの要因をひとつずつ排去することで、言語の厳密性や普遍性を確保する本質的要素を取り出せる、と考えている。だからフッサールは、言語に多義的解釈を許す他のいくつかの要因をも挙げているのだが、しかしこの方法は妥当とはいえない。

たとえば「あれは大丈夫？」という表現を「書類は大丈夫？」という言葉に置き換えてみる。つまり指示代名詞を取り除いてみる。一見、意味は分明になったように見えるが、しかしもし昨日いくつかの書類を扱っていたなら、事態は同じであることが分かる。表現からどれほど「偶因的要素」を排除しても、了解の不分明性の可能性は決して取り去ることができない。言語の多義性は、偶因的語によるものではなく、むしろ本質的に「伝達＝了解関係」の構造自体に内在するものだからである。

つまり、ここで相手の「意」が分からないという現象の本質的な理由はただひとつであって、私が「L 言語表現」を通して「A 発語主体の意」にまで届くことができない、と感じることである。「言語」を通して相手の「意」についての自然な確信が成立しない場合、それをわれわれは「意味」が分からないとか「意味」が曖昧だといった現象として経験するのである。

つまり、ここで「意味」が分かるとか不明であるといったこと、意味の「意味性」は、「L言語表現」と「B聴取主体」の間の信憑関係というのではなく、むしろ「A発語主体の意」と「B聴取主体」の間の信憑関係として存在する。そして「L言語表現」はこの「信憑関係」を媒介するだけである。

その理由は、「表現された言語」と「聴取主体」の関係の本質は「発話者の意」と「聞き手（聴取主体）の理解」の間の信憑関係にこそ存在し、言語自体にどんな厳密な使用規則を与えようとそれは確信成立の十分条件とはならない、という点にある。

「人生は2×2＝4（ににんがし）では割り切れない」とか、「この場合は1＋1＝3になる」などという言表では、「2×2＝4」や「1＋1＝3」といった一見「イデア的な同一性」しか表現しないと思える記号でさえ、リテラルな意味を超えた「意味」を表現する。日常的な言語ではこのような「言語コンテクスト」による意味の多義化はむしろ常態である。このため言語学者たちはしばしば、あらゆるコンテクスト性をあらかじめ取り払っておけば言語の意味の基礎的規定が可能となると考える。

しかしむしろ、この「コンテクスト」という要素こそ言語の意味の本質的な構造を支えるものであり、これを取り払えば言語行為の核が消えてしまうのである。ヴィトゲンシュタインがいったように、重要なのは言語をわれわれがそれを日常生活において使うそのままのかたちで考察することなのだが、言語学者たちの形式的分析はまさしくここから逸脱しているのだ。

スピノザは『エティカ』[14]で、「最近私は、だれかが『うちの広間がとなりの鶏の中へ飛びこんだ』と叫んでいるのを聞いたが、（略）私は彼がまちがっているとは思わなかった。というのは、私は彼のことばを十分よく理解できたからである」（定理47・注解）と書いている。形式的な言語分析からはこの言葉は〝ナンセンス〟だが、日常的には、その「意味」を理解できない人はいない。理由はひとつで、「聞き手」に「発話者の意」を受けとったという自然な信憑（確信）が生じるからである。

文法的にどれほど支離滅裂な言語表現も、「言語コンテクスト」の中で「発話者の意」にまで達したという自然な確信が成立しさえすれば、われわれはその言葉を理解したと感じ、「意味」を現実的なものとして受けとる。信憑関係が自然なものとして成立すれば、われわれは「意味」を理解したと言い、これがあやふやだったりねじれていたりすれば、「意味」が分からないとか、曖昧であるとか、矛盾している、とか言うのである。

だが、これに対してはつぎのような反駁がありうるだろう。発話者の「意」と「聞き手」の信憑関係に「意味」の本質があるというなら、では「言語記号」とは何か。それらはまったく「意味」を担っていないとでもいうのだろうか、と。

この反論を素通りするわけにはいかない。われわれがふつう「意味」というとき、それは「言語記号」（とその体系）のうちに封じられており、だからこそ人は言語を用いて「意味」を通じ合っている、という感覚が一般的に存在するからである。たとえば、「意味」は差異の体系としての言語記号によって可能となる、というのがソシュール以来の現代言語学の一般的見解であり、これは「意味」が何であるかについての一般的な感覚を代表する理論である。

言語の「意味」は、たしかに「発話者」と「聞き手」の関係の中でそのコンテクストの複数性のゆえに、多義性の問題を生むかもしれない。しかし、一方で、「言語記号」自体がすでに「意味」をはらんでいるからこそ、あるいはその体系（システム）が「意味」の全体的秩序を作り上げているからこそ、「発話者」と「聞き手」の関係も可能になっているのではないか。だとすると「意味」の本質は、むしろまず「記号」がもつ対象指示の機能ということから考えるべきではないか。

このような反論にはそれなりの論拠がある。しかし言語学者たちはこの前提を自明な出発点として考えることで、結局、「言語の謎」という袋小路にゆきつくのである。「言語記号」の対象指示性が「意味」を可能にしているのか、「記号」を使用する人間の観念や意識の内実に「意味」の実体があるのか。このいわば意味の根拠の「先構成」の問い（どちらが他方を可能にしているか、という根拠関係の問い）に言語のもっとも核心的な問題がある。そして、この問題を象徴するのが、「作家の死」という言葉で象徴されるデリダ的な「エクリチュール」（書き言葉）の問題にほかならない。

デリダは、ヨーロッパ形而上学を支える「音声中心主義」や「現前の形而上学」を総批判しようとしたが、その中心の場面に、この「エクリチュール」の言語論＝記号論が置かれていた。エクリチュールの記号論とは何であったかを、もう一度確認してみよう。

パロールにおいては、「意識」と「言語」の直接的な契合が存在するようにみえる。生き生きした「生の現前」は「声」を介して「言語」に結びつき、そのことで「意味」の「イデア的同一性」が確保される。つまり、事態や意の〝厳密かつ正確な〟伝達というものの可能性の原理が担保される。「声（フォネー）」という現象を、言語の根源事象として想定すること、言語理論の暗黙の前提として「声」の特権性をうち立てておくこと、ここにヨーロッパ形而上学のもっとも重要な秘密があった。現象学はまさしくそのような形而上学的野望の現代版である。

これがデリダのフッサール批判の要旨だが、彼はこの音声中心主義的言語論につぎのような「エクリチュール」論を対置する。

たしかにパロールにおいては、「B 聞き手」は「L 言語（パロール）」を通して、暗々裏に「A 発話者の意」を志向していると見える。ここで「言語」は「音声」であり、その「声」は発話者の「意」をそのまま体現しているからである。しかしエクリチュールにおいてはそうではない。ここでは「A－L－B」という言語伝達の経路において、「A 発話者の意」は「作家の死」によって抹消されているからだ。

エクリチュールを基礎として考えるなら、言語行為にとってむしろ「A」の不在ということこそ本質的な条件でなくてはならない。言語行為は「L 言語表現」と「B 読み手」だけの内的な関係として考えられるべきであり、したがってじつは「差異の戯れ」としての「L

テクスト」が生み出す「意味」生成の構造それ自体が問題となる。これがデリダのテクスト理論の概要である。

しかし、デリダの周到な論理にもかかわらず、言語行為の本質構造はふたつの根本的な「信憑関係」からなるという現象学的言語理論の原理は、パロールにおいてだけではなく、「A　発話者」の不在という事態が露わとなる「エクリチュール」の関係においても決して変わらないといわねばならない。これを検証するために、エクリチュールにおける「意味」理解の経験についても本質考察を行なってみよう。

たとえば私がいま、比較的大きな建築施設の壁ぞいの道を歩いていて壁にある小さな門を見つけ、そこにやや古びた字で「西北大字通用口」と書かれてあるのを読むとする。そういった場合、私はこれを「西北大字」という施設の裏門だと考えないで（おそらく「学」の字から書字の一部が剝落したのであろうと推測して）、「西北大学通用口」だと理解するだろう。

これは特異な例だが、もっとふつうに、連絡事項として回ってきた書類に「次回の委員会は、4月15月に開催される」とあるような場合、誰でもまず（印刷ミスかなにかによると推測して）「4月15日」のことと理解するだろう。つまり、こういった状況では、私はこれを言語の多義性や矛盾などとは考えず、書字の欠落や不全と判断してその「意味」を何の問題もなく理解する。いうまでもなく、ここで意味了解についての一定の確信成立を支えるのは、ただ状況コンテクストだけである。

この場合、「大字」を「大学」と、「15月」を「15日」と読み替えるべしという規則は、エクリチュール自体の中には記されておらず、言語の一般規則としても存在しない。「エクリチュール」は、一見それ自体で完結した書字の痕跡のように見える。しかし、エクリチュールにおいても「言語コンテクスト」の支えなしには「意味」は決して十全なかたちでは作用しないのである。

デリダが言うように、エクリチュールの場合には、たしかに「A 発語者」は与件として与えられておらず、存在するのは「L 言語＝テクスト」と「B 読み手」だけである。だから、「読み手」は言語記号の体系として完結したこの「テクスト」としてのエクリチュールのみから一定の意味を受けとっているように見える。しかしじつはそうではない。

現象学的な内省は、言語の「意味」の本質構造は、エクリチュールにおいてもまた、「B 読み手」→「L 言語」（媒介項）→「A 発語者の意」というベクトルをもった信憑構造のかたちをとっていることをはっきりとわれわれに教える。つまり、どんな種類のエクリチュールに向き合った場合でも、われわれはそれをまず何らかの「発語主体の意」の「痕跡」として捉えようとするのである。

つぎのような例をみよう。たとえば壁に何らかの「痕跡」があり、それが何か任意の文字、たとえば「バカ」といった文字として読めるとする。われわれはこの文字を、誰かの落書きだと理解するだろう（それは落書きとして一般的な語であるから）。そしてこのときわれわれは、この「痕跡」は文字であり、言語であり、したがって「意味」をもっているというだろう。

しかしまた、この壁に残された「痕跡」は、「バカ」という文字と読めなくもないが、単なる壁の傷跡とも見えるという場合もある。こういう状況ではわれわれは判断を留保したり、またこれは落書きと読めなくないがこんなところに落書きをする人間はいるまいと考えて、単なる傷跡に違いないと判断することもある。このときには、この「痕跡」は文字でも言語でもなく、したがって（言語的）「意味」をもたないと見なされる。

またたとえば、サルなどによってでたらめに打たれたキーボードのモニターに一定の判読可能な「言葉」が現われたといった場合も、われわれはそこにいわば擬似の言語を見て「言語表現」を見ない。それらの「言語」（のようなもの）は「意味」をもたないとわれわれはいうだろう。

もちろん、偶然に構成された模擬的な言語が偶然的な「意味」を一般的に構成するということはありうる。サルがたまたま打ち出した「dog」というエクリチュールは、「犬」という一般的意味をもつと言えなくないからだ。しかしその場合でも、われわれはそれを偶然に構成された一般的意味の表象と捉えるだけで、それが何らかの「意味」を表現しているとは考えない。これがわれわれが言語というものに対してとっている基本の態度である。

こういった模擬的言語の状況をさらに推し進めて考えることができる。コンピューターによって制御されたロボットが、人間に対応して挨拶したり話したりする場面を想像してみよう。そのときわれわれは、これらの言葉が、ロボットの企画者や製作者によって、さまざまな状況に応じて反応するように意図された一般的な言語表現である、ということを理解している。この場合は、コンピューターが発する言語に「意味」がまったくないとはいいにくい。

だがそれでもやはり、われわれはそれらが生きた主体から言表された言語ではなく、ただ一定の仕方で反応するように設定された模擬言語にすぎないことを知っている。だから、そこで機械の反応として現われている「言葉」に対して、その意を確かめたり、それに対して抗弁したり、また自分の主張を正当化したりすることには意味がない、ということを暗黙のうちに了解している（サルによって打ち出された言葉も同じ）。

つまり、コンピューターの言語からわれわれが受けとる「意味」は、生きた言語においてわれわれが受けとる表現としての「意味」とは本質を異にする、いわば「意味」の「一般的表象」なのである[15]。

西垣通によれば、数学者のアラン・チューリングは、人間と隣室に隠された機械との間で対話を行ない、相手を機械だと見破れなければその機械は「心をもち、思考している」と見なすべきである、と提案したという[16]。しかしこの提案はいかにも機能主義的な顛倒した発想というほかない。

われわれが「対話」の相手を人間的な思考をもつ主体と見なすか否かということも、このような人為的、形式的基準によっては規則化できない。それを決定するのも、やはりわれわれの内的な確信条件だからである。われわれはこの確信条件を、言語経験についての内省的な本質考察によってのみ取り出すことができるだけである。

たとえば、高度にプログラムされたコンピューターが突然、人間的な反応で話しはじめるのを目撃したとき、われわれがその機械を「心」と「思考」をもった自立的存在と見なす条件は何だろうか。

それはまず第一に、コンピューターの諸能力に関するわれわれの予備知識による、といわねばならない。われわれは誰でも、コンピューターというものが非常に高度なテクノロジーの結晶である、ということを知っている。突然しゃべりだしたコンピューターの反応が、人類のテクノロジーについての予備知識を遥かに超えた複雑にして高度なものである場合には、機械が突然なにかの原因で心をもったのかもしれない、あるいは、そうとしか考えられない、という確信が成立しうる。

逆にコンピューターの反応がそうとう高度であっても、人類のテクノロジーの水準にとってまったく不可能ではないという予備的認識があれば、われわれはそれが突如発生した自立的な「心」あるいは「思考」であるとは考えず、高度にプログラムされたコンピューターによる会話のシミュレーションにちがいない、と推測するだろう。そのようなことはすべて確信成立の条件として決まるのであって、人為的規準の設定は無意味なのである。

ともあれ、現象学的な内省は、こういう場面で存在者の「存在意味」についての構造的本質ということをよく教える。つまり、ある存在者（何らかの視覚的、聴覚的痕跡）が「言語」という存在者であるかどうかは、それ自体として既定の事実なのではない。それは「欲望＝関心」に対応する存在者の意味連関のうちで、われわれの内的「確信（＝信憑）」として成立するのである。

つまり、ある「痕跡」（形あるいは音）が言語であるといえるかどうか、あるいはそれが「言語の一般表象」にすぎないものか、また単なる傷跡でしかないかは、その「痕跡」が何らかの主体の「意」を担う存在者か否かについての、受語主体の「確信成立」の条件において決まる。そしてこのことは、ただ現象学的な「経験の内省」だけがそれを教えるのである。

つまり、ある「痕跡」は、それが言語であるから、われわれのうちに「意味」を喚起するのではない。むしろ、われわれのうちに「意味」を喚起するような痕跡をわれわれは「言語」と見なす、と言うのがよい。あるいは、おそらくそれでもまだ不十分である。われわれのうちに、ある主体の「意」を担っているという確信を与えるような「意味」を喚起する痕跡、そのような「存在者」をわれわれは「言語」と呼ぶ、というべきなのである。

さらに別の例を考えてみよう。

「時間の中での性行為の在り方は、空間の中での虎の在り方に等しい」というテクストがある。この言葉は、まずたいていの人にとって「意味」が不明であろう。しかし、読み手に、このエクリチュールの「作家」がジョルジュ・バタイユであるという知識があり（この知識が事実である必要はない）、またバタイユという思想家の一般的主張についての知識があれば、この文章が「生のエロスの蕩尽」（＝エロティシズムは時間を蕩尽し、虎は空間的事物を食い尽くす）という意味内実をもつものであることは、容易に理解できるものとなる。[17]

別の例を挙げてみよう。「欲求能力の対象（実質）を意志の規定根拠として前提するようなあらゆる実践的原理は、すべて経験的であり、決して実践的法則を与えることはできない」。[18]このような文章においては、仮に読み手がこの文章で使われているすべての語、概念（欲求、規定、根拠、実践、法則等々）の「意味」をよく知っていたとしても、そのことはこの文章の「意味」を十全に理解するための十分条件ではない。さらにまた、この文章はカントの書物の中に置かれているので、その前後の文脈を参照すれば、つまり「テクスト内コンテクスト」を克明にたどれば「意味」が分明になる、というわけでもない。

この文章の「意味」は、おそらくつぎのようなことである。〈人間にとってどのような対象が快・不快をもたらすかは、すべて経験が教えることであって、これをあらかじめアプリオリに認識することはできない。人間の行動をうながす「快・不快」という基準は、人によっても違うし、一人の人間にとっても一定ではない。したがって「快・不快」は、このような「快・不快」が生じる場合には人は必ずこう行為するという、人間の行為の確実な基準と見なすわけにはいかない〉。

もしさほど哲学的な知識をもたない読み手が『実践理性批判』をはじめから読んで、この箇所にさしかかったとしても、それだけではこの文章のそのような「意味」を判明には理解できないだろう。この場合、カントの思想について一般的な予備知識をもっているその度合いに応じて、読み手はこの「文章」の意味を理解できる、というのが妥当である。

　しかしさらにいえば、いま私がカントのテクストの「意味」として述べたことも、私の解釈にすぎず、他の「意味」の受けとりも可能だ、ということも明らかであろう。さきに示したようなバタイユの文章の「意味」は比較的間主観的な客観性をもつといえるだろうが、カントの文章ではより複義的、複層的コンテクストをはらんでおり、それに対応して一義的な「意味」理解がいっそう困難になっている。こういった事態はわれわれが誰でも読書経験の中でごく一般的に経験するものだが、このことが示唆しているのはどういう事態だろうか。

　それはすなわち、「テクスト」とは、それ自身記号的な差異のシステムとして自立し、そのことで記号の網の目としてわれわれの多様な解釈を触発しつづける存在者だ、ということではない。むしろ、純粋なエクリチュールとしても「テクスト」は、「発語主体の意」とそれを了解しようとする「読み手」の信憑関係を媒介する「道具的存在」にほかならない、ということなのである。

「時間の中での性行為の在り方は、空間の中での虎の在り方に等しい」。このテクストは、〝誰かが何かをいおうとしたことの「結果＝痕跡」としてわれわれに信憑されるかぎりにおいて言語的テクストであり、それが性行為におけるバタイユ的「蕩尽」の観念をいわんとしている、といった了解の「確信」が成立するかぎりで、われわれはこのテクストに「意味」がある、という。

　もちろん、この「確信」は人によって異なったものでありうる。つまり各人は、このテクストから各人なりの多様な「意味」了解を受けとりうる。しかしその場合でも人が、この「意味」の了解を暗黙のうちに、バタイユ（という名の作家）の何らかの「意」として、つまりその信憑として受けとっているということに変わりはない。そしてその本質的な理由は、この〈何びとかの何らかの意の了解〉ということは恣意的な解釈として生じているのではなく、自然な確信としていわば向こうから妥当してくるからなのである。

「意味」の理解あるいは了解というものが、読み手による主体の自由な解釈という実感において現われるものであるなら、われわれは文字どおりテクストという記号的差異の網の目の中を〝戯れている〟という感覚しかもてず、われわれに了解される「意味」が誰かの「意」を担うものとしてやってきているという感覚は生じない。その場合われわれは、J－P・サルトルが『想像力の問題』[19]で示したように、あたかも天井や壁のまだら模様から自由に形象的イメージを構成するように言語の意味を自由に「構成」していることになるのであって、テクストのもつ動かしがたい力に押され、つかまれているとはいえないのだ。

「意味」の了解が向こうから解釈の恣意性を超えるかたちで現われる場合に、われわれはテクストに動かされ、そのことで表現者の表現的意力を〝信憑〟せざるをえない。読書の経験がわれわれに教えるのはまさしくそのようなテクストの「力」であり、またここにこそ「テクスト」の本質がある。つまり、デリダの考えに反して、「パロール」のみならず「エクリチュール」においても、「発語主体」と「読み手」の間の信憑構造こそが「言語」や「言語の意味」という存在対象の本質である、といわなくてはならないのである。

たしかに「エクリチュール」では、眼前の「主体」は消えうせる。「声」においては直接性としてつきまとっている「そこに意が込められている」という自明性は、「エクリチュール」では背景に後退する。

「エクリチュール」では、「発語主体」の現前性と具体性は消滅し、それは読み手にとってまったく見知らぬ人間でありうるだけでなく、共同的な他者や匿名の他者、さらには他者ともいえないある「何か」になる可能性すらある。カレンダーに書かれた「格言」や、壁の「禁煙」という貼り紙の「発語主体」は、誰と特定することができない。道に落ちているワッペンに書かれたJACKとかJAPANといった固有名の「発語主体」はきわめてあいまいにしか確定されない。しかし、いかなる場合でも原則はひとつであって、ある「痕跡」が「言語」であるかどうか、つまりそれが単なる一般的意味表象しかもたないか、それとも十全な言語的表現としての「意味」をもつかどうかは、ただ「発語主体」（と想定されるもの）と「受語主体」間の信憑構造においてのみ規定されるのである。

まったく自由にそこから「意味」を構成できるような「痕跡」を、われわれは「発語された言語」とは見なさない。むしろ、われわれのうちにわれわれの恣意性を超えて何らかの発話主体の「意」を与えるという信憑を作り上げるような「痕跡」を、われわれは実質的な意味で「言語」と呼び、言語的「意味」をもつというのである。

したがって、「エクリチュール」では発話主体の「死」＝「不在」こそ言語の意味作用の一般条件であるということは、それ自体としては認めうるが、しかし意味作用の本質ではなくその一属性にすぎない。「エクリチュール」においても「読み手」は、必ず現実的与件としての「言語」を通して、「主体の意」を仮想的に思い描く。そして、自分の「意味」了解が、仮想された「主体の意」と妥当しているという確信が成立するとき、その「意味」を理解したと感じるのだ。

繰り返すが、この確信の成立は、恣意的な「解釈」ということではなく、むしろ恣意性を超えてわれわれにもたらされる。「時間の中での性行為の在り方は、空間の中での虎の在り方に等しい」。これをわれわれは、「性行為は虎のように獰猛だ」とか、「しなやかだ」というように解釈することも可能である。しかし、そのような解釈を思いついたとして、われわれはただちに、それが任意の解釈可能性の中のひとつにすぎず、しかも他の解釈を排除するにたる決定的権限をもたないことを直観的に理解するだろう。

ところが、われわれがバタイユの思想について予備的知見をもっている場合は、このテクストは「性の蕩尽」という作者の「意」の表現である、という自然かつ強い確信をわれわれのうちに成立させる。この「意味の到来」の動かしがたさ、不可避性こそが、われわれのうちに意味了解の「確信」を成立させる。「欲望」一般と同様、「確信」もまた総じて到来的な本性（＝向こうからやってくる）をもつのである。

4　文学テクストの本質

さて、しかしこのように考えてもなお、「テクスト」は作家をもった「作品」なのではなく、「発話者の意」とは独立した「記号が作り出す意味の戯れ」として独立した「作品」である、という反論がありうるだろう。「テクスト」が文学作品のような「表現体」であるとき、この反論はそのリアリティを強くする。

前にも触れたが、もともとブランショ、デリダ、バルトなどのフランス「テクスト」論の系譜は、「作品」を作家の世界認識の正確な表現、あるいは作家の「テクスト」を介した客観現実の「表現」であるとする認識＝反映論的な文学観への対抗という動機を強くもっていた。「文学テクスト」の本質は、作家における何らかの「言わんとすること」＝「意」の表現（代行＝表象）ではなく、いわんやそれは作家という主体の客観的な現実認識の〝表現〟なのでもない。これはこれでよく理解できる主張である。しかし、このような「テクスト論」の動機の正当性にもかかわらず、「信憑構造」としての言語の「意味」の本質論は覆されえない。

文学的な「表現」について、素描的な本質考察を行なってみよう。

文学的な言語表現のもつ特質は、その言表が「物語」「喩」「寓意」などの方法によって虚構化されている、という前提が存在することである。それが語りであれエクリチュールであれ、文学的な表現では、その全体がいわば事実それ自体ではないという意味で「括弧」に括られている、と考えることができる。

フッサールは、『イデーンI－II』の一〇九節以降で、「中立変様」という概念を展開している。どんな命題も、その命題全体をあらゆる現実的判断定立から「中立化」するかたちで陳述することができる。あるいは、どんな言表も、その性格の全体を現実判断から引き離し、その「信念定立性」を抜き取ることができる。つまり、その命題が示す判断性を、ただ「かのように」という態度で中立化することができる。

もっとも分かりやすい例は、命題を主体の意や判断から切り離してそのような言葉自身として「引用」すること。また言表全体をひとつの仮構された「物語」として置くこと。たとえば、「私は君と結婚したい」という言表は話者の明確な意志と判断を表わすが、「〈私は君と結婚したい〉と、ある男がいったとする」という言表では、この言表の中での「私は君と結婚したい」という言葉の意志や判断の現実性は、すべて宙づりにされて「かのように」という性格へと中立化される。これが「中立変様」である。(20)

後に別の文脈で論じるが、あらゆる言表は「括弧入れ」の可能性をもつ、あるいはまた「引用可能性」をもつ、ということは、言語学的にはきわめて重要な意味をもっている。

この事態はデリダにおいては、言語の多義性が必然的なものであることのひとつのキーポイントである。デリダのテクスト論にリアリティがあるとすれば、そこで「テクスト」という言葉で思い描かれているのが主として「文学作品」、つまり「中立化」された「物語」だからである。そして、ここでは「A 発語主体」－「L 言語」－「B 読み手」という関係における「意」の信憑構造という構造性が中立的に変様されるように見える。

文学的表現においては、言表の全体が「物語化」され「中立化」させられる。このような「中立化」された言表においては、言語表現は「意」の直接的な伝達という一義的な連関としては現われなくなる。「言語表現」全体の存在意味が「あたかも〜かのように」へと変様されるからだ。

日常の会話の中で何らかの「物語」が語られる場合には、この物語部分はいわば「引用符」のついたものとして了解される。「引用符」のついた物語の部分とそうでない部分とを区分できなければ、言語の正常な了解は成り立たない。しかし、話者が専門的な「語り部」として「物語」を語るとき、この「物語」は独自の性格を帯びる。そこで「物語」は、語り手が自分の「意」を直接伝えるものとして現われないし、またある別の出来事を伝聞として「引用」しつつ伝えているというのでもない。それはいわば「物語を語ること」という独自の水準を形成する。

「物語」や「文学表現」の本格的な本質論については、それ自体独立した著作を要するだろう。しかし、ここでは必要最小限のことをいっておかなくてはならない。読み手が表現として「物語」から受けとるものは、どれほど仮構され変様されたかたちではあっても、その「物語」がはらむなんらかの人間観や世界の意味である（このことは物語の初源形態である宗教的神話を見れば如実に理解される）。

「物語」は、事実それ自体を伝えるのではない。物語は世界を仮構し、虚構したかたちで差し出す。この仮構、捏造、虚構、その他が「物語」の本質だが、その仮構がいかに巧妙なものであれ、それが表現することができるのは人間や世界の意味だけであり、またそれに対する語り手（個人的・集合的）の態度（審美的、倫理的、あるいはまた理論的態度）なのである。

しかし「物語」は、これを明示的、直接的に表現するのではない。ある種の仮構、捏造、虚構という独自の工夫を通して、それを表現する。そして、この表現は、ほのめかし、感応、感覚的提示、暗示、示唆、象徴などの形式において行なわれるのであって、いわゆる「意」の伝達という形式をもはやもたない。

こうして文学テクストにおいて、読者の信憑構造はいわば二重化される。第一にそこには、誰か（ある個人、共同的主体、また匿名的伝承という場合もある）によって「物語」として語られた（書かれた）表現体である、という信憑がある。第二にまた、この第一の信憑に囲まれたかたちで、「物語」自体が作品としてもつ力をとおして「表現されているもの」（人間や世界の意味）についての信憑がある。

このために文学テクストにおいては、一見、発語者の「意」はその中心的「意味」としては消え、あたかも、さまざまな解釈可能性を保って「物語」が存在していること自体がその本質であるかのような仮象を呈するのである。

つまりデリダは、こうした「作品」としてのテクストにおける言語のありかたを典型的範例として、言語作用の本質を取り出していると言えるかもしれない。しかし、この思考からは、第一に、作品としてのテクストの本質は多様な解釈可能性の対象ということになるが、これは作品論の本質を踏み外したものになる。

前述したように、われわれは「作品」から、人間や世界の意味についての表現者の仮構された倫理的・審美的態度を受けとる、という信憑を形成するのであって、世界や人間についての何らかの「意味」をそこから恣意的に解釈するのではない。いわゆる作品解釈とは、われわれが作品から受けとる信憑が個人的な多様性をもつという事実を意味するのであって、作品解釈の絶対的な多数性ということ、つまりわれわれが作品を自由に恣意的にあれやこれやのかたちで解釈すること、を意味してはいない。

解釈の絶対的多数性といった考えによれば、われわれは、ある作品を優れたものとしてもつまらぬものとしても読みうることになるし、そこから任意の世界観や人間観を取り出すことができることになる。だがそういう表現論は背理である。

また、この考えは、「作品」としてのテクストにおいてはある種の説得力をもつように見えるが、これをパロールに適用すると、その矛盾は覆いがたいものとなる。相手の言表について解釈の絶対的多数性があるならば、われわれが「言語コンテクスト」から相手の「意」についての信憑を成立させ、そのことで「意味」を了解したという感覚をもつこと自体が不可能となるだろう。つまり、われわれは相手のどんな言表についても相手を「理解」したという自然な感覚をもてないことになる。

こうして、文学作品が示唆する「テクスト」の独立性という観念も、現象学的な本質考察を試みるなら、さきに見た信憑関係としての言語の本質構造を変化させるものではないことが明らかになる。

テクストを一般的な「意味」をもつ記号の集合と理解するかぎり、われわれはどれほど単純なテクストからも、対等な権利をもった多数の解釈可能性を見出すことができるだけであり、決してひとつの「意味」を受けとり、理解したと〝確信〟することができない。後に詳しく見るように、「テクスト」から発語主体を〝抹消〟すると、言語の「意味」は、たちまち決定不可能性やパラドクスの問題に取り囲まれることになるが、その理由もまさしくここにある。

こうしてわれわれの観点からは、パロールとエクリチュールの本質的な違いをつぎのように整理することができる。

エクリチュールでは、発語主体を現実存在として確定できない。したがって発語主体は、眼前に存在するこの人間ではなく、仮想としての「主体」となる。つまり、デリダが「作家の死」という概念でいわんとしたことの本質は、「エクリチュール」における言語表現の記号的「意味」としての自立性、ということではなく、さしあたっては「発語主体」の存在性格の確定不可能性ということにほかならない。

さらに、作品としての「テクスト」が「超越論的意味の不在」という本質をもつということも、とくにエクリチュールの特性であるとは言えない。それがパロールとしての「物語」であっても、もともと「物語」自体が「意」を直示的に伝達するような本性をもっておらず、したがってその「意味」は「一義的」ではなく多様な解釈可能性をはらんでいる。

しかし、この解釈の「非一義性」は、見てきたように個々人の恣意的かつ多様な解釈可能性ということを意味しない。それはあくまで作品の「力」として与えられるのであって、それ自体ひとつの「信憑構造」として存在する。「物語」における解釈の「非一義性」「多様性」は、報告、叙述、命令、願望、疑問、呼びかけなどといった日常的な言語の対人関係的性格とは違った「物語」の特性を表現するものであって、決して「テクスト」や「エクリチュール」に固有の特性なのではない。

エクリチュールは「発語主体の意」のまさしく痕跡である。そしてここでも、デリダの言う「主体の死」とは、「言語の記号としての自立」ということであるより、「意味了解」における再確認の方途の不在ということを意味する。

言い換えれば、エクリチュールでは、「確信成立」の条件が「B 読み手」と「L 言語」という関係の内部だけで閉じられ完結している。これに対して、「対話」によるパロールの場合では、「意味」（あるいは意）の了解は直接に相手に確かめることができ、それを何度でも反復することができ、またこのプロセスにおいて了解の確信は強められたり、変更されたりする可能性をもっているのである。

デリダの考えに相違してパロールとエクリチュールの本質的な差異は、エクリチュールにおいては発話主体の現実存在がつねに「仮想的」なものとして留保され、ただ想定されるだけのものとなっていること、そのため意味了解の「確信成立条件」の確認が受け手の主体内部で閉じられ完結している、という点にこそある。そして重要なのは、そうだとすれば「パロール」に対する「エクリチュール」の優位を証明することによって、「音声中心主義」を克服することはできないということだ。

このことによって「言語の本質構造」の理解はなんら刷新されず、したがって現代哲学における「言語の謎」も解明できない。つまり、この方法では言語の形而上学は顚倒できないといわねばならないのである。

第5章　一般言語表象

1　一般言語表象と言語の多義性

　われわれは、デリダがエクリチュールにおいて切断した「主体の意」と「読み手」の関係を言語行為における本質的な〝信憑構造〟としてもう一度立て直した。つまり、パロールであれエクリチュールであれ、言語の本質関係が「発語主体の意」と「受語主体」の間の信憑構造として存在することを確認してきた。だが、この考え方は「言語の謎」を解明できるだろうか。

　もう一度確認すると、「言語の謎」はふたつの現象に還元できる。ひとつは、言語の「意味」の多義性（曖昧性、決定不可能性、解釈の多数性等）ということ、もうひとつは、言語規則の規定不可能性ということである。

　ところで、『存在論的、郵便的』[1]で独自のデリダ理解を示した東浩紀は、現代言語哲学の諸問題について的確な整理を行なっており、デリダの言語理論の全体像についてのきわめて明晰な解説にもなっている。彼のいうところをたどってみよう。

デリダの「脱構築」という概念をどう理解すればいいか。まずそれは、言語における論理的整合性、客観性、伝達可能性、厳密性等々の観念の〝不可能性〟を暴露するひとつの戦略である、と東はいう。

たとえばデリダは、ジェームス・ジョイスの「he war」というテクストを例に挙げ（heもwarもそれぞれ英語、ドイツ語の意味をもつ）、このエクリチュールの「翻訳可能性」がもつパラドクスを示す。「he war」は、これがもしパロール（音）であれば、英語で訳すかドイツ語で訳すかが決定可能となり意味も自明となるが、エクリチュールのままでは、その「意味」は決定不可能にとどまる。

こういった語の単なる多義性を超えた「意味」の「還元不可能な多様性」を、デリダは後に「散種」と名づけるのだが、ここではパラドクスは、「パロールは発話主体の同一性を維持するが、エクリチュールはそれをただちに引き裂き、二重化してしまう」という「主体の死」の問題として現われる。またデリダは、オースティンの「言語行為論」を批判する。オースティンは、言明をコンスタティヴ（事実確認的）とパフォーマティヴ（行為遂行的）とに区分することで意味の多義性の問題を整理しようとするのだが、デリダによれば、このふたつを厳密に区分することは不可能である。

オースティンは「コンスタティヴ」と「パフォーマティヴ」の区別を言語の形態的特質によって区別できると考えるが、じつはあらゆる言語は「引用可能性」をもつ。これについてはさきにフッサールの「中立変様」の概念と関連するかたちで述べたが、たとえば「私は誰それと結婚します」という言明は、ふつうは「パフォーマティヴ」な言明だが、舞台の上で言われたり、「『私は誰それと……』と彼は言った」という引用符つきで使用されれば、「パフォーマティヴ」な効力を失う。そして、ある言明がこのような引用的使用であるかどうかはコンテクストに依存し、言明の形式性自体からこれを決定することはできない。

たとえば、「この牛は危険である」という貼り紙があるとして、この言明は、その牛が危険であるという事実を述べているとともに、「危険だから近づくな」というパフォーマティヴな意味をももつ。それを言語の形式だけからは厳密に区別できない。また、ポール・ド・マンの例、「What's the difference?」でも、この言明の意味が「違いは何かを知りたい」(＝パフォーマティヴ)であるか、「違いは何もない」(＝コンスタティヴ)であるか、決定不可能である。

デリダは、こういった例によって、このような言語の多義性や曖昧性は、言語学的な「分類」や「区別」、「整理」によって乗り超えることが不可能であることを示す。これらの「決定不可能性」や「意味の多数性」こそむしろ言語にとって本質的であることを明らかにすること、またそのことを通して、ヨーロッパの哲学における「音声中心主義」と、それによって支えられていたヨーロッパ形而上学の根本前提を暴露、解体すること、ここにデリダの戦略の基本動機があった。そう東はいう。

東の整理は簡明にして要を得たもので、デリダが言語の「決定不可能性」の概念をどのように形而上学批判において機能させているかがよく理解できる。『声と現象』では、デリダ的な「エクリチュール」の本質は「作家の死」と呼ばれたが、これにつづく諸テクストではそれは、「引用可能性」「散種」といった概念で捉えられる。そこで彼は、言語を分類し整理することで「意味」の整合性や論理性を確保しようとする一切の試みに反対し、この整理や区分の〝不可能性〟を論証する。

このようなデリダの営為は、言語論としてはヴィトゲンシュタインのそれと似ているが、まったく同じことを反復しているわけではない。ヴィトゲンシュタインの論究は、「言語の謎」のもっとも底にルールの規定不可能性が現われるというところにゆきつく。デリダはいわばこの洞察を土台として「エクリチュール」の本質論を展開し、これを脱構築という思想戦略へと展開するのである。

さて、言語の多義性や決定不可能性を追いつめることによって形而上学を解体しようとする試みがデリダの初期の仕事の基本戦略だった。しかし東浩紀はここでつぎのような重要な主張を行なう。つまり、ここでの脱構築的論理は、必然的にあらゆるものをただ解体することに終始するような「否定神学」[2]的要素をはらんでいるというのである。

「否定神学」とは「肯定的(ポジティヴ)=実証的な言語表現では決して捉えられない、裏返せば否定的(ネガティヴ)な表現を介してのみ捉えることができる何らかの存在がある、少なくともその存在を想定することが世界認識に不可欠だとする、神秘的思考一般」[3]を意味するが、まさしく脱構築の思想は一切のものを相対化する否定の「力」によって成り立ち、そのために、自分自身の思想原理を展開していくというより、批判のための批判思想という性格を帯びることになる。

しかしデリダはやがてこのことを自覚し、ある時点から脱構築的論理のそのような性格を克服するようなテクストを生産し始めた。そう東は主張する。多義性や決定不可能性の議論による形而上学解体という動機のうちに「否定神学」的性格がはらまれているとする東の指摘は注目すべきものだが、こういったデリダ擁護が妥当かどうかについては後に検討し直すことにしたい。

ともあれわれわれは、ここで示されたようなデリダ的な言語の「決定不可能性」の問題を、現象学的な言語の本質考察によってもう一度吟味してみよう。

第一の「言語の謎」は、たとえば「この牛は危険である」という貼り紙や、「What's the difference?」に象徴されるような、言語の多義性（＝意味の決定不可能性）に関するものだった。まず、もっともシンプルな例を置いてみる。

「空には星がある」。

この言表の「意味」は、一見まったく自明で何の問題も存在しないように見える。しかし、この単純な命題のうちにすでに「多義性」が、つまり多くの「意味」了解の可能性が潜んでいることが分かる。それを列挙してみよう。

（1）一般的事実……山には樹がある。海には島がある。同様に、空には星がある。

（2）一般的事実の強調……空には星が*ある*。海に島があり、山に樹々があるように。

（3）特徴づけ……空にはなにもないわけではない、星がある。
（4）注意の喚起……注意を空に向けよ。空には星がある。このことについて考えてみよ。
（5）言外のメッセージ……元気がなくなったら見上げるとよい。いつでもそこに星が輝いている。
（6）その他

「What's the difference?」のような例は、言語の多義性を強調するための象徴的事例にすぎないのであって、じつはどんな単純な言表や命題も、厳密にいえば、「意味」の一義的確定というものをもちえない。このことは辞書を見れば一目瞭然であり、どんな語も必ず複数の語義をもっている。すでに見たように「２×２＝４」のような数式も、「人生は２×２＝４（ににんがし）では割り切れない」といった言表の中で用いることができるし、「二」のような整数でさえ、「二」は世界の根本原理である、といった具合に用いることができる。つまり、もっとも単純な語さえ多義性をもちうる。だがこのことの意味は何だろうか。デリダではこういった言語の本質的な多義性は「散種」と呼ばれるが、これについて東浩紀はつぎのようにコメントしている。散種はどこからきたか。それは、語そのもののうちにあらかじめ多義性が潜んでいるというのではない。「散種の効果は、ひとつの同じエクリチュールが複数の異なったコンテクストのあいだを移動することにより、つねに事後的に見出される。（略）エクリチュールの単数性こそが、記号に宿る散種的複数性に対し論理的に先行しているからだ」[4]。

ここでいわれているのはつまり、「語」自体に多義性が含まれているというのではなく、「語」についての多様な解釈の可能性が「コンテクスト」から事後的にもたらされる、ということである。ただ、東の文脈では、デリダにおいてこのコンテクストの多様性＝解釈の多様性は、形而上学における歴史の「捏造」や「共同体」の生成の原理につながり、だからこそエクリチュールの多義性の秘密を暴くことが重要である、というニュアンスを含んでいる。

だが、私の考えを言えば、パロール中心主義もエクリチュールの謎も、ヨーロッパ形而上学や共同体の生成の秘密といったこととは本質的に無関係である。それはきわめてフロイディックな「物語」にすぎない。共同体の秘密はルール形成の原理にあり、エクリチュールの秘密を暴けば共同体の原理が少しでも相対化される、と考えるのは、現実の矛盾の意識を、純化された論理的な世界表象の内部で修正しようとする観念的ロマン主義にすぎない。

しかし、このことを別にすれば、デリダがここで示している考え、言語の多義性は「エクリチュール」（＝語、文）自体に潜んでいるのではなくコンテクストから事後的に生じるという言い方には理があり、そこには看過できない意味がひそんでいる。いまこの問題を現象学的に考察してみよう。

「空は青い」という文は、たしかにそれ自体を見れば多義的な意味をもち、唯一の意味に限定できないことがすぐに分かる。しかし、現実に「発語」された言葉としては、事情はまったく異なったものとなる。

現実的シチュエーションの中でわれわれがこの「言葉」を聞くとすれば、その多義性に迷うようなことはまずない。友人と野外を散策していて、彼が感懐をこめて「空は青い」と言う場合、理科の教師が教室で「空は青い。なぜか？」という場合、知人が旅行先のギリシャから絵はがきで、「毎日が快適だ。今日も空は青い」と書いてよこすような場合、この言表の「意味」が決定不可能などということはありえない。なぜだろうか。言語コンテクストがそれを教えるからだ、という答えがただちに浮かんでくる。

しかし、この答えは間違いとはいえないにせよまだ十分ではない。繰り返し確認してきたように、より適切には、言語コンテクストが受語主体のうちに「発話主体の意」を了解したという自然な確信を作り出すとき、言葉は多義性を帯びず一義的なものとして、つまり明瞭な意味をもつものとして現われるのである。

これを、どういう条件において「多義性」ということが問題になるのか、という問いに置き換えても答えの本質は同じである。友人と話をしながら道を歩いているとき、彼が突然脈絡なく「空は青い」といったとする。このときわれわれは、この言葉がどんな「意味」なのかを理解できないと感じ、それを知るためにつぎの言葉を待つだろう。彼が「でも私の心は暗い」とでもいえば、すぐに自然な了解感がやってくる。このとき「多義性」ということは問題にならない。しかし、彼が押し黙ったままであれば、それが叙述なのか、詠嘆なのか、感懐なのか、反語なのかを、われわれは憶測しようとする。こういう場合に、語の「多義性」とか解釈の「多数性」ということが意識される。

「What's the difference?」といった言葉は、さきの文脈ではそれ自体が両義的な「意味」をもっていると見なされていた。しかし、この言葉もまた、日常生活で使用される場合は、意味が決定不可能であるということはまずない。しかし、これがエクリチュールとして提示されると、さきに見たような二通りの「解釈可能性」が浮かび上がるのである。この事態の本質は何だろうか。

「What's the difference?」といった言葉は、日常会話で具体的に使われる場合には発話者↓聞き手というプロセスの中で存在する。ここでは意味の「多義性」はまず現われない。その理由は状況コンテクストが話者の「意」についての「確信成立」を支えるからである。しかし、この言葉をそのプロセスから切り離して単なるエクリチュールとしての「命題」として置くと、それは「発話主体」が抜き取られた言語、いわば言語の痕跡となる。

ここで読み手は発話者を想定できず、その「意」へとたどろうとする日常的な了解行為を封じられ、宙に浮いた命題としてこの語を理解することを強いられる。このとき、意味の多義性、解釈の両義性が出現するのである。

このような「発話主体」を抜き取られた、「痕跡」としての言語を、私は、「一般言語表象」と呼ぶことにする。

さしあたりいえば、ある語や命題に「多義性」が生じる本質は、コンテクストから多様な解釈可能性が事後的に可能となるから、という言い方では十分ではない。それは事態の現象面にすぎない。デリダやヴィトゲンシュタインを含め、現代の言語理論家たちが見出す「言語」の多義性の不可避性は、本質的に信憑構造として存在する「言語」を、その生きた関係構造から切り離して単なる言語痕跡として扱うことに由来する。彼らがこのとき扱い分析しているのは、正当な意味での「言語」ではなく、言語の痕跡にすぎぬもの、あるいはその一般的表象でしかないもの、つまり「一般言語表象」にすぎないのである。

現象学による言語意味論の第一の要諦は、言語の「意味」の了解は本質的に発話主体の「意」についての了解確信の成立（の度合い）に依存する、という点にある。この定義はまたつぎのことを教える。すなわち、言語の「多義性」や「解釈可能性の多数性」の本質は、言語に媒介された「発話主体の意」についての了解確信形成の曖昧性、不確定性、一義的非決定性にある、ということである。

ふつうわれわれは、どんな「語」も必ず多義性をもっているために、どんな文や言明も解釈の多数性をもつのだ、と考えたくなる。しかしじつはこの考えでは原因と結果の顛倒が生じている。「語」が多義的意味をもつがゆえに「文」の多義性が生じるのではない。むしろわれわれの言語行為に不断につきまとう確信の多数性が各々の「語」における多義的意味を作り出しているのである。

といって「語」の意味の多義性が言語の多義性とまったく無関係なわけではない。たしかにどんな語も多義性をもっている。たとえば「ハンマー」とは、道具としての釘を打つ鉄製の槌であり、競技用の球であり、強い一撃であり、力をともなう断行であり、一発でノックアウトする拳である。しかし、この多義性は「ハンマー」という語にもともと内在していたわけではない。むしろ、この「語」の多義性自体が、われわれがこの語を多様な言語行為において使用したことの痕跡なのだ。

つまり、「語」が一般的な意味の多義性をもつこと自体が、われわれの絶えざる言語行為の、言い換えれば「言語」を媒介として「受語主体」と「発話者」の間に多様な了解確信が結ばれるという行為の痕跡なのである。そしてここに、パロールがラング（＝一般言語規範）を作り出す、というソシュールの指摘の内実があるといえる。

さて、「この牛は危険である」「What's the difference?」「丸い三角」、あるいはまた「すべてのクレタ島人は嘘つきである」といった命題において、現代哲学者たちが見出した「多義性」のパラドクスの本質はただひとつである。彼らは、これらの「命題」を「言語」として分析し、そこに不可避的な意味の多義性を見出す。しかし、これらの「命題」もまた、われわれが実際に経験する言語というより、言語から「発語者－言語－受語主体」という本質的な信憑構造を抜き取った言語の影にすぎぬもの、「一般言語表象」にほかならない。

たとえば、辞書に登場する「語」は、この意味で「一般言語表象」であり、この語に与えられる意味の定義を「一般意味表象」（以後「一般的意味」と呼ぶ）と呼ぶことができる。たとえば「ハンマー」の「一般的意味」は、（1）鉄製の槌、（2）陸上競技に用いる金属の球、（3）ピアノなどで弦などの発音体を打つ小槌、等々と定義される。そして辞書に載せられたものとしての「語」は、それ自体としては発話者が存在しないため、われわれは語の「意味」了解をその「意」にめがけて投げかけることができない。そこでわれわれは、ただ「ハンマー」という語の一般的、平均的「意味」だけをそこから受けとる。それは本質的な言語行為において生じる了解確信としての「意味」ではなく、まさしく語義の一般的表象としての「一般的意味」にほかならない。

ただしこのとき、辞書という書物自体を辞書編纂者という発語主体をもつ「テクスト」と考えることも可能であろう。この場合われわれは、辞書の中の「ハンマー」の諸定義を、辞書編纂者によるこの語の一般的意味の「解説」として読み、そのようなものとして解説文の「意味」を理解しているともいえる。この場合そこで示される「語」は、辞書編纂者によって、まさしく多くの一般的語義（＝一般的意味）をもつものとして示されている、という了解がわれわれのうちに成立するのである。

われわれは以後、「一般言語表象」と区別される日常的な言語を、便宜的に「現実言語」と呼ぶことにしよう。

さて、一般言語表象の概念をこのように捉えるなら、「エクリチュール」では「作家の死」ということが本質的である、という考えの顚倒がいっそう明らかになるだろう。それは事態の仮象にすぎない。なぜならもし「作家の死」ということがエクリチュールの本質であるなら、エクリチュールは「一般言語表象」であるということになるからだ。実際、デリダの〝差異の戯れ〟としての「テクスト」という観念にはそのような性格がつきまとっている。しかし、「テクスト」は決して「一般言語表象」ではなく「現実言語」である。つまり、作品としての「テクスト」がもつ多数の解釈可能性は、言語が一般言語表象として現われることで生じる意味の多数性や決定不可能性とは、まったく異なった本質をもつ。

現象学的な本質考察を行なってみれば、どんなエクリチュールでも、ふつう言語として現われる場合には必ず何らかの発語者を想定させることが分かる。手紙や作文は言うに及ばず、貼り紙でもチラシでも、テレビに登場するテロップや標語でもよい、あらゆるエクリチュールは、日常それらが「言語」として現われる場面では、暗黙のうちに受語主体に「発話者」を想定させるのであり、決して例外はない。

これに対して一般言語表象としての言語は、どんなコンテクストからも分離された「命題」あるいは「文章」それ自身として存在する。そこでは「発話主体」が抹消されている。だから、その言表の「意味」は、言語がラングとしてもつ「一般規範」によってのみ規定されるものとして現われる。

たとえば、言語学者たちが「この牛は危険である」といった命題を言語の一事例として取り上げるとき、この命題は、日本語の一般規範（ラング）として規定されるかぎりでの「この牛は危険である」という言葉のリテラルな「意味」しかもたない。ここでは、この命題は〝何を意味しているのか〟という問いは、発話者の「意」をめがけて問われるのではない。それは存在しないからである。つまり、このような仕方で提示された「命題」は、ただ、特定の「意」をもたないこの命題の一般的＝平均的な意味を表象するだけなのである。これは

「What's the difference?」といった命題などでもまったく同じである。

ある言葉がリテラルな意味しかもたないとは、そこでひとつの「一般的意味」が現われる、ということではない。むしろ、そこで生じているのは、「現実言語」においては存在する「意」への了解企投という目標が抜き取られることによって、おのおのの語の「語義」の多数性が等価な解釈可能性として解放される、ということなのである。まさしくその理由で、「この牛は危険である」や「What's the difference?」に限らず、「一般言語表象」となった言語では言語の「意味」の多義性と決定不可能性が必然的なものとなる。

「空は青い」といったシンプルな言葉も、「現実言語」としてはそのつどのコンテクストの中で必ず一定の「意味」が成立するが、「一般言語表象」としては一般的意味の多数性が解放され、たちまちその「意味」は多義的なものとなる。ここでは言語の「意味」はあくまで意味の「一般的表象」であり、受語主体が相手の「意」への了解企投を通してつかむ本質的な言語の「意味」とはまったく異なったものと言わなくてはならない。

要するに、言語学者や記号論者は、言語の論理的分析のために「現実言語」から本質的な関係構造を抜き取り、これをひとつの「実体」であるかのように観察する。このとき彼らは、「現実言語」ではなく、言語の痕跡、あるいはその影像にすぎないもの、つまり「一般言語表象」を扱っているのだ。すると言語の「意味」は、そのつどの了解企投から切り離され、おのおのの語の一般的意味が解放されることで「多義性」や「決定不可能性」という「謎」めいた性格を露呈することになる。

さきに、あらゆる言葉は「引用可能性」をもち、かつそのことはコンテクスト自体に明示されえないので、オースティンの「コンスタティヴ／パフォーマティヴ」という区分による多義性の規制は不可能である、というデリダのオースティン批判を見たが、このような批判はなんら本質的でないことが分かる。

われわれの観点からは、あらゆる言葉を「引用符」つきで使用できるとは、より本質的には、あらゆる言葉は「中立変様」させうるということであり、この場合、引用符等によって「中立化」させられた言葉は発話主体の「意」が隠されて、一種の「一般言語表象」的性格を帯びるということにほかならない。

しかしもちろん、引用符によって中立化させられた言葉のすべてが「一般言語表象」となるわけではない。たとえば「ある男が『私はメリーと結婚する』と言った」というような言明において、この言明全体が「物語」あるいは仮定の話だという判断が生じれば、「私はメリーと結婚する」という言葉における「発語者の意」や「パフォーマティヴ」な意味やまた「真偽性」などは宙づりにされる（中立変様される）。しかしコンテクストによってここでの「ある男」が聞き手の知っている人間だと判断できれば（確信が生じれば）、この言葉は、間接的にその「意」をめがけて聞き手の了解企投が向けられるものとなる。この場合は引用された言葉であっても決定不可能性は生じない。したがって、「引用」された言葉のすべてが意味上決定不可能になるわけではなく、だからまた、すべての言葉は「引用可能」であるから決定不可能性を回避できない、といった言い方も妥当ではない。

どんな言語も、言語コンテクストの支えがなければ「発語者の意」へとたどることができずに（確信成立の条件が失われ）決定不可能性が現われる。また何らかの理由で「発語者の意」という契機を抜き取られた場合、言語は「一般言語表象」となる、ということなのだ。「What's the difference?」という言葉は、「違いは何であろうか」と「どんな違いもない」という二重の意味をもち、それは「決定不可能性」である、と言われていた。しかし、もはや明らかなように、ここでもこの「決定不可能性」の理由はこの言葉が「一般言語表象」として扱われるからである。この決定不可能性も、言語から「発語主体」が抜き取られ、受語主体にとって「発語主体の意」をめがけることが不可能となることで生じた「仮象の謎」にすぎない。

また、「この牛は危険である」という貼り紙も、もしそれが牛小屋に貼ってあれば誰にとっても「意味」は判明である。こういう場面で、この文章には「単なる叙述」か「警告」かその他の多義性が可能性として存在し、その「意味」は決定不可能である、と考える人間はいない。また、この貼り紙が犬小屋に貼ってあれば、われわれは誰かが字を間違えたのかとか、ジョークなのだ、といった了解企投（投げかけ）を行なうだろう。

日常的な言語のプロセスにおいては、たえず発話者の「意」へと了解企投が動き、それが言語コンテクストを動員する。それでもなお意味が多義的であったり、曖昧にとどまる場合が存在するが、そういう場合さえわれわれは、ほとんどのケースでこの多義性や曖昧性の理由をそれなりに推測し、了解する。そして、多義性や曖昧性の理由が明らかであると思える場合には、そこに「言語の謎」を見ることはないのである。

人間と人間の間に、また男性と女性の間に、諸共同体の間に、その他さまざまな意志単位の間に、なぜ誤解や敵意や憎悪や差別といったさまざまな齟齬が生じるかという問題は、本質的な問題である。これは「他者」了解の現象学を要請するだろう。しかし、「What's the difference?」という言葉の「意味」がなぜ決定不可能性をもつのかといった問いは、それ自体としては本質的な問いとはいえず、論理的な錯誤に由来するアポリアにすぎない。

哲学の本質的思考は、このような〝本質的問題を問い進めることのできない形而上学的問い〟を終焉させ、本質的な問題を設定しなおすという課題をもつのである。

2　指示理論について

ここまでわれわれは、二十世紀以降の言語思想全体がそのまわりをめぐってきた「言語の謎」という大きなプロブレマティークについて考察してきた。ヴィトゲンシュタインとデリダは、この謎を思想としてもっとも徹底したかたちで提出してきた二人の代表的思想家だったといえる。

言語の多義性の本質が解明されないこと、そして言語規則の厳密な（つまり形式的）規定の不可能性というふたつの言語のパラドクスは、また一方で絶えざる言語使用の分類や区分による形式化、合理化、体系化の試みにもかかわらず、現代言語理論を支配しつづけており、現代哲学は、むしろ現在この謎をめぐる一種スコラ哲学的議論の迷宮となりつつあるように見える。そして、この事態を象徴するのが、現代言語哲学における中心的問題として現在にいたるまで延々とつづけられている「指示理論」をめぐる議論である。

周知のように、現代哲学の大きな分布図は大きく三つに分けられる。ひとつが伝統的なヨーロッパ哲学の系統（ドイツ観念論、現象学、ハイデガー存在論などの後継）、ひとつがフランス系ポストモダン思想、そしてもうひとつが英米系分析哲学である。そして後二者は、伝統的ヨーロッパ哲学を「形而上学」として批判し、これを乗り超えるという方向をとっている。また後二者は言語学（記号学）あるいは言語思想をもっとも重要な中心主題としてもつという点でも共通している。とくに英米系分析哲学には、自らを、伝統哲学の形而上学的欠陥を「言語論的転回」によって克服する新しい哲学思潮とする自己規定がある[5]。

さらに、ポストモダン的記号理論や分析哲学における言語理論は、ちょうどヨーロッパ近代哲学が「認識問題」を主軸のテーマとしながら人間と社会の問題を考えつづけたように、現代の社会学をはじめとする人文系諸学問に対して大きな影響を与えてきた。言語はいわば人間関係を独自のかたちで表現する複雑な体系（システム）であるという点で、「社会」というシステムの複雑な体系性と本質的な共通性をもっている。言語理論は、そのような意味で構造主義や社会システム論をはじめとする基礎理論的な役割を担っており、実際それはさまざまなかたちで現代の社会理論に適用され応用されているのである。

ところでしかし、私の考えを言えば、現代言語哲学は、ヴィトゲンシュタインとデリダによって代表される「言語の謎」を主題として論じながら、彼らの根本的な洞察と知見をほとんど先へ推し進めることができていない。そしてこのことは、単に現代の言語理論という領域にとどまらず、現代の社会思想がどのような方法的基礎をもっているのかを考える上できわめて象徴的な事態である。

この意味でいまなお現代言語哲学の最前線のひとつをなしている「指示理論」が、どのような論理的本質をもっているかを明確にしておくことは無駄ではないだろう。

まず分析哲学における「指示理論」の議論の経緯について概観してみよう。[6]

指示理論は、J・S・ミルの論理学に発端をもつとされる。ミルによれば「固有名」（＝固有名詞）には特定の対象への「指示」機能があるだけで「意味」はない。つまり「アリストテレス」という固有名は、対象に貼られた「レッテル」のようなものでそれ自体には「意味」がない、とされる。

フレーゲとラッセルは、このミルの考えに反対する。彼らは、「固有名」はある特定対象を指示するだけでなく、その対象の何であるかをも含んでいるはずだ、と考える。そうでなければ、たとえば「ヘオスフォロス（明けの明星）は金星だ」という命題は、「金星は金星だ」という同義反復のナンセンスな言葉になるから、というわけである。また、「アリストテレス」という固有名の「意味」は、たとえば、「BC三八四年に生まれて『形而上学』[7]を記した人物」という記述として確定できる。

サールは、この確定記述説をさらに発展させ、確定記述はひとつとする必要はなくむしろ対象についての一連の同定記述の「群」（クラスター）と考えるべきである、と提唱する。[8]つまり「アリストテレス」という「固有名」は、「『形而上学』の著者、プラトンの弟子、アレグザンダー大王の家庭教師等々……」といった一群の「同定記述」の束をもつわけである。

フレーゲ、ラッセル、サールなどの「指示理論」を、固有名もまたある確定しうる「意味」をもつと考える「確定記述」理論と呼ぶが、やがてこれに対する反論がドネラン、クリプキ、パトナムなどによって提出される。もっともよく知られているのが『名指しと必然性』[9]におけるクリプキである。

彼によれば、固有名は特定の確定記述へ還元することはできない。ここで彼は、固有名が確定記述へ還元できるという前提から生じるいくつかのパラドクスを展開する。たとえば彼は「可能世界」という概念を提出する。アリストテレスはプラトンの弟子ではなかったかもしれない、という可能的世界を想定できるが、この世界においても「アリストテレス」は「アリストテレス」と呼ばれうるだろう。だとすれば確定記述の束のひとつひとつは絶対的確実性をもたないことになる。

こうして「確定記述」説の矛盾を指摘したあと、代わりにクリプキは、「固有名」の指示性は、はじめの「命名」行為とその後の「指示の固定性」にある、という考えを提出する。誰かが生まれた子供をはじめに「アリストテレス」と名づける。このはじめの「名づけ」が人から人へと伝達され、反復されることによって固定化され確定される。それ以外に「固有名」がある特定の対象を指示していると言える根拠はない。そうクリプキは主張する。

この一連の「指示理論」の議論について、一般的にはこう言われている。ラッセル、フレーゲ、サールなどの確定記述説は、「指示」というものを言語の体系それ自体の関係性の束に還元することによって「唯名論」的性格をもつ。クリプキはこれを脱構築し、言語のシステム内での完結した整合性のありえないことを証明するが、そのことで結果的に、「指示」の根拠を、はじめの「命名」やその指示固定の因果性といった、ある意味で実体的＝本質的なものへと帰着させている、と。

さらにこのクリプキやドネラン説に対してサールやリチャード・ローティの反論がある。サールは『志向性』において、クリプキの指示固定の因果説もこれを追いつめれば結局「確定記述」なしには成立しない、という。[10]

なるほど「アリストテレス」という名の同定性を一定の説明記述群に厳密に還元することはむずかしいし、ある意味では、固有名が特定の対象を指すのは、その指示の固定の反復、伝達によってであるかもしれない。しかしさらに追いつめれば、そもそもこの「固定」や「伝達」自体が、何らかの「確定記述」なしには成立しえない。これがサールの再反論である。つまり、クリプキは、確定記述説における言語的整合主義を脱構築的に無根拠化することによって、相対的に一種の本質主義的性格を示すのだが、こんどはサールがクリプキの根拠を論理的に相対化することで、議論をはじめの関係論的言語論の土俵へと差し戻すことになる。[11]

さて、私の考えをいえば、この「指示理論」論争ほど現代言語哲学のスコラ哲学的性格をよく象徴するものはない。そこには、現代言語理論における形式論理的欠陥がはっきりと露呈されている。

指示理論の議論がもつ第一の性格は、それが現代言語哲学における「言語の謎」の集約的表現をなしているという点にある。そして繰り返し確認してきたように、その核心は、近代における認識問題の現代言語哲学版であるということだ。それは、言語の「意味」をいかに確定し、定義しうるかという問題をめぐるが、結局、「主観-客観の一致」はありうるかをめぐる近代の認識問題と同じ性格を示していることが分かる。

指示理論が示す第二の性格は、それが「意味」や「言語」についての本質論をもたず、あくまで形式論理的な対立の中で行なわれている、ということである。そのため議論は、二項対立を基本図式とする相互的な対抗論理として進行する。つまり、そこでは、特定の論点に関して論理的反論がつぎつぎに重ねられていくが、それらの反論のすべてが、論理相対主義的、帰謬論的性格を強くもつことになる。

たとえば、フレーゲ、サールなどの確定記述論に反対するために「可能世界」や「双子宇宙」[12]などといった奇妙なパラドクスが考えられ、それが大いに話題を呼ぶ。ここではヘーゲルが述べた意味での哲学の原理的思考は影を潜めている。

パラドクスによる矛盾の指摘の応酬は、提出された概念が「現実」によって試され、その難点を克服することでより広い普遍性へと展開されるというかたちをとらない。ただ相手の論理の弱点を指摘しその論拠を突き崩すために、新しいアポリアや難問が創出されているだけなのである。まさしくそこに形式論理や帰謬論理の特質があるが、こうしてここでは、主題の本質が深められていくのではなく、議論全体が特定の哲学的主題についての論理的パズルゲームになる、という傾向が強く現われている。

そもそも、日常的にはわれわれは何の問題もなく「固有名」を使っている。つまり日常の言語使用では「固有名」に特別の問題は生じない。ではなぜ「固有名」が議論となるのか。

この問題の中心にあるのは、言語の「意味」が何であるか、という謎なのだが、「意味」の本質というテーマ自体が明瞭に自覚されることはなく、帰謬論的、脱構築的論法によって相手の論理的立場を〝相対化〟することにもっぱら力点がかかり、まさしくそのことで論理的なパズルゲームとなるのだ。そしてこの解決されえない議論が延々と反復されること自体が哲学の存在理由と見なされる傾向すら出てくる。

リチャード・ローティはこのような「指示理論」の議論の論理ゲーム的性格を感じとり、議論を本質的なかたちにさし戻そうとするモチーフを強調しつつ、『哲学と自然の鏡』(13)で指示理論に参入する。彼はまず、クリプキやパトナムの説を認識論上の客観主義に与するものと見て、これを批判する立場からつぎのように書いている。

パトナムはその著作(14)の中で、指示理論は、たとえば「電子」という科学的概念もかつて信じられていたフロギストン（燃素）という仮想概念と同様に相対的な正しさしかもちえない、といった徹底した懐疑論や反＝実在論を防ぐ必要をめぐって存在してきた、と主張している。つまりパトナムには、科学的な認識論の確実性を根拠づけたいという動機があり、そこから彼は、指示理論は「懐疑論を阻止する課題」を負っていると強調する。しかしそのような考えは妥当とはいえない。そうローティはいう。

現在行なわれている指示理論は、そもそも「今日の科学の成功を保証するために提出されたのか、あるいは（略）単に科学史をどう書くかに関する決定にすぎないのか」、本来のモチーフが見にくくなっている。ひとつ明らかなのは、この議論を懐疑論へのたたかいとする認識基礎づけ主義が強く前面に出ている、という点だ。しかし、それはつぎのようなふたつの異質な考察が混同された結果生じたものである、とローティは述べる。

第一に、「確定記述説」には反例が存在しうる、という（クリプキ、ドネランなどの）指摘。第二に、確定記述説には、指示を決定するのは結局話者の観念のうちにある「信念や志向」であるという主観主義、心理主義的な誤った前提がある、とする厳密論理主義的な考え。このふたつの考えを一緒にすることで、クワイン、セラーズ、ヴィトゲンシュタイン、クーン、ファイヤアーベントなどの「観念論」的教説を強く反駁すべしという考えが、「ほとんどドグマにまで」なっているのである、と。

要するにローティは、指示理論の核心点を厳密論理主義と論理相対主義との対立と捉えた上で、自らの相対主義的立場をはっきりと押し出している。そして彼は、パトナムやクリプキ説を批判しつつ、自説としてつぎのような考えを提起する。

これまで指示理論は「指示」という概念をもっぱら「対象指示」というかたちで理解してきた。しかし指示は、ある場合「志向的関係」、「〜について語ること」(talking about) という意味をももつ。従来の指示理論では、「スミス」という語は実在の「スミス」については指示できるが、存在しない「スミス」は指示できない。だから、「シャーロック・ホームズ」という語は、実在しない「ホームズ」を指示できないことになる。しかし、指示の概念を「〜について語ること」と拡張すれば、「シャーロック・ホームズ」という架空の人物「について」語ることができることになる。

こうしてローティは、指示の概念を、「実在対象の指示」と「〜について語ること」に二重化し、このことで伝統的な「指示」概念における対象の実在性という規定を相対化する。つまり、ある語が何かを指示するということは、必ずしもその対象の「実在性」を前提としないとすることで、クリプキなどが指摘する確定記述理論のアポリアを避けようとするのである。

ローティによれば、指示理論の展開は、「厳密認識の可能性」を求めるという動機を強く押し出すように作用しているが、結局は「認識論がやろうとしてできなかったことができるわけではない」ので、指示理論の中で懐疑論を論駁できる可能性ははじめからありえないということになる。

このように、私は指示理論を追求することはある混同の表われであると考えている。つまり、望みのない「意味論的」追求——人々が何について「実際には語っている」のかという問いに答えてくれるような一般的理論を求めること——と、同じように望みのない「認識論的」追求——懐疑論者を論駁し、現実に存在するものについて語っているのだという主張に保証を与える道を求めること——との混同を示しているのである。[15]

ローティが新しいロジシズムの台頭を警戒し、これを厳密認識の野望の反復であると考えるのは妥当である。これに対抗するローティの議論の要諦は、いわばヴィトゲンシュタイン的な「言語批判」にならって、パトナム的な論理主義を批判するところにあるが、ヴィトゲンシュタイン、デリダ、あるいはまたクワイン[16]などの論理相対主義の流れに属するローティとしては当然の立場だといえる。

しかし注意すべきは、クリプキによる確定記述説の批判が懐疑論的なパラドクスによって行なわれるのと同様、これに対するサールやローティの反批判もまた論理相対主義的な論法によって行なわれている、ということだ。ここでも議論は、哲学の本質的な「原理」思考のかたちを取らず、矛盾の指摘は、ただ相手の論拠を相対化し突き崩すための帰謬論理の中で動いている。

さてしかし、この問題について最終的な展望を与える前に、わたしは「固有名」についてのもうひとつの議論に触れておこう。

柄谷行人は、「固有名」の問題を「一般性」と「単独性」との間の差異の問題として捉え

て、つぎのようにこれを提示する。(17)

現代言語哲学や現象学は、「固有名」の問題を言語の「一般性」と「特殊性」の間の問題として見ている。しかし、そこで本質的なのは、むしろ「単独性」という問題である。固有名は、「これ」とか「あれ」といった語と同様、単に一般的意味をもたないというのではなく、むしろある独自の存在の単独性を指している。それが指示するのは、いわばその存在の取り替えがたさであって、一般的意味に対立する特殊的意味ではない。こうして柄谷は、この「単独性」の概念を「他者」存在の核をなすものとして捉え直そうとする。

私の考えでは、固有名はたんに対象としての個性にかかわるのではなく、いわば「他我」としての個体にかかわるのである。フッサールが考えたように、他者はあとから見いだされたり、構成されたりするのではなく、固有名において体験されている。(18)

柄谷もまた俗流現象学理解をポストモダン思想家からそのまま受けとっているが、それについてはここでは触れない。要するに、固有名の問題に謎が生じるのは、固有名には言語の一般性に還元できない実存的な単独性が含まれているからだ、というのが柄谷の主張である。(19)「固有名」が、ある存在の独自性（＝単独性）を指示する、という説明は分かりやすい。しかし柄谷は、そういう言い方で言語の本質問題を飛び越え、これを現代思想に特有の二項対立的構図にもち込んでいるのである。

それはつまり、「特殊性→一般性」対「単独性→普遍性」という構図である。柄谷によれば、「特殊性→一般性」は客観主義的かつ現象学的な世界図式であり、「単独性→普遍性」はいわばポストモダン的、脱構築的実存主義の立場である。これをさらに展開すると、柄谷が立つのは、どのような特定の立場も絶えず無根拠化しつづける「実存」、という立場だということになる。

あえていえば、固有名についての柄谷の直観は、ある点で現代の言語学者に一歩先んじているといえなくはない。その理由は、柄谷の「単独性」の概念には実存論的視点がはらまれており、ハイデガーの意味論で見たように、言語の「一般性」と「固有性」のねじれの本質を解明するためには実存論的視点が不可欠だからである。

しかし、柄谷には、脱構築的記号論が現象学-実存論的論理を超え出たものだという固定観念があり（それはまさしくデリダ図式によっている）、そのため自分の直観を実存論的本質論へと自覚的に転化することができない。

柄谷は、まず客観主義的な「一般性」の概念に実存論的「単独性」の概念を対置し、しかしつぎに実存論的「私」の概念に脱構築的「他者」の概念を対置する。こうして彼は、ポストモダン的二項図式によってつぎつぎにより優位なメタ根拠を仮構していく。私は後に指摘するが、このような柄谷行人の論理性は、結局、デリダやレヴィナスなどの現代思想の超越的な論理的跳躍（「正義」や「他者」の観念）の図式を論理的になぞるものにすぎない。柄谷はしばしばデリダやレヴィナスを批判するが、その論理は、まさしくデリダ的、レヴィナス的、つまり現代思想の威力を後盾としたものであって、彼自身の本質的考察から出たものではない。たしかに固有名はしばしば「単独性」を指示するが、ここでいわれているような意味および仕方ではないのであって、それについては後に述べることにする。

　さて、指示理論の問題に戻ろう。そもそも「固有名」という問題の核心にあるのは何なのか。またそれがアポリアをかたちづくるのはなぜなのか。

「固有名」のアポリアもまた、煎じ詰めれば言語の「多義性」および「規定不可能性」をその本質とするが、それをつぎのように整理することができる。

　たとえば「アリストテレスが形而上学を創始した」という言表において、「形而上学」という普通名詞は、ある一般的＝客観的「意味」（つまり、存在全体についての根本原因、究極根拠などを探求する学、アリストテレスの創始とされる学で、自然学、論理学、倫理学などの上位に立つ根本的探求等々とされる）をもつとされる。

　これに対して「アリストテレス」は固有名であって、ふつうは一般的な意味を表示せず、ただ特定かつ固有の対象（アリストテレスその人）を指示するだけだと見なされる。これが、「固有名」が「意味」（＝一般的意味）をもたないという場合のリアリティである。しかし一方で「アリストテレス」という語は、そのような固有名であるにもかかわらず、言語記号としての一般性をもつともいえる（「アリストテレス」という語はさまざまな一般的意味を指示しうる）。

つまりこうなる。「固有名」とは固有の対象を指す名辞のことだという定義からは、それは一般的な意味を指示してはならないが、しかし同時に、それが言語記号である以上一般的な意味をも表示しないではいない。このことが言語学者たちに気づかれていない「固有名」のアポリアの内実にほかならない。すなわちここにあるのはやはり、言語の意味の「多義性」のアポリアの一変奏形なのである。

　では、この問題は、現象学的な言語考察からはどのように考えられるだろうか。

　もう一度確認すると、指示理論の論争は主として、「固有名」が対象それ自身を指示するのか、一般名辞と同じように多義性をはらんだ一般的意味を表示するのか、という点が議論の焦点になっている。

　確定記述の説は、たとえば「アリストテレス」という固有名は一定の一般的な意味の束（ギリシャの哲学者、ＢＣ三八四年生まれ、『形而上学』『政治学』などの著者、アレグザンダー大王の家庭教師……）として確定できる、というものだ。これに対して、反対派はこの確定が不可能であることを帰謬論的に証明しようとする。さらにこの議論の対立は、さらに言語の意味についてのロジシズム派と相対論派の対立へと焦点が移行する。

　われわれの観点からは、つぎの二点を問題の核心として取り出すことができる。ひとつは「固有名」が特定対象の指示を行なうものか、それとも確定記述の束と見なされるかは一義的には言うことができず、むしろそれは言語の信憑構造として成立する「言語コンテクスト」に依存するということ。もうひとつは「固有名」が確定記述の束として想定されるような場合でも、それはその「固有名」がもともとそのような多層的な一般的意味をもっているからではない、ということだ。

第一の点をつぎのように敷衍できる。「固有名」はある場合「特定の対象」を指示し、ある場合は「一般的意味」を表示しうる。たとえば、「誰かすぐにアリストテレスを呼んでくれ！」というような場合の「アリストテレス」という語は、まさしく話しかけられた人も知っている特定の「誰か」を指示しているだけであって、確定記述的な意味の束を指示しているとはいえない。また「ギリシャ人ではアリストテレスという名は多い」といった場合では、「アリストテレス」は「人の名前のひとつの実例」ということを表示するだけであり、ここでも確定記述の束を指示していないが、また特定の「誰か」を指示しているわけでもない。

しかし「われわれはアリストテレスの哲学を想起してみよう」というような場合は、「アリストテレス」は特定の「誰か」を指示しつつ、同時にさきに述べたような一定の意味の束をも暗黙のうちに指示していると言えなくない。こう考えれば、個々の発語で使われる固有名がどのような指示レベルをもつ固有名であるのかは、ただ言語コンテクストだけがそれを教える、ということが明らかである。つまり、ここでも、そのつどの「発語主体の意」への信憑の構造としてのみ、言語コンテクストに支えられた確信が成立するのである。

指示理論においても、前に確認したことと同じことが生じている。要するに言語哲学者たちは、「固有名」を現実言語の信憑構造から切り離し、「一般言語表象」としての「固有名」

を分析しているのである。

「現実言語」においては、それがどのような対象を指示しまた「意味」を表示するかは、信憑構造の中でそのつど決定されるのだが、一般言語表象としての「固有名」を形式論理として分析するかぎり、それはコンテクストの限定を失って決定不可能なものとなるほかないのだ。

さきの例で見たように、柄谷行人のものを含めデリダを起点とするポストモダン的議論は、「固有名」の対象指示性を、一般的対象の指示ということではなく、ある対象の交換不可能な独自性（＝単独性）を指示するものと考える方向へと、この問題を進める。しかもそのことは形式論理的には規定できないという立場から、「定義不可能性」やラカン的な「超越論的シニフィアン」といった概念が生み出されることになるのである。しかしこのような方式もまた、形式論理が生み出すアポリアをメタ論理によって回避しているだけである。

固有名は対象存在の独自性（＝単独性）を表示する、というのは俗耳に入りやすい言い方だが、実際は特殊事例の一般化にすぎない。「固有名」は、独自の（交換不可能な）対象存在を指示する場合もあれば、しない場合もある。固有名が単独性を表示するか否かは、現実言語では「言語コンテクスト」だけがそれを決定する。パロールであれエクリチュールであれこの事情は変わらない。

「アリストテレスはギリシャ人には多い名前だ」では、「アリストテレス」は単独的存在を指示しない。また逆に、「となりの赤シャツは、今日も朝から家人をどなりつけている」などのように、一般名詞が単独的存在を指示することもできるのである。

少なくとも文法的には、単独的存在を指示するものを「固有名」と呼んでいるのでないことは明らかであって、ただ一般的に特定的個体を表示するために約定的につけられた名を固有名と呼んでいる、というほかない。ある語が類を表示するのか、特定的個体を表示するのか、また単独的存在を表示するのかは、「言語コンテクスト」だけがこれを決定するのであって、べつに「固有名」に内属する性質ではありえない。そう見えるとすれば、それは固有名を一般言語表象として扱う場合だけなのである。

第二の点はどういえるだろうか。「アリストテレス」という固有名は、それが歴史上の哲学者としての「アリストテレス」を指示対象とする場合には、さきのような一連の「意味の束」をもつ（暗に指示する）ように見える。しかし、この一連の「意味の束」は確定的なものといえるだろうか。もちろんいえない。その理由は明らかであって、アリストテレスその人についての諸事実諸関係は、絶対的に確定的なものとしては規定されえないからだ。

クリプキの「可能世界」やパトナムの「双子宇宙」といったパラドクスは、「固有名」が特定対象を指示することを超えて、一定の意味群に還元できるとする確定記述説を反証するためになされたものだ。つまりそれらは、そうでない可能性が想定される以上、事実についての絶対的確定はありえない、ということを示そうとする議論だが、しかしそれ自体はまさしく典型的な帰謬論的議論であり、確定記述説を反証するのにそのような回りくどいパラドクスを作り出す必要はまったくない。

「固有名」の意味を確定記述に還元できない本質的理由はただひとつで、それは、どんな特定の対象についてもそれを見て取る観点は無限に存在し、したがってそこから無限の性格規定を取り出すことが可能であり、またその表象の仕方も無限でありうるからである。

歴史上の人物「アリストテレス」をとっても、彼についての記述は無限にありえ、完結することはなく、しかも個々のどの記述もひょっとすると間違いであり得るという可能性を排除できない。しかし、このようなことだけなら相対主義的な考えからはすでに常識に属する。確定記述説には明らかに無理があるが、そのことを指摘しただけではこのパラドクスの本質は解明されないのである。

現象学的な観点からはこれをつぎのように考えることができる。「ギリシャの哲学者アリストテレス」という場合の「アリストテレス」は、一見、さきにみたような一連の確定記述的「意味」をもっているようにみえるが、じつはこの「意味」の束を確定的に記述し尽くすことはできない。といって、ある存在の独自性（単独性）を指示することこそ固有名の本質だ、ともいえない。このパラドクスは、ある語が「意味」をもつ（＝指示する、表示する）ということの本質が把握されないために生じているものなのである。

たとえば、「三角形」という語は、イデア論的発想からはただひとつの厳密な幾何学的意味の「同一性」をもつと見なされる。しかしもちろんこれは妥当とはいえない。「あなたのノートに任意の三角形を作図しなさい」というような場合では、幾何学的な三角形が意味されている。しかし顔の特徴をシンボライズして「となりの三角形は今日も家人をどなっている」ということも可能であるし、「われわれ三人は、いま恐るべき愛憎の三角形の中にいるのさ」などということもできる。

「三角形」はある場合、幾何学的三角形を、また三角形的特徴をもつ諸存在を、さらにある場合、三人を極とする心理関係等々を「意味」することができる。もちろんそれだけでない。「世の中で三角（形）と呼べるものをすべて列挙せよ」というような場合すらある。要するに、どんな任意の言葉も、コンテクストに応じてほとんど無数の「意味」を表わすことができるのである。

繰り返せば、一般言語表象として「語」を分析するなら「意味」は決して一義的に確定されず、多数性、多義性が現われる。すると語が「意味」をもつ、ということの意味が理解できなくなるのだ。

われわれの考察からは、語が一定の意味として現われるのは「発語者の意」をめがける了解企投の本質構造が一定の言語コンテクストを導き、そこで「意味」が限定されるからである。「となりの三角形は今日も家人をどなっている」という言い方では、「三角形」は隣家の主人を限定的に指示しているという確信が成立するのであり、また「世の中で三角（形）と呼べるものをすべて列挙せよ」といえば、われわれは三角（形）的な存在のすべてを自分の脳裏から取り出すことができる。つまり三角形を思わせる身体的、形態的特徴をもつもの、三極的構造や関係をもつもの、それらをすべて列挙することができる。

だが、「三角形」という語が、たとえば「海苔つきおにぎり」や「怒った眼」や「正解

（○）と誤答（×）の中間」といった意味をもともと持っている（＝指示している）、ということはできない。にもかかわらずわれわれは、「現実言語」においては、言語コンテクストに応じて「三角形」がそのようなことがらを「意味」することを了解できる。これをどう考えればいいか。

現象学的な観点からは、「語」は多様な「意味」をもつのではない。そうではなく、われわれはある「語」から、いつでもこの語に結びつく概念的諸連関を展開することができる、ということなのである。

この諸連関は概念性のみならず表象性（イメージ）をも含む。しかし一般的にはこのような概念諸連関の展開は「名辞」に特徴的であり、その理由は「名辞」が基本的に概念的本質をもつからである。そして「概念」の本質は、そこに一定の「意味」が潜在しているということではなく、ある観点によってその語から任意の方向に意義（意味）の連関を展開できるということにほかならない。

したがって現象学的には、語（とくに名辞）は多義的な「意味」をもつのではなく、現実言語の信憑構造に応じて、そこからさまざまな意味の連関の展開可能性をもつということができる。われわれはこれを「名辞」における「意味展開可能性」と呼んでおくことにする。

こうして現代言語哲学の中心問題のひとつである指示理論の議論は、ヴィトゲンシュタインやデリダが提起した「言語の多義性」という謎を中心問題としながら、この謎を解明する可能性をもっていない。現在のところ、その調停役を担って参加したローティの議論さえ、問題を厳密論理主義と相対論理主義の対立という場面に差し戻す役割しか果たしていないことが分かる。

われわれはここで、現代言語哲学が指示理論においてはっきりと露呈しているふたつの誤った言語論的前提を指摘しておくことができる。

第一は、語の指示とは実在対象の指示のことだとする論理主義的前提である[20]。これは言語は事実的な「真偽」を表現するものであるという客観主義的前提から現われたものであり、論理相対主義的な反論を呼ぶはじめの起点になっている。第二は、語は一定の「意味」をもつという意味実体的思考であり、これが確定記述という考えを導いている。しかし見たように語は一定の意味をもつのではなく、信憑構造に即していつでもそこから概念的連関を展開できるということにすぎない。

言語というシステムは、信号のシステムや暗号のシステムなどのように任意に人為的に作られた明約的な規則体系ではなく、慣習的、黙契的、集合的に形成された歴史的堆積構造としての関係体系である。それは一般的にはコミュニケーションという特定の機能をもつが、同時に人間の意識的、身体的、無意識的関係の全体をそこで表現してもいる。

このような特質は、政治や経済や文化などの社会的構造体に共通のものであり、すでにディルタイやヴェーバーは、このような構造体の分析には、初期の実証主義社会学によって自明視されていた従来の自然科学的思考からの因果的機能構造の分析が無効であることを自覚

していたが、にもかかわらずこの社会的構造体を捉える適切な方法原理はまだ明確に提示されてはいないのである。(21)

ともあれ、指示理論は現代の社会科学に哲学的基礎理論として大きな影響を与えているが、その論理は本質的に形式論理的分析を出ていない。このために論理上の解きがたい矛盾にぶつかって多くのパラドクスを作り出すか、あるいはポストモダン的なメタ論理学の迷宮へと入り込むという道をたどってきた。近代哲学における「認識問題」の謎の本質的解明が、認識における「確信構造」「妥当構造」の本質的解明という現象学的原理によってはじめて成し遂げられたように、現代の「言語の謎」もまた、その解明のためには「意味」についての現象学的な本質学を必須としているのである。

われわれはここまで、現代の言語学者たちが「言語」をその生きた本質において扱わず、「一般言語表象」として分析したために「意味」の本質を捉え損なっていることを見てきたが、つぎに言語の「意味」についての現象学的考察をさらに推し進めてみることにしよう。

第6章　「意味」の現象学

1　「意味」の存在論

かつて柄谷行人は、現代思想の特質は、一切の事象を徹底的に「形式化」してこれを「自己言及性」や「決定不可能性」といったパラドクスに追い込むこと、つまり、形式化の果てに厳密な認識や分析の可能性の矛盾を露呈させるという戦略にあった、と書いた[1]。

ポストモダン的、分析哲学的言語理論は、総じて形式論理による記号論的分析をその基本方法とする。そして、まさしくポストモダン思想の目標は、この形式論理を極限化することで従来の哲学的方法の「真理主義」「客観主義」そして「形而上学性」をうち倒すことにあった。ポストモダン思想が、いわゆる「構造主義」を乗り超える「ポスト構造主義」として登場したのはそのためである。つまりそれは「形式化」「構造化」という方法の不可能性を宣言するのである。

ところで、この「形式化」の不可能性は見たように「形式化」を徹底することで取り出される。したがって、ポストモダン思想ではしばしば形式化の極限概念が現われることになる。

「差延」「アルシ＝エクリチュール」「差異の戯れ」「散種」といったデリダの概念は、形式論理的な極限概念である。たとえば「差延」の概念は、言語や記号を、「同一性－差異」という二項的形式において分析することを極限化することで現われる極限概念である。それは、二項的分析の極限化が二項性の概念自身を不可能にするような場面で現われる。つまりこの概念規定の不可能性が「差延」という概念で呼ばれているのである。

またラカンの「超越論的シニフィアン」の概念も、「シニフィアン－シニフィエ」という対立形式が成立しなくなる場面で現われるこの形式論理の極限概念である。ポストモダン思想では、分析的思考は形式論理学を超えて一種のメタ論理学へと移行する。メタ論理学はそれ自体としては、形式論理の論理性の意味と限界を考察する論理学なのだが、ポストモダン的メタ論理学の本質は形式論理の極限化という方法にある。

それは形式論理の限界を指摘する形式論理であり、つまりヘーゲルのいう方法的「懐疑論」という本性をもち、そのことでまさしく形式論理の本質的弱点を敵手とともに共有し、哲学の本質的思考の軌道から絶えず逸れつづけていくのだ。

さて、前の章でパロールとエクリチュールにおける本質的な差異について現象学的な考察を行なってきたが、「一般言語表象」の概念を置くことによって、言語における「多義性」や「決定不可能性」という現象の意味はかなり判明になった。しかし、このことですべての問題が解決したわけではない。

われわれは第4章で、発話者の「意」と「聞き手」の信憑関係に言語（またその意味）の本質構造があるという考えに対して、つぎのような反論を予想しておいた。すなわち、そうだとすると「言語記号」とは一体何であるのか。むしろ「意味」とは、言語記号が「差異の体系」であることによって、はじめて作用しているのでないだろうか。「意味作用」とは、発語者の意や思念といったものについての信憑である、という説はあまりに主観主義的でないだろうか。むしろ、記号の差異の体系が記号の多様な「意味」生成を可能にしており、このことこそが、思念が意味を生じ、信憑がこの意味の確信を抱くというプロセス全体を可能にしているのではないだろうか、と。

「言語の意味」はその源泉と本質を記号としての「差異の体系」にもつのではないか、という考えは、ソシュール言語学以来、現代の言語観を広く覆っている観念である。しかし、さしあたって簡潔に言えば、「差異の体系」が作り出しているのは、まさしく意味の「差異」、つまり意味の多様性（諸差異）であって、「意味」の「意味性」それ自身ではない。記号の差異的体系という考え方は、意味の多様性の存在を説明するが、「言語の意味」という現象の本質を説明しないのである。

言語における「意味」という現象それ自身の本質を解明できなければ、われわれは言語における「意味」を文字どおり記号的な差異のシステムと見なし、その作用や現象を形式的概念の対立や運動として描くほかはない。そしてこの発想こそ現代哲学における言語の解きがたい「謎」（＝形而上学）を作り上げてきたのだ。

さきにわれわれは、パロールとエクリチュールの言語論的な差異を考察するに際して、予備的作業として、「意味」それ自身の本質についてのハイデガーの実存論的分析を援用した。繰り返し確認したように、「意味」の本質についての実存論的論究を「主観主義」とする批判は無効である。「意味」という現象は、実体的な関係構造ではなく意識経験の領域に生起するのであり、そうである以上、意味を実存論的＝現象学的問題領域として扱うべきことの必然性は明らかなのである。

ところで、ハイデガーは『存在と時間』において、「言語」の本質についても実存論的な本質考察を行なっており、ここで言語における「意味」の本質についても重要な指摘がなされている。われわれはまずここから出発しよう。

ハイデガーは、人間の実存構造の現象学的分析（「内存在」の分析）において、実存の本質を「了解」「情状性」「語り」という三つの契機で捉える。このうち「語り」の分析は、人間の実存にとっての「言語」の本質の分析、ということを意味する。このハイデガーの「言語」理論の画期性はいまだ本格的な評価を受けていないが、ここにも現象学的な言語本質論の卓越した一モデルがある。まずその概要を整理してみよう。

「存在論的差異」という概念はハイデガー存在論の根本概念であるが、前述したように『存在と時間』における「存在論」は、これを「欲望相関性」の概念で捉え直すのがもっとも分かりやすい。つまり「存在論的差異」とは、事物の客観的規定（それが一般的に何であるか）と、その実存論的規定（ある人間のそのつどの「欲望＝関心」にとって何であるか）との差異を意味する。

たとえば、「机」という存在者（＝事物）は、客観的規定としては、その上で食事をしたり作業をしたりするための家具（器材）である。ここではこの「〜のための」が、この存在者の客観的な本質規定となる。もともと「机」といった製作物はそのような「本質」に適合するかたちで製作されたモノ（＝製品）だからだ。しかし、ある状況では、机という事物の「本質」はそのような一般的＝客観的規定を逸脱する。

たとえばホテルの部屋で火事が起こり、なんとか脱出しなければならないがドアが開かないという場合、目の前にある「机」が嵌め殺しの窓を割るためのモノ（＝「道具」）でありうるかどうかが決定的なことがらになる。

このとき「机」は、〈その上でさまざまな作業を行なうための台〉といった一般的規定から逸脱し、人間のそのつどの「欲望＝関心」に相関した存在規定と意味、つまり実存論的な存在規定を受けるものとなる。つまりそれが窓ガラスを割るために必要な重さや堅さをもつ存在者であるかどうかということが決定的に重要になり、そのようなモノであれば机は脱出のための「道具」（手段）となるが、重さや堅さが十分でなければそれは無用なモノでしかない。

ところで人間のまわりに存在するそれぞれの事物は、さまざまな一般的＝客観的規定をもっている。それは「机」であったり「ペン」であったり「衣服」であったり、また「広場」

であったり「樹木」や「河川」であったりする。しかし事物はどんなものであれそのような一般的に与えられた規定だけではなくまた、潜在的な諸性質をもっていると規定できる。だが、この潜在的諸性質をあらかじめ規定しつくしておくことは決してできない。そもそも事物の諸性質というものは自体存在ではなく、欲望＝関心の相関者だからである。

この事情は指示理論における「確定記述」の不可能性の本質的理由でもある。事物はどんなものであれ規定可能な「無限の地平」をもつが、この「地平」の展開は本質的に人間の「欲望＝関心」相関によって開示されるから、これをアプリオリに規定しておくことはできない。

ハイデガーの「道具das Zeug」の概念は、しばしば単なる客観的規定を受けた存在者と理解されることがある。しかし、これは誤読であって、この概念はあくまで欲望相関的規定としての事物存在を意味する。

つまり、まわりの世界にある事物存在の、前述したような「欲望＝関心」相関的、実存論的存在規定性のことを、ハイデガーは「道具」と呼ぶのである。[2]したがってハイデガーでは、事物存在は、一般的＝客観的規定を受けた存在「事物的存在Vorhandensein」と、欲望論的＝実存論的規定としての存在「道具的存在Zuhandensein」という二重の存在性格をもつことになる。存在者がもっているこのような二様の存在規定の間の差異＝ズレが「存在論的差異」と呼ばれる。

言い換えれば、存在論的差異とは、事物の客観的＝一般的な存在規定と、事物が人間のそのつどの「欲望＝関心」に相関してもつそのつどの固有の実存論的存在意味、との違いである。

机は、一般的＝客観的規定としては「その上でものを書いたり読んだりするための道具」であるが、実存論的な固有性としては、そのつど「ガラスを割るための道具」であったり、「高い場所に届くための踏み台の役割を果たすもの」であったりする。こうして、一般的＝客観的に規定された「机」なるものの存在本質と、人間の「欲望＝関心」に相関してそのつどの固有の「道具」として規定される机の存在本質との間には、根本的な「存在論的差異」がある。

さて、われわれの主題は「言語」であるが、言語は机のように特定の機能的本質を目的として作られた製品ではないし、樹木のような自然物でもない。しかし、それでも言語は、われわれにとってひとつの存在者である。それは独自の存在性格をもっており、この性格を適切に規定することは簡単ではない。

とはいえ、言語もまたひとつの存在者である以上、前述した存在論的原理、つまり、あらゆる存在者はその一般的＝客観的な存在規定をもつとともに、また実存論的な各自的（そのつどの）「固有性」をもつという原理がそのまま適合する。

たとえば「ハンマー」という言語は、あたかも「机」という存在者が一般的＝客観的には「その上でさまざまな作業を行なうための脚のついた台」と規定されるように、一般的には「鉄の槌、競技に用いられる鉄の球、ピアノなどで弦などの発音体を打つ小槌」等々の「意味」をもった言語記号、と規定される。しかしそれはまた、実存論的には、実際に言語行為を行なう人間の「欲望＝関心」に相関してそのつどの「固有性」をもつ「道具的存在」ともなるのである。

ハイデガーはこの事情をつぎのように説明している。少し長くなるが引用してみる。

だが、どこまで陳述は解釈の一つの派生的様態となるのであろうか。（略）論理学が、たとえば「このハンマーは重い」といった定言的陳述命題に関して主題とするものを、論理学は、あらゆる分析に先立ってつねにいちはやく「論理的」に了解してしまっている。知らずしらずにこの命題の「意味」としてすでに前提されているのは、このハンマーという事物は重いという固有性をもつ、ということなのである。配慮的に気遣いつつある配視のうちには、このような陳述は「差しあたっては」ない。そうはいっても、そうした配視もおのれ独特の解釈のもろもろの仕方をもっているのであって、それらもろもろの仕方は、前記の「理論的」判断と関連させれば、「このハンマーは重すぎる」と、あるいはむしろ「重すぎる」、「別のハンマーを！」と言いあらわされうる。解釈の根源的な遂行は、理論的陳述命題というもののうちにひそんでいるのではなく、「そのさい無駄口をきかずに」、不適当な仕事道具を配視的に配慮的に気遣いつつ脇にのけたり、ないしは取りかえたりすることのうちにひそんでいるのである。（略）

予持のうちに保たれている存在者、たとえばハンマーは、差しあたっては道具として道具的に存在している。この存在者がなんらかの陳述の「対象」になると、陳述のための発端が置かれるとともに、或る転換が初めから予持のなかでおこなわれる。それでもって、従事し実行すべき道具的に存在する道具的対象は、それに関して提示しつつ陳述すべき「事物的対象」になってしまうのである。予視は、道具的存在者において事物的存在者をねらっているわけである。これは注視というかたちをとった眺めやりであって、そうした眺めやりをつうじて、またそうした眺めやりにとっては、道具的存在者は道具的存在者としては遮蔽されてしまう。このように道具的存在性を隠蔽しつつ事物的存在性を暴露することの内部では、出会われる事物的存在者は、それがこれこれしかじかに事物的に存在しているという点で規定される。いまやはじめて、固有性[3]といったようなものへと近づく通路が開かれる。陳述が事物的存在者をそのものとして規定する当のものは、その事物的存在者そのものから汲みとられる。解釈の　として　という構造は一つの変様をうけたわけである。そのような「として」は、了解されたものが我がものにされるというその機能において、なんらかの適所全体性をつかみだそうと手をのばすことはもはやない。そのような「として」は、諸指示関連を分節しうるおのれの諸可能性に関して、環境世界性を構成している有意義性から断ち切られている。（略）配視的な解釈の根源的な「として」を、事物的存在性の規定の　として　へとこのように水平化することが、陳述の特長なのである。[4]このようにしてのみ陳述は、純粋に眺めやりつつ提示する可能性を獲得するのである。

ここはハイデガーによる「言語の意味」の本質観取の核心的部分なので、このパラグラフの全体を欲望相関的観点から逐語訳的に祖述してみよう。

〈しかし、ここでさらに注意すべきことがある。「陳述」とは「解釈の派生的様態」である、といったが、その意味はつぎのようなことだ。

論理学は一般に、たとえば「このハンマーは重い」という定言的陳述を、暗黙のうちにこのハンマーは「重い」という性質（=「固有性」）をもつ、という自明の「意味」として捉える。論理学的な命題の「意味」とはそういうことだ。ところが、「陳述」ということを実存論的な視線で捉えれば、その意味は違ったものとなる。

ここでまず、「陳述」というものは「解釈」に根拠をもつ、と考えなくてはならない。実存論的な意味での「解釈」とは、配慮的に気遣う配視（=いま、ここにあるこの釘をうまく打ちたいという「欲望=関心」から出てくる諸配慮のありよう、その観点から事物を見る視線）を起点として、そこから生じる。

たとえばこのハンマーはいまこの釘を打つための道具としては重すぎて使いにくいとか、別のハンマーが要る（ので取ってくれ）といった、あくまで実践的な「意味性」（関心性、企図性等）をはらんでいる。しかしそれはまだ、いわば「そのさい無駄口をきかずに」、ただその場で必要なことを遂行しようとする「目的=関心」相関のうちにある。実存論的な意味での「解釈」の本質は、そのような配視を起点とする「として」の関連性にある。

さて、「陳述」はあくまでこのような「解釈」を根拠とし前提として生じる。つまり、前述したような「解釈」から「このハンマーは重い」といった「陳述」が現われうるのだが、そのような「陳述」が現われ出るやいなや、そこでひとつの重要な視線の変更が生じる。すなわち、「解釈」のうちで、そのつどの実践的な「目的＝関心」と相関的な「道具的存在性」（少し重いとか、使い勝手が悪い等）としてつかまれていたハンマーは、「このハンマーは重い」という陳述によって、そのハンマーの一般的な「事物的対象性」が何であるか、という規定を受けることになる。そしてこの一般化し、客観化する視線は、ハンマーのそのつどの固有の道具的存在性をむしろ覆い隠すような性格をもつ。

つまり「陳述」は、このハンマーを、そのつどの道具的存在 Zuhandensein として把握することから、一般的な規定としての「ハンマー」という事物的存在 Vorhandensein（＝釘等を打つための道具、としてのハンマー）の把握へと移し替えるのである。

こうして「このハンマーは重い」という陳述は、それが「了解＝解釈」としてあったときに存在していた、いまここで打つということにとっての固有の意味性を隠蔽し、むしろ、「このハンマーは〈重い〉という〈性質〉をもっている」（あるいは、このハンマーは平均的にいって「重い」）といった一般的＝客観的規定を顕在化させるのである。

だが、ここで忘れてならないのは、どんな「陳述」も本来「解釈」からの変様態として存在する、ということだ。「陳述」もまた「として」という規定を提示するが、この規定はハンマーを「打つもの、重いもの等々」といった一般的な事物存在「として」規定するのであり、それはいわば「解釈」において道具的存在としてのハンマーがもつ、そのつどの実存の「目的＝関心」相関的な「として」の有意義連関を断ち切るかたちで行なわれる。〉

ハイデガーの主張をさらに敷衍してみよう。彼の力点は以下のようだ。具体的な場面でわれわれが「このハンマーは重い」と発語したとする。これはもともとは、現存在のそのつどの「欲望＝関心」からの実存論的〝解釈〟を起点としており、そこから立ち上がった陳述である。したがってそこには、いま、ここで、〝このハンマーは重すぎて使いにくい〟とか、〝他のハンマーがほしい〟とかいった「意」が含まれている。陳述がふくむこのような固有な「意味」の側面を、われわれは「意味」の各自的固有性と呼ぼう。

しかし、「このハンマーは重い」という陳述は、それがそのような述定として外化された瞬間、「このハンマーは重い」という命題の一般的＝平均的規定性を帯びることになる。それは、このハンマーは平均的にいって「重い」という一般的「性質」をもつ、といった一般的規定にほかならない。「このハンマーは重い」という陳述のこのような「意味」の側面を、われわれはすでに「意味」の一般性あるいは「一般的意味」と呼んできた。

つまり、ひとつの陳述・命題は、本質的に「意味」の二重性、「意味」の一般性と「意味」の各自的固有性という二重性をもつ。この事情はパロールであれエクリチュールであれ変わらない。すでに見てきたように、エクリチュールの場合でも読み手は、「表現」の背後に、暗黙のうちに「発語者の意」、つまりその発語がなされたときの発語者の「目的＝関心」相関性を想定しているからである。

では、なぜ言語は「発語」され「陳述」されたものとしてはそのような必然的な二重性を帯びるのだろうか。それは、言語「記号」における「意味」の一般規範性に由来する、といわねばならない。

言語もまた、「机」や「ハンマー」や「樹木」と同じく、世界内部的な存在者（＝事物）であるが、言語は「樹木」のような自然存在ではない。それは机やハンマーのような機能的な道具として作られた製品ではないが、しかしそれでも、ある意味で、特定の機能を果たすものとして〝作り出された〟存在者だといえる。

つまり言語とは、一般的にいえば、ある対象を表示し指示する「記号」、また表示された諸対象の相互関係等を規定する「記号」であり、またその類や種別についての一般的規範（言語ルール）をもった「記号の体系」として存在している。しかし一方で、このルールの体系は厳密には規定されえないこと、言語ルールは何らかの理由でそのつど状況に応じて変化すること、またルールの根拠を遡行すると無限背進に陥ることなど、言語の一般規範についてのパラドクスが存在する。これをどう考えればいいか。

さしあたりいえばこうなる。あらゆる「語」は「一般的意味」の規定性をもつ。それはいわば「語」の辞書的意味、すなわち一般的＝平均的存在規定である。また言語は全体的体系として、語どうしの関係と連関についての一般的な規定、規範をもつ。ソシュールがラング（＝一般言語規範）と呼んだものがそれである。

ちょうど「机」や「ハンマー」という存在者が「機能的道具」としての一般的＝客観的規定を受けるように「机」や「ハンマー」という語は「一般的意味」によって規定されている。われわれは、言語をそのような一般的意味、一般規範をもったものとして使用するのだが、しかし発語された言葉は、この一般的意味それ自体を指標し表現するのではない。ここでは発語、陳述という事態で生じていることの本質についてもう一歩考察を進めてみる必要がある。

われわれの具体的な言語行為には、必ずそのつどの実存的な目的＝関心性に即した事態の「了解‐解釈」があり、これを起点として「発語」ということが生じる。だが、事態の「了解‐解釈」は、それ自体が言語的「意味」なのではない。つまり、ここには「意味」の連関が生起しているとはいえるが、それがただちに言語的な「意味」であるとはいえない。

われわれは生のさまざまな場面で、自分のまわりの世界についてそのつどの「了解‐解釈」をもっているが、これが「発語＝陳述」へともたらされるときには、それなりの動機が存在するのである。さきに見たように言語の「意味」はこの「発語＝陳述」においてそのつど生起する。

その実存論的構造を明らかにするためにまず「発語＝陳述」という行為の動機の本質について考察してみよう。

2　「発語」の現象学

まず、発語行為の全体を、初発的な「内言」（直観を心の中で言葉にしてみること）、「独語」（声に出してみること）、誰かに対する「発語」という諸契機において捉え、それぞれの行為の動機の本質を取り出してみる。

(1)　内言

われわれが「内言」を行なう動機は何か。さしあたっていえば、自分がいま関係している事態についての自覚化、明瞭化、自己確認等々がそれであるといえる。たとえば、車を運転しながら前方に赤信号を認めたとき、あえて「赤信号」と内言する必要はない。それだけのことなら誰もそのような内言を行なわない。しかし、今日は絶対に違反してはいけないといった事情があるような場合には、赤信号を確認して「赤信号だ」と内言し、自覚や確認を自分自身に強調するということがある。

また、これからあるまとまったことを間違わずに「発語」しなければならないようなとき、あらかじめその語順や使用すべき適切な語の使用を、確認のために「内言」してみるということもしばしばある。たとえば、われわれが外国語を話す場合、よほど習熟しないかぎり予備的内言はごく一般的である。これは適切な発語のための内的な確認と呼べるだろう。

だがまた、「内言」には重要な特質がある。われわれが何らかの思念を思い浮かべるとき、それを「内言」と呼べるのかそれとも単なる前言語的な想念にすぎないのか、実際にはしばしば判定がつかないし、またそのつど判定を行なっているわけでもない。むしろ、そのような境界の不確定性が「内言」の一特質でもあるといえる。

さらに、一般的には「内言」においては言語表現としての「内言」と「発語主体の意」はほぼ重なっており、その間にズレがないと見なされる。たとえば「ソラガアオイ」という「私」の内言は、いま「私」が見ているこの空の青さについての「私の感動」それ自身と何のズレもなく「一致」していると考えられるからである。[5]

しかし、厳密には、内言はそれを「内言」と呼べるかぎりで言語的表現であり、つまり言語的表象をともなった内的思念だといえる。すなわちそれは単なる初期思念や初期表象（前言語的思念、表象）それ自体ではない。言い換えれば、「内言」が「内言」であるのは、そこに「初期思念＝表象」と「言語表現」との間になんらかの関係があると見なされるかぎりにおいてであり、そこには潜在的に「ズレ」の可能性が存在している。

さきに述べた外国語を話す場合はその端的な例であって、われわれは自分の言うべきことをいったん内言として「表象」し、それが自分の「意」を適切に表現するものかどうかを確かめ、ときに必要な修正を加えた後、それを発語する。外国語を話すというケースは、内言においてもそこに本質的な「言語関係」（発語者の意とその表現との信憑関係）が横たわっていることをよく示している。このことはまたわれわれに、内言が「発語主体の意→内的な表現性」という最低限の基礎的な言語構造をもっていることを教える。

（2）独語

「独語」の中心的動機は、内言における自覚化、明瞭化、自己確認等々の度合いを高めようとすること、ということができる。

言いつけられた用を忘れぬために、歩きながら「板石、三枚」とか、「さんまを三匹」と独語するような場合がそれにあたる。あるいは自分を他者のように想定して話しかけるという場合も考えられる。「独語」は、ある意味では「内言」を音声化したものと考えることもできるし、また直接の他者を想定しない「発語」と考えることもできる。しかし、基本的には「内言」の展開形と考えるのが妥当である。

その理由はひとつで、「独語」においては、「内言」と同様言語の本質的な信憑構造のうち、「聞き手→発語主体の意」という構造が存在しないからだ。内言や独語がしばしば「意」と「表現」の間にズレの存在しない完結した純粋な言語として考えられる根拠は、ここでは発語主体の「意」が推測されるべき「超越」ではなくつねに与件として直接与えられているという理由によるのである。

「独語」は、原則的には外的な発語行為であるから、内言にくらべると言語表象化が動かしがたく明瞭化されている。したがって、内言の場合のように境界の不確定性ということはありえない。だからこれもさきに見たように、われわれは稀に独語における「言い間違い」と

いうことを経験する。(6)

にもかかわらず、独語においては、この「言い間違い」の意味や理由は、ここでの唯一の当事者である「発語者」に明証的に知られている。ここでは「意」と「表現」のズレは生じうるが、「意」自身がつねに直接性として与えられているために、「意味」が分からないとか誤解といったことが生じないのである。

「書くこと」は、ある意味では「独語」のように見えるが、じつは特定の人間にあてて書く場合であれ不特定の対象に向かう場合であれ、原則として誰かに向けての発語であって「独語」とは言いがたい。自分のためだけの日記のような場合も、自分自身がもう一人の読者として想定されるし、また潜在的に未知の読者に読まれる可能性もある。この点で、「書くこと」はむしろ「発語＝陳述」的本質をもつ。

(3) 発語

誰かに向かって「発語」すること、つまり、叙述したり、警告したり、命令したり、質問したり、願ったり、確認したり、物語ったり、うたったりするために「発語＝陳述」すること。このことの基本動機は何だろうか。

「陳述」の本質的動機は、事態の認識や関係了解を他者と共有することだといえる。しかし「発語＝陳述」は、上述したようなさまざまな種類をもっており、単なる了解の共有ということにとどまらず、むしろそれは、了解の共有を通して他者との「関係」を作り出すことである。

人間の共＝存在性は、具体的な他者との「関係」の絶えざる編み換え、刷新として営まれる。「人間関係」の本質はそれが人間どうしの幻想的なルール関係、約契関係だという点にあるが、「語ること」、発語することは、この関係の絶えざる刷新の企てという意味での関係行為である。パロールの場合、この関係行為は特定の他者との関係に向かって投げかけられるが、エクリチュールの場合には、不特定の他者が関係の対象として含まれうる。

しかし「発語」が「内言」や「独語」と判然と区別される根本的差異は、ここには言語の本質的な信憑構造の二契機、「発語主体－言語表現」という関係の信憑構造と「言語表現」が媒介する「発語主体－聞き手の了解」という関係におけるそれが、ともに存在するということだ。つまり「発語」においてはじめて、言語行為の始発点としての「意」は、本質的に信憑構造の中で「確信」としてのみ成立する「超越」としての性格をもつことになる。

だからこそ、「内言」や「独語」でも「言語表現」と「発語者の意」の間に潜在的な「ズレ」の可能性があるが、その場合はこの「ズレ」の意味や理由は本人にとって明証的なのである。

だが、発語行為では、「発語者の意－聞き手」の間の信憑構造は、あくまで「確信」の構造として存在し、絶対的な理解に達するということはありえない。現象学における現実対象の認識構造と同じくそれは「超越」にとどまる。(7) 同様に、「発語者の意」についての「受け手の了解」は、それがどれほどありありとした強固な確信であったとしても、じつは「誤解」であったという「可疑性の余地」が原理的に残されている。

「発語」にはもうひとつ重要な特質がある。ハイデガーの「陳述」の現象学的＝実存論的分析が示したように、ここでは、言語は外に発語されて客観的なものとなる。このことによって「発語」は、了解されるべき「発語者の意」という契機（＝固有性）と、「一般的＝平均的意味」をもったラングという契機（＝一般性）とに分裂する。

そのためにどんな発語も、一方では、現実言語として、すなわち受け手が「発語主体の意」へいたろうとする了解企投の構造として成立すると同時に、もう一方で、一般的命題として、一般的意味の潜在的構成体として捉えうるような対象となる。

こうして、「内言」「独語」「発語＝陳述」というそれぞれの行為の実存論的動機を考察することで、「言語の意味」の二重性という現象の本質的な連関がいっそう明らかになった。「内言」や「独語」が言語であると言えるのは、それが何らかの「言語表象」をともなうかぎりにおいてであり、その意味であくまで初期思念＝表象それ自体が「言語」なのではない。つまり「言語の意味」はこの理由で、本質的に思念＝表象と言語表現の間に生じるのである。また「発語」においてのみ、言語の本質的信憑構造の二契機が統一されたかたちで姿をあらわす。

だからここで言語の「意味」におけるふたつのねじれが生じている。ひとつは、「発語者の意」と「受け手の了解」の関係が本質的に信憑関係であるということ（絶対的な正解の存在しないこと）。もうひとつは、言語表現自体が言語の意味の「一般性」（一般的＝平均的意味）と「固有性」（発語者の意）という二重性をはらむということだ。

これに関して、ヴィトゲンシュタインのつぎのような興味深い論述がある。

君は真っ青な空を見上げ、そして、君自身に対して叫ぶ：「空の何と青い事よ！」――君が、哲学的意図を持たないで、自然にそう叫ぶとき――その言葉は、「この色の印象は私にのみ属しているのだ」という意味で、言われたのではない。そして君は、場合によってはこの叫びを他人に向けるという事に、何の疑念も持っていない。そして君が「空の何と青い事よ！」という言葉で何かを指示するとき、その何かは空なのである。私が言いたい事は、こうである：この場合君は――人が「私的言語」の考察に於いて「感覚の命名」をするときに、しばしば随伴するところの――「君自身の内面を指示する」という感じを、持ってはいない。[8]

分かりにくい言い方だが、ここでヴィトゲンシュタインが言わんとしているのは、まず、言語の機能は発語者の内面の伝達、つまり彼の固有の感覚や意味の伝達という点にはないこと、さらにまた、この内面の伝達ということが発語者の意図なのでもない、ということだ。彼はさらにこう書く。

しかし、或る語で人が、或るときは、皆に知られている色を意味し、――また或るときは、自分が今持っている「視覚印象」を意味する、と信じたい気になるのは、そもそも、どうしてなのか？　ここに於いて、その一方ですら、どうして成り立つのか？　――私は、これら二つの場合に於いて、色に同じ種類の注意を向けはしない[9]。

ここでの問いは、「青（い）」という語はなぜ一方では「一般的意味」としての「青」を意味し、他方では自分が見ているこの「青」という固有体験を表現するもの、という感じを与えるのか、というかたちをとっている。つまり、ここで彼も、「言語の意味」の「一般性」と「固有性」という二重性の問題を示唆している。

同じひとつの語がなぜ「意味」の二重性をもつのか。ヴィトゲンシュタインはこの事態を、多くの言語学者がそうするように語の分類や区分によって整理するという方法を避け、あくまであるがままの言語現象としてこれを考察している。その結果ヴィトゲンシュタインは、形式論理の限界を徹底的に追いつめるところまで進んだ。しかしその先が問題である。「板石、三枚」と発語すること（の本質）は、一方で、「板石」「三枚」という語の連接によって表示される言葉の一般的意味を表示（指示）することではありえない。しかし、また一方で、それは「板石」「三枚」という語によって指示される対象や事態についての、自分固有の感覚や意味を伝達することでもないはずだ。そうヴィトゲンシュタインはいう。そしてここには、言語は発語者の独自の「内面」の表現である、という考えに対する批判がある。たしかに彼のいう通りであって、「板石、三枚」という発語でわれわれは、「板石」という語にこめられた私の内面の固有性といったものを伝達しようとしているわけではない。だがにもかかわらずこの事実は、発語における「言語」の固有性という側面を排除するものではない。「板石、三枚」という言語は、必ず発語者の他者に対するそのつどの関係企投という固有の動機をもっており、それこそがこの言葉の「固有性」なのである。

あるいはまた、つぎのようにいうことができる。「板石、三枚」という発話において発話者は、その語についての取り換えがたい自分独自の感覚を伝達したいと考えているわけではない。むしろ彼の意図は、単に誰かに自分の「命令」や「要請」を与えたり、あるいはある「確認」を行ないたい、などと考えているだけである。それはいわば、その言葉によって表示される事態を共有しようとする試みなのである。

つまり、発語の核にあるのは、固有の感覚の伝達ということではなくひとつの関係企投にほかならない。そして、この関係企投はまさしくそのつどの独自性と固有性をもっており、それは一般的意味によっては表現されえない。この関係や事態共有の試みそれ自身は、一般性としては成立せず必ず各自的な固有性をもつのである。すなわち、「言語の意味」の固有性は、言語の「私的」契機から生じるのではなく、発語行為における関係企投の契機から生じるのだ。

かくして、つぎのようにいわねばならない。言語行為の本質は、つねに人間の実存的動機から現われ、そのつどの「欲望＝関心」に相関した人間の関係企投という動機をもっている。人間の関係行為は、根本的に「言語」という道具的存在を介して行なわれる。このことは、人間の関係行為において言語は重要な役割を担っている、という以上の意味をもっている。むしろ人間は、世界に生まれ落ちたときから、ただちに「母」(養育者)との関係世界に巻き込まれる。この関係世界がすでに言語的に編み上げられた幻想関係の世界なのである[10]。

象徴的にいえば、母のはじめの重要な言語行為は「だめ!」という禁止だが、禁止はすでに「ルール」(約契性)の創設である。人間の関係世界は暗黙のルール関係から成り立っており、したがってニーチェが鋭く見抜いていたように[11]、ルールを守ることの価値がまず基本的かつ本質的な秩序となる。

人間の世界が象徴秩序であるとは人間の世界が言語によって分節された意味の秩序であるというより、むしろ価値の秩序(倫理的、審美的、真偽的秩序)であるという点に本質をもっている。人間の価値評価の本質は約契とその実現性(約束を守り、履行すること)にそのはじめの根拠を置く、というのがニーチェの考えにほかならない。

人間はその関係世界を編み上げる上で重要な「道具」のひとつとして言語を用いる、というより、人間的な関係世界の本質が言語的な約契性を根拠とする価値の秩序をなしている、というのがより適切なのである。

ともあれ、言語行為の根本動機は関係企投であり、したがって「意」の企投とその受けとりの信憑構造が、言語行為における「意味」ということの本質をなす。また、「言語記号」は関係企投という動機にとっての「道具的存在」である。言語がそのような関係企投の道具的存在でありうるのは、それが記号として一般的な対象指示性や関係表示性（指標性）をもつからである。

この一般性は、一般的な約定として記号に属している対象指示性や関係表示性であるが、またこの約定は慣習的かつ集合的な非人工的約定、つまり約定の起点をもたずその超越的規定者ももたない独自の体系をなしている。われわれはこのような社会的ルールの体系を「社会集合的約定」の体系と呼んでおこう。

言語記号のこの一般的な対象指示性や関係表示性の本質構造は、ソシュールの「シニフィアン－シニフィエ」という構図においてきわめて適切に示されている。とくに重要なのは、シニフィアンとシニフィエの契合は恣意的であり、この契合関係によって指標の「一般性」が保たれているという点である。

われわれは、なんらかの「意」を固有の関係行為として企投するとき、まさしく言語記号の一般的指標性を「道具」として利用する（それはわれわれが「机」を窓を破ったり、踏み台として使ったりするとき、「机」の一般的性質を利用するのに似ている）。つまり、一般的意味としての言語記号を用いてそのつどの固有の関係企投（意の伝達等）を実現しようとするわけだが、このときたとえば「板石」や「三枚」という語が、それ自身の一般的意味（一般的な対象指示性や関係表示性）しかもたないということは、むしろわれわれが固有の意や企図を企投しうることの前提なのである。

もし「板石」という語がある固有性としての「板石」を（対象の固有性、あるいは板石についての私的感覚の固有性として）指示するなら、われわれは「板石」という語をただ一度しか使用することができないことになるし、それをさまざまな場面でさまざまなニュアンスにおいて使用することは不可能になるだろう。すなわち、言語記号がそれ自体としては一般的意味しかもたないということが、むしろ各自的な実存企投としての言語行為を可能とする条件なのである。

これをまたつぎのような側面として言うこともできる。記号は原理的に、有限な単位の組み合わせからなる。つまりそれはディジタルな記号のシステムである。しかし、われわれが言語行為によって伝えるべき「心意」は、本質的に無限なアナログ的多様性をもつ。ひとつには「心意」の色合いの無限性ということが、もうひとつは現実という「地平」の現われが無限性をもつということがその根拠である。

記号が本質的に有限な指示性や表示性しかもてないということ、これは言語記号の本質のひとつである。つまり、われわれは有限なディジタル記号を利用して、無限的性格をもつ「心意」や「企図」を伝えようとする。このために言語による「意」の伝達は、「再現」や「代行＝表象」や「投影」ではなく、「表現」という本質をもつのである。

つまり言語行為は、自分の「思ったこと」や現実から「認識したり判断したこと」を、あるがままに（＝直接性として）他者に伝えるのではない。まさしくこの事情によって、言語行為における「意味」了解は、「A 発語主体－L 言語表現－B 受語主体」という関係における言語コンテクストに支えられた信憑構造として成立する。言語コンテクストに支えられた信憑構造がなければ、言語は一般的意味以外のものを指示したり表示したりできないからである。

こうして、発語行為の「痕跡」としての言語（命題、文、等）は、一方でそれを構成する語の連関によって規定される意味の一般性を表示すると同時に、もう一方で本質的に、固有の関係企投としての発語行為の痕跡なのである。

3　規則のパラドクス

さて、われわれはいまや、なぜ「現実言語」から信憑構造という本質を取り払うと「一般言語表象」となり、そこでなぜ「多義性」や「決定不可能性」という謎が現われるのかについて、より本質的な理解にいたっている。コンテクストが支える意味企投の信憑構造が抹消されると、言語の一般的意味だけが無規定的に解放され、特定の意味を限定する根拠がなくなる。そこに言語の「多義性」と「決定不可能性」という現象が姿を見せるのである。「多義性」の謎についてはすでに見てきたので、つぎに「決定不可能性」、言い換えれば言語規則についての「規定不可能性」について考察をつづけてみよう。

クリプキは、『ウィトゲンシュタインのパラドックス』[12]で、「68＋57＝5」という数式についてのよく知られたパラドクスを提示している。彼によれば、常識的には「68＋57＝

125」となるが、「68＋57＝5」という答えが間違っているとはいえない。なぜならこのとき、ここでの「＋」がいわゆる「プラス」ではなく、「クワス」[13]、つまり「ある数に加算する数が57を越えるとき、答えは常に5である」という概念でなかったということは、厳密には決して証明できないからだ、と。

このパラドクスをもっとシンプルなかたちにすると、「2, 4, 6, 8, 10, 12……という数列のつぎにくるのはどんな数か」という問いのパラドクスになる。ふつうは「14」が正しい答えだと誰もが考える。しかしクリプキによれば、これはどんな任意の数も正答となりうる。たとえばそれは「16」でありうる。なぜなら少なくともここまでの数の並びで見るかぎり、この数列の「規則」が「12までは2ずつ、12を越えると4ずつ加算された数が並ぶ」というものでなかったとはいえないから、というわけである。

これは、ヴィトゲンシュタインが見出した言語規則の厳密な規定の不可能性というパラドクスを、クリプキが自分流にアレンジしたものである。クリプキはこのパラドクスから、「規則」の根拠は結局「共同体のゲーム」の内的な約束というかたちでしか想定できず、厳密な確定性を見出すことはできない、というところに議論を進める。しかし、この議論は、ヴィトゲンシュタインの発見に何か重要なことをつけ加えているとはいいがたい。

クリプキのパラドクスを命題的にいえば、〈数学的な規則でさえ厳密な規定を与えることは決してできない〉、あるいは〈ある規則の命題によってその規則の「意味」を完全に表示し規定しつくすことはできない〉、といったことになるだろう。言語を形式論理において考察すれば、このようなこと自体が〝驚くべき謎〟となる。しかし、言語の本質考察を行なってみれば、この謎もとくに驚くべきものではないことが分かる。

このパラドクスが示しているのは、つまり、前に見たような、「空は青い」を誰かの「現実言語」としてではなく「一般言語表象」として扱えば、決してその「意味」を規定できない、という事態の数学版にすぎないからである。

現象学的な観点からはつぎのように言える。「2，4，6，8……」という数列が与えられて、このつぎにくる数を答えよ、といった問いが示される場合、その問いが眼前にいる人間によってなされようと、あるいは教科書での数列問題として示されようと、われわれはやはり暗黙のうちに発語主体を想定し、この発語主体の「意」へと了解企投を投げかける。つまり、そこにひとつの問いが示され、ある「答え」が予想されつつ要求されている、という信憑をもち、そしてこの要求に対して答えを返そうとする。ここに受語主体がなす言語行為の本質がある。

ふつう、「2，4，6，8，10，12……という数列のつぎの数を示せ」という問いが示されるとき、人はこの問いをもまたそのような「発語主体－受語主体」の信憑構造において受けとるのである。しかしクリプキは、「空は青い」を一般言語表象として扱う言語学者と同じく、この数式の問いを「一般言語表象」として扱う。その結果、それは何が要求されているのでもない単なる数列となる。そのために「2，4，6，8，10，12……」という数列のつぎに並ぶ数は無規定となるのである。

「12という数のつぎにくる数は何か」という設問は、この問いを発する主体（特定の人物、数学を教示する匿名の主体等）の暗黙の要求に対する信憑に相関してでなければ、これに答えることに意味がないだろう。人がこのとき「2，4，6，8，10，12……」という数列のつぎにくるべきある特定の数を推測するのは正当であって、はじめから、ここでの可能な考え方をすべて示せ、といわれたのであればそうするだろう。はじめの提示を人は前者の問いとして受けとるのであって、この信憑がなければ問い自体が無意味なものとなるからである。

現象学は認識論的問題をつぎのように考える。論理的には、「客観」と「主観（認識）」は原理的に一致しない。つまり、認識が客観現実を「正しく」捉えうるということは原理的には証明できない。しかしにもかかわらずつぎのようにいうことができる。

たしかに、バスにぶつかったり、ビルから飛び降りたりすることは「死」を結果する、というわれわれの認識は絶対的には確実なものではない。また、そもそもわれわれの見るバスやビルが疑えない現実存在であるかどうか、ということすら論理的には証明できない。にもかかわらず、われわれはあえて走ってくるバスに飛び込みはしないし、ビルの屋上から飛び降りることもしない。そして人々がこの結果を確実なものと見なす、その「確信の構造」自体は動かしがたい普遍性をもっている。また、この「確信の構造」の普遍性については明晰なかたちでこれを論証することができる、と。

この論証の大枠についてもつぎのように言うことができる。この論証は、まず人間にとっての「現実性」の確信の条件と構造の解明を前提とする。いま自分が生きている場面がほかならぬ「現実」であるという確信の条件と構造である。これにはいくつかの方法があるが、人間は夢と現実とをどのように区別しているか、についての論証がもっとも分かりやすい。たとえば哲学的な懐疑論では、人間は「夢と現実」とを論理的には絶対的に区別することができない、とされる（デカルトのみならず、ポストモダン議論でもこのような言い方は大いに流行している）。たしかに、われわれにとってありありとした現実感をもった「現実」も、ひょっとして夢でありうるという可能性は絶対的には排除することはできない。しかし、にもかかわらず、われわれは、事実として誰もが夢と現実とを区別し、この自分にとっての「いま」は、疑えない「現実」であるという自然な確信を成立させている。そして、この「確信」の成立条件は容易に取り出すことができる。

詳細については別の機会に詳しく論じるつもりだが、ここではポイントとなる指標だけを述べておくことにする。自己存在の対象化可能性とその反復の一貫性ということがその中心的な指標をなす。

自己存在の対象化は、空間的対象化と時間的対象化が軸となるが、たとえば時間地平の対象化可能性は、いつでも自己存在の既在性（＝過去）を遡行して、短期的には今朝起きた場面にまで、またさらに自己の既在性を遡行して（幼児期の）はじめの存在記憶までたどりうること、また逆にその到来性（＝未来）を想像的に展開して、自己の死にまでたどりうること、と定式化しうる。この自己存在の既在遡行的、到来展開的対象化が、つねに自己同一性と事実の因果的一貫性の感覚をともなって現われる場合、われわれは例外なく自己存在のありようを「現実」のうちにある自己として疑えなくなる。

確認のために繰り返すと、この指標は、人の生きている場面がたしかに「現実」であるということの絶対的な論証とはならない。しかし、人がどのような条件において現にある場面を「現実」と確信しているか、ということについての普遍的根拠であるといえる。

こうして、懐疑論的な論理的徹底性からは、われわれは目前のリンゴの実在すら確実なものとして証明できないことになるが、しかし、われわれがリンゴやビルやバスといった諸存在の実在についてもつ「確信の条件と構造」の普遍性については、これを間主観的に論証することができるのである。

さて、クリプキは、もし何か意味のあることを論証したければ、規則の一般性という観点からは「2, 4, 6, 8, 10, 12……」という数列のあとに「規則的」な順列として任意の数が入りうるのに、なぜほとんどの人は例外なくそこに「14」という数をおき、それを正解とすることに自然な納得をもつのか、という問いを設定するべきであった。

形式的な規則性としてだけいえば、そこには任意の数が入りうる、ということは、「空は青い」という命題は、それ自体としては無数の「意味」をもちうる、という指摘の一変奏形にすぎない。意味の無規定性にもかかわらず人々が言語をやりとりし通じあっていることへのこのような驚きの身振りは、現代思想ではしばしば反復されているが[14]、そこには本質的思考は存在しない。規則の無規定性にもかかわらず、具体的な言表としては、それがなぜある場合「命令」として、ある場合「願望」として、またある場合「事実確認」等々として、通用しているのか、と問うのでなければ言語論として意味がないのである。

じつは、このようなパラドクス自体が、言語の「意味」はその「規則」に従うことによってはじめて伝達、表現される、という言語学的通念から生じている。もちろん、ある意味で言語は、「規則」に従って使用してはじめて通じる、といえる。しかしこのとき、従うとか通じるといったことの本質を、よく吟味する必要がある。

クリプキによって提示された「規則のパラドクス」の問題を、その源流であるヴィトゲンシュタインによって見てみよう。彼は『哲学的探究』で、言語の意味は、果たして「規則に従う」ことで通じるといえるものだろうか、という問いを立て、これに大きな疑義を示している。しかしもちろん彼としても、言語には「規則」などまったく存在しない、とか、言語使用はどんな規則にも従っていない、とまではいうことができない。そこで、つぎのような言い方となる。

「如何にして私は規則に従う事が出来るのか？」――もしこの問いが、原因についての問いでないならば、この問いは、私が規則に従ってそのように行為する事についての、正当化への問いである。

もし私が正当化をし尽くしてしまえば、そのとき私は、硬い岩盤に到達したのである。（略）そのとき私は、こう言いたい：「私は当にそのように行為するのである。」[15]

言語についての一定の規則があって、われわれはそれに従うことで言語の「意味」作用を成立させている、とはとうていいえない。われわれは規則に従って話す、というより、いわば単に話すのであり、その結果として言語行為は規則に従っていると見なされうる、というにすぎない。そうヴィトゲンシュタインは言っている。また彼は、「規則」の適用ということがら自体にある解きがたいパラドクスが含まれていることを示そうとする。

規則は行為の仕方を決定出来ない、何故なら、如何なる行為の仕方もその規則に一致させられ得るから。(略)しかしもしそうであるとすれば、即ち、如何なる行為の仕方もその規則に一致させられ得るならば、如何なる行為の仕方もその規則に一致しないようにもさせられ得るのであり、それ故ここには、一致も不一致も存在しない事になる。[16]

あるいはまた、つぎのような命題。

「規則の適用による、数列の次から次への延長は、実は全て、既に行なわれているのである」という事は、もしそれが意味を持つとすれば、私はもはや如何なる選択もしない、という事なのである。(略)

私が規則に従うとき、私は選択をしない。

私は規則に盲目的に従うのである。[17]

ヴィトゲンシュタインはきわめて逆説的な言い方で、「規則」に従うということ自体が自明でないことをいおうとしている。「2，4，6，8，10，12……」という数列において、われわれはこの数列がそれに従っている客観的「規則」を見出し、その結果として「14，16，18……」という「延長」を行なうのだとしたら、「私」はただ機械的に規則に従っているだけだ（＝選択をしない）ということになる。

しかしむしろこの場合、「私」は、まずこの数列の規則が何であるかを思考し、ある解釈をおいているのではないだろうか。だとすると、この自由な思考や解釈が「私」が「規則」を見出す前提でないだろうか。つまり、規則に従うとは、まったく恣意的な自由の選択でもないが、しかし何らかの規則の機械的な適用でもないはずだ。

以上がヴィトゲンシュタインのいわんとしていることだ。つまりそれは、〈規則に従うとは規則の機械的適用でもなく、またその自由な選択ともいえない〉、というパラドクスとして示されるのである。[18]

ヴィトゲンシュタインがこの問題に与えている答えは、ほぼつぎのようになる。われわれが言語の「規則」に従うというとき、この「規則に従う」はたとえば交通規則に従うようなまた「暗号表」や「換金レート表」に従うような機械的な「従い」ではない。むしろそれはたとえばわれわれが「チェス」において一定の規則に従いつつ自由にゲームを行なうような、そのような「規則に従うこと」と考えるべきである。

　正誤は、人間が言う事である：そして、言語ゲームに於いて人間は一致する。この事は、言語ゲームに於いて人間は、意見が一致するという事ではなく、生活の形式が一致するという事なのである[19]。

　人間が言語の規則に従うことは、機械的な規則の適用といったこととは異なった本質をもつ。それをヴィトゲンシュタインは「言語ゲーム」という概念で表象する。ヴィトゲンシュタインにおける「言語ゲーム」という中心概念は、言語の「ルール」（規則）が、絶対的で超越的な規範（絶対的判定者、あるいは規準をもち、諸解釈の幅がなく、ほぼ一義的に適用できる）でなく、また静態的、固定的な規範（特定の明示的手続きなしには変化しない）ではない、ということをよく示している。

　しかしじつは、「言語」のルール体系の本質は、「暗号表」のような体系はもとより、「チェスゲーム」のようなゲームルームの体系よりさらにあいまいな体系である。「チェス」ゲームの場合、ルールブックが存在するという点で「超越的判定者」が設定され、またゲームの当事者どうしで勝手にルール変更が行なわれるということもない。つまり、それは静態的体系である。

　言語のルール体系は、どこにも絶対的判定者が存在しないという点で「非超越的」であり、必ず自然な変化をともなうという点で「動態的」である。[20]だが、言語のルールが「非超越的」で「動態的」なルールであるという言い方でもまだ十分ではない。この問題についても、現象学的な考察がことがらの本質を明らかにする。

言語のルール（約定）が「社会集合的約定」の体系であること、つまり、特定の設定起点をもたず（＝非人為的）、慣習的かつ集合的に沈殿した黙契的約定の体系であることについては前に述べた。[21]しかし「言語の規則」においてもっと本質的なのは、それがあくまで「一般規範＝ラング」としてのみ言語行為を規定するということにほかならない。

言語行為の本質的動機は、あくまで発語者のそのつどの関係企投という点にある。「語」が一般的意味をもつ記号としてその「道具的存在」となり、この一般的意味を通して発語者は自分の「意」を企投することが可能となるのだが、同様に、ここではまた言語の体系全体が「一般規範＝ラング」として発語者の関係企投の「道具的存在」となる。このことは、ソシュール言語学における「連合（範列）関係」と「統合関係」という本質的区分に対応する。

「連合関係」は、たとえば、「鶏が広間に飛び込んだ」という言明における、「鶏」や「広間」という語の交換可能性による「意味」の変化（多様性）を指す。ここで「鶏」は「猫↓犬↓うさぎ↓子ども」等々へと、また「広間」は「台所↓かまど↓風呂おけ」等々へと変更することができ、そのことで「意味」が変わる。「統合関係」は、「主語‐助詞‐目的語‐動詞」といったシンタックス（語順の）構造であり、これを変えることでまた「意味」が変化する。

このようなソシュールの言語体系の「形式化」が、それまでの言語学に対して画期的な優越性をもったことは明らかである。しかし、それでもここでの形式化は「一般言語表象」の分析として成立していることが分かる。ソシュールの言語体系から取り出しうる「言語の意味」論は、あくまで言語の「一般的意味」についての議論なのである。したがって「連合関係」における「語」の変更や、「統合関係」における語順の変更は、ある文章の「一般的意味」を変更することを説明するだけであって、たとえば「うちの広間がとなりの鶏に飛び込んだ」といった発語がなぜ了解を成立させるのかという本質関係は、ここからは取り出せない。

現象学的な観点からは、言語はその全体体系としては一般規則をもつ連合的‐統合的システムである。そしてこれらは、現実の発語行為において発語者の関係企投の「道具的存在」となる。つまり、人はこの言語の一般規則を利用してそのつどの関係企投を行なうのである。

発語者の「意図」は、語の連合と統合によって現われる「一般的意味」を誰かに指示することではない。また、ある言明によって自分の固有の内的感覚を伝えようとすることでもない。一般規範のシステムとしての言語を利用して、そのつど誰かと何らかの共有関係を作り出そうとすること、それ自体にある。

たとえば「詩」といった文学形式において、この事態は象徴的に露呈される。言語が一般るだろう。

的意味のみを表現するシステムであるなら、そもそも「詩」という表現は不可能なものとなるだろう。

「詩」の表現は、むしろしばしばその一般的意味を壊すような仕方で一般規則を利用する。それはまた、言語の「一般的意味」と「一般規則」を攪乱するような仕方で、ある固有のもの（一般的意味として表現できないもの）を表現しようとするのだが、しかし「攪乱」することや「差異化」すること（ズレを作り出すこと）自体が表現の方法だというのではない。一般規則を攪乱し差異化することは、その試みのひとつというにすぎない。それはまさしく一般的規定から逃れ出ようとするある「企投」なのだが、にもかかわらず一般規則を拒否し無化するのではない。

詩の表現の企投は、むしろ言語が一般規則としての体系であることを起点として（あるいは前提として）はじめて可能になっている。言語が誰にとってもまさしく一般規則をもったものとして現われているために、「詩」は言葉が作り出す一般的意味性を揺るがしたり、攪乱したり、歪みを入れたりすることができ、このことが「詩」においてある固有なものの表現の本質的方法となりうるのである。そしてこの場合でも、言語が関係企投であり、その了解関係が信憑構造によって根拠づけられているという本質はまったく変わらないのである。

このように発語行為の関係企投は一様ではない。それは、事態の確認、理解を求めること、説明、探求、命令、懇願、質問すること、非難、疑うこと、拒絶、正当化、抗弁、求愛、告白、呪い、揶揄、親愛の情を示すこと、物語ること、詩をうたうこと、等々でありうるが、どの場合でも、発語は、言語が一般規則（一般的意味）の体系であることを利用して、その固有の企投を遂行するという本質をもつのである。

ともあれ重要なのは、言語を「一般言語表象」として分析するかぎり、「言語」の理論は、必然的に命題や文章が作り出す「一般的意味」の体系についての学となる、ということだ。

「現実言語」においては、発語行為の本質的動機は発語者のそのつどの関係企投にほかならず、したがって実存論的な根拠をもっている。これに対して、言語の形式論理的分析は、言語を一般的＝平均的な意味と規則の体系として考察する。両者の間に生じる「意味」と「規則」の存在論的差異が、必然的に「意味の多義性、決定不可能性」や「規則の規定不可能性」といった謎を生み出すのである。

われわれの実際の言語行為自体ではこの点について何の謎も生じてはいない。「言語の謎」は、「言語」「意味」「規則」といった存在者の存在本質についての誤った把握から生じた、理論家たちの脳裏にのみ存在する観念的パズルゲームの迷宮なのである。

さて、われわれはここまで現象学の本質考察の方法によって「言語」の存在本質論を試みてきた。ここでその全体像を簡潔に整理しておくことにしよう。

まず第一に、言語の本質的信憑構造について。

デリダは、フッサールの現象学的言語理論を「意識」と「表現」の絶対的な結びつきを確保する「音声中心主義」として批判し、これこそ伝統哲学の「形而上学性」を支える「根源思考」の核をなすものだと主張した。彼はこの「根源性」の理論を、その背後に超越的な「意味」をもたない「差延の記号論」（グラマトロジー）を対置することで乗り超えようとする。ここでは、「エクリチュール」の優位が主張されて「意識」と「表現」の根源性は否定され、「絶対的な意味の起源」としての初期思念さえじつはすでに記号の差異のシステムとしてのみ可能なものである、とされた。

これに対して、現象学的言語理論は、言語行為の本質を「発語主体－言語表現－受語主体」という三項間の信憑構造として措定する。この観点からは、デリダ的な「差延の記号論」は、「一般言語表象」にすぎないものを言語として扱っていることになる。言語の本質構造としては主体の「意」とそれに対する受語主体の「信憑構造」を抹消することはできない。これを抹消すると、一切の言語は「一般言語表象」となり、そこでは言語の意味の多義性や規則の規定不可能性が解きえない「謎」として現われる。

第二に、言語および「言語の意味」についての現象学的存在論について。

現実言語ではなく「一般言語表象」を言語として分析対象とするという錯誤は、デリダ的記号論のみならず、現代言語哲学（分析哲学）の形式論理的分析において普遍的な現象となっている。ここでは「言語の謎」が必然的となる。この「言語の謎」を解明するためには言語の形式論理的分析は無効であり、「言語」や「言語の意味」という対象存在についての現象学的存在論が必要となる。言語の形式論理的分析は、言語の一般的意味と一般規則を自明な対象と見なして疑わないからである。「言語の意味」の本質を解明するためには、まず「意味」の本質についての現象学的＝実存論的分析を始発点としなくてはならない。

諸存在者の「意味」は原理的に欲望論的本質をもつ。事物存在は、主体のそのつどの実存的「欲望＝関心」を起点とし、これと相関したかたちでのみ存在意味を開示する。それは事物（対象）の「道具的存在性」と呼ばれるが、この「道具的存在性」は、「欲望＝関心」相関的な「有意義連関」（〜のために）と「解釈」的配視（〜として）という構造として規定される。つまり、諸対象は各自的な実存の「目的」「目標」「関心」との相関の中で、そのつどの「〜のために」「〜として」という「意味」の連関を生み出すのである。

したがって「意味」は、何らかの実体や体系的システムによって生じる記号論的機能へと還元することができない。記号における差異の体系が作り出すことができるのは、ただ一般的＝平均的な諸意味の間の「差異」にすぎず、発語の本質的動機としての表現的な「意味」それ自体ではありえない。

「意味」は、あくまで実存的主体の関係企投をめぐる世界との関係意識として生起する。つまり「意味」とは、世界の内なるさまざまな存在者（諸事態）をめぐる、絶えざる可能性、情緒受容、事態了解、判断、関係づけ、留保、選択、決断等々の意識として生み出され、この主体における「意味」生成を起点として発語という関係企投が行なわれる。そして発語された言語、つまり「言語表現」はまたこれに対する受語主体の了解企投を作り出す。

第三に、「言語の謎」の解明について。

現象学的な言語本質論からは、意味の「多様性」および規則の規定不可能性という「言語の謎」は、「言語の意味」における「一般性」と「固有性」の二重性の構造としてはじめて解明される。

「言語の意味」の多様性と規定不可能性は、言語が必然的に「一般的意味」とそのつどの関係企投からくる固有の表現的意味をもつことに由来する。意味の多様性という現象は、言語が「一般言語表象」のかたちで分析されることで、言語コンテクストによる限定が無効となり「一般的意味」が無規定に解放されるために生じる。また言語規則の規定不可能性については、意味の了解は言語コンテクストに支えられた「信憑構造」として成立するのであって、一般規則としての言語の体系が「意味」を作り出すのではない。言語の一般規則はむしろ発語による関係企投にとっての「道具的存在」として利用されるにすぎない。

従来の形式論理的な言語分析は、言語を「意味」生成を可能にする総体的な記号システム（体系）と理解し、このシステムの構造分析を目標とする。しかしこの発想は、「社会集合的システム」としての言語体系という対象の存在本質を捉えそこなっている。「社会集合的システム」の対象的本質は、事物＝事態的な関係的因果性によって把握される体系ではなく、

「意味」と「価値」の自己創出的関係体系であるという点にある。つまり、「意味」や「価値」は実在的＝存在的対象ではなく実存論的＝存在論的対象であり、まさしくその点で現象学的本質考察の対象となる理由をもっている。

第四に、言語の現象学的解明の展望について。

ところで、このような言語についての現象学的本質考察は、「言語の謎」の解明の後、どのような射程をもちうるだろうか。

それは、デリダが危惧するような言語における厳密論理主義や絶対認識の可能性の基礎づけといった方向に向かうものではありえない。むしろここまで見てきたように、それは一方でロジシズムや客観認識主義の可能性に対する根本的な批判を行ない、もう一方で懐疑論あるいは論理相対主義が作り出す「言語の謎」を解明し終焉させるものだ。

だが、またこの課題とは別に、現象学的言語論は、言語が「普遍性」を創設しうることの条件と構造の解明ということを重要な課題とするだろう。言い換えれば、それは、「認識」と「了解」の本質構造論、すなわちわれわれが共通認識や共通了解と呼ぶものの可能性の原理、言い換えれば普遍了解性の可能性の原理を基礎づけるものとなる。そして、このことは絶対認識主義や真理主義が目標とするものとは背立なのである。

重要なのは、客観認識の可能性の原理を捏造することでもなく、逆にあらゆる厳密な認識や共通認識の可能性を否認することでもない。言語による認識は、どのような領域において、またどのような条件において、普遍的な了解性として可能になるのか、という問題を原理的に解明することである。

たとえば、『哲学的探究』につぎのような興味深い一節がある。

　知ると語るを比較せよ：

　　モンブランの高さは何メートルか——

　　「ゲーム」という語は如何に用いられるのか——

　　クラリネットの音は如何に聞こえるか——

　或るものについては、知る事は出来るが、語る事は出来ない、という事に奇異の念を抱く人は——確かに第3のような場合ではなく——おそらく、第1のような場合を考えているのである。[22]

「モンブランの高さ」といった対象については、われわれはこれを明示的にまたある意味で厳密に規定することができる。もちろんこの場合でも「厳密な規定」とは、その規定が人間一般にとっての共通認識あるいは普遍了解性として成立するということにすぎず、客観認識や絶対的認識ということを意味しない。つまりそれは、普遍的な認識、広範な共通了解が可能となるような認識、ということにすぎない。またいうまでもないが、一定の対象、一定の条件においてこのような規定が可能であるという事実は、一切の事実についての認識の厳密な基礎づけが可能であるということにはならない。

数学的領域において厳密な規定が成立しているという事実は、事物一般の厳密な規定可能性をなんら保証しないのである。論理学はしばしばそのような試みを行なおうとしてきたが、それは対象存在についての本質論を欠いているのだ。

しかしまたこの逆のこともいえる。クラリネットの音やあるいはまた人間の顔の表情について、厳密かつ精密な言語的規定を与えることができないことを誰もが知っている。しかしそのことは、一定の対象領域と条件において普遍了解性（共通認識）の成立する可能性をなんら妨げるものではない。肝心なのは、その共通認識が可能となる対象性、領域、条件を解明し確定することなのである。したがって、規定不可能な領域での論理を厳密な規定が成立しうる領域にもち込んで、これを相対化するような論理もまた誤りでなければならない。ここでも対象存在の本質論が欠けているのである。

かくして、つぎのようにいえるだろう。言語についての妥当かつ適切な普遍的理論とは、まず了解（認識や把握の共有）構造の本質的区分の解明という課題をもつ。[23] いま大きな下図を与えておくなら、前述の例の場合、つまり「モンブランの高さ」という領域では、規定されるべきはイデア的同一性（数理的、理念的同一性をもつ）であり、「ゲームという言葉あるいは概念」では、概念的同一性であり、「クラリネットの音の感覚」では、感性的同一性ということがその指標となる。

たとえば誰でも、数学的論理の領域では厳密な共通了解の可能性が存在し、クラリネットの音や、楽曲、人間の顔の同定といった領域では、言語的な規定がほとんど成立しないことを知っている。現象学的な言語論は、このことの本質的理由と本質的条件を解明し記述するのだが、その原則はつぎのようである。

各人はあいまいなかたちであれ上の事情についての経験的な了解（漠然とした平均的了解）をもっている。現象学的本質考察は、誰でもが平均的にもっているこの平均的了解を内省し、これを鍛えてその共通性を言語によって確定してゆくという方法をとる。このことは、たとえば実存の本質についての了解は（ハイデガーが現存在の実存論的分析で示したように）、ただ平均的な人間の存在了解の共通性としてのみ取り出しうるという発想とまったく同型なのである。

総じて、現象学的本質観取は、人間の経験了解（確信）の共通な本質構造（すなわちそれが「同一性」ということである）を取り出す、という方法原理に基礎を置く。これに対して、現象学の方法はあらゆる人間の思考や思念が本質的に同一であるという誤った前提をもつ、といった批判が一般的に流布されている。しかしそのような批判は、ただ現象学的方法についての理解の不徹底に由来するものにすぎない。

各人の思念や感覚は、ある意味では「同一」であり、ある意味では「差異」に満ちている。しかし、各人の観念世界は「同一」か「差異」かといった問いは形而上学にすぎない。それは観点によるのであって、いずれかが絶対的事実あるいは絶対的客観なのではない。要するに、認識の問題においては、この「同一性」と「差異性」という領域が現われる構造の本質が捉えられるべきだ、というだけのことなのである。

問題を解明するためにどのような問いが設定されるべきか、ということが思考の本質であって、どちらが「正しい」かといった問いは無意味なのだ。形式論理はきわめてしばしばこのことの無自覚の上に成立する。人間世界においては、ある領域において厳密な同一性と呼ばれるものが成立し、また別の領域ではゆるやかな同一性しか成立せず、また他の領域ではおよそ構造的類似性しか認められない、といった現象が成立していること、このことは誰もうすうす知っている経験的事実であって、そうであるかぎり、この現象の普遍的かつ構造的本質を輪郭づけることが認識問題において不可欠な問題設定なのである。(24)

ヴィトゲンシュタインは、言語の探求の徹底した努力の果てにこう書いている。「哲学とは、我々が所有する言語という手段(道具)によって我々の知性が魔法にかけられている事に対する、戦いなのである」(25)。まさしくその通りである。が、あえてつけ加えるなら、この「魔法」の呪縛を解くという課題を成し遂げたとき、はじめて哲学の思考、その原理的探求の思考が本来の姿に立ち戻る、といわなくてはならない。

第7章 「正義」のパラドクスと「否定神学」

1 否定神学——脱構築を超えて

われわれは、現代思想の中心的な問題性、「言語の謎」という主題について考察してきたが、もともとそれはヨーロッパの形而上学批判という動機に端を発していた。すでに見たように、この点に関して、ヴィトゲンシュタインの業績とデリダの哲学的業績の際立った近親性は明らかである。

理性に対する素朴な盲信、知的楽天主義、論理によって客観や真理に達するという観念、これらに対して根本的な批判の原理を置くこと。このような、ヨーロッパ的知性のありかたを徹底的に相対化しようとする試みは、ヨーロッパ的近代に対する総体的な反省と重なって、二十世紀思想を「言語の謎」の提示による形而上学批判として特徴づけたのである。

われわれは、ヴィトゲンシュタインの仕事が、ヘーゲルのいう意味での重要な懐疑論の役割を果たしたことを疑わない。同時にデリダの仕事が、単なる懐疑論的反対論証にとどまらず、現代言語理論におけるひとつの新しい展開を果たしたことを認めてよい。しかし、彼の脱構築の方法が現代の思想的課題としてどのような意義をもったかについては、これをもう一度再確認しておかなくてはならない。

そこでわれわれは、以前に約束しておいたように、東浩紀の『存在論的、郵便的』に戻ってそのデリダ評価について検討し直すことにしよう。

東浩紀のこの書物は、ヨーロッパ思想を時代の先端思想としていち早く輸入し、紹介するという従来の現代思想論とは異なって、ひとつの世代の思想的な自己表現という性格を押し出しつつ登場しているという点で、明らかな画期性をもっている。

日本におけるポストモダン思想の担い手の第一の波は浅田彰や中沢新一で、彼らはこれを斬新な文体によって輸入紹介し、日本の思想シーンに新しい流れをもたらした。つぎの担い手となったのは、柄谷行人、蓮實重彦など少し上の世代の文芸批評家たちだが、彼らもまたいち早くヨーロッパの先端思想を理解し、これを自分の批評スタイルに自家薬籠中のものとして取り入れることで従来の批評シーンを一変させた。それはいわば世界の先端思想の実力に支えられたものだったといえる。

しかし彼らは、ヨーロッパの先端思想の内的なアポリアを自らの思想のうちで展開し、その矛盾を超え出るような場所にまで進むことはなかった。彼らは自分の批評原理にポストモダン思想を巧みに取り込んだが、自らの批評原理によってこの世界思想を試すことはしなかった。結果、彼らの批評は、つねに「決定不可能性」「反復可能性」「自己言及性」「物語」「多義性」「他者」「倫理」といったポストモダン思想による輸入概念のまわりをめぐるものになっている。

これに対して、東浩紀のポストモダン思想論は、ヨーロッパの現代思想が輸入されて以来はじめてその内在的なアポリアを本質的なかたちで理解し、その乗り超えの可能性を示唆した仕事として評価することができる。しかし一方で問題もある。

東のデリダ論のポイントは、初期デリダの形而上学解体の仕事のうちには前述した「否定神学」的要素が見出されるが、デリダはやがてこのことについて自覚的となり、後期においてはこれを超え出る可能性を探究している、という主張にある。

この「否定神学」の克服の原理として、東は「郵便的」「誤配」といった概念を提示する。東の指摘の前半部については、これまで見てきたようにわたしの考えもまた彼の見解にほぼ一致している。しかし、後半部については評価ははっきりと分かれる。これに関してより詳細な検討を行なってみよう。

脱構築の方法が「否定神学」的要素をはらむという点について、たとえば東は、バーバラ・ジョンソンの「参照の枠組み」という論文を取り上げてつぎのようにいう。

ジョンソンの論は、ポーを批判しつつ読むラカンを、また批判しつつ読むデリダ、という参照の無限構造を指摘し、そのことによって最終的にデリダのラカン批判を相対化する。しかし、ジョンソンによる、この脱構築の脱構築という方法による批判は、脱構築の対象を恣意的に選択するという点で、明瞭に「否定神学」的なイデオロギー言説となる。なぜならバーバラ・ジョンソンは、脱構築の論理を用いてラカンを批判するデリダを批判するのだが、このことによって彼女は、脱構築的批判がどんなテクストにも適応可能であるということを指摘すると同時に、しかし自分自身がフェミニズム運動の側に立つための脱構築という批判の限定を行なっていることに対しては、無自覚というほかはないからである。

すなわち、現代の脱構築的批判の流れが、この方法がどのようなものも批判の対象となしうるという性格をもっているために、脱構築を行なう対象の選択によって潜在的なイデオロギー性を帯びうること、そのことで「素朴なアイデンティティ・ポリティックスと区別」できなくなっている、ということを東は指摘する。「脱構築とアイデンティティ・ポリティックス、否定神学と経験論はくるりと反転して融合するのだ。実際にいまの日本でも、ドゥルーズやデリダなどの超越論的思考に深い影響をうけたはずの論者たちが、しばしば政治的・社会的批判の文脈で単純な経験論に回帰している[1]」。

また彼はこう書く。デリダは形而上学を脱構築した。結果われわれはニーチェのテクストに「真理」が書かれているとは信じない。にもかかわらず、いまだ伝統的哲学のテクストについての大量の「脱構築的」論文が生産されている。つまり、全員がニーチェの真理が信じられているかのように進む。この「かのように」が結局は形而上学を延命させているのではないだろうか、と。

たしかに、脱構築的批判がはじめに登場したとき、それが主要な批判の対象としたものは、マルクス主義的イデオロギーや近代国民国家の硬化したシステムのドグマ性だった。しかし、二十年の歳月をへて、いまやそれは、現実的秩序を擁護する諸イデオロギーのみならず、どのような概念、観念、主張、制度、傾向性をも批判できる、いわば〝普遍的反証〟の技術となっている。つまり、その懐疑論的本質のゆえに脱構築的論理は、あたかも、専制でも王制でも民主制でも等しく論難し批判できるソフィスト的反証のレトリックに酷似してくるのである。

　こうして、現代のポストモダン思想の動向に向けられた東の「否定神学」という批判的概念は、「言語の謎」を言説批判の特権的武器とすることで必然的に生じる批判言説それ自体の形而上学化の正確な指摘であるといえ、この点において私は東の指摘を高く評価する。

　ところで、東による現代思想の「否定神学」化の指摘にはもうひとつ注意すべき側面がある。それは、脱構築的方法が生み出す「否定神学」的性格には、一種の「超越」志向が存在するという示唆である。

　すでに見たように、「否定神学」とは「否定的な表現を介してのみ捉えることができる何らかの存在を想定することが世界認識に不可欠だとする、神秘的思考一般」を意味していた。脱構築的方法は、単に批判のための批判の方法を生み出すだけでなく、この方法的本性によって一種言説の神秘化という傾向を帯びるのである。

　東はつぎのようにデリダを擁護する。デリダは脱構築の方法がもつそのような性格に対して徐々に自覚的となり、あるころから自分自身を〝デリダ派〟から区別するためのテクストを生産しはじめた。たとえばデリダは、「『暴力と形而上学』におけるレヴィナス批判や『ラカンの愛に叶わんとして』におけるラカン批判など、形而上学批判のモチーフを共有する思想家たちに対してはむしろその否定神学性をこそ批判する」[2]。しかもそれは、自分の思考が否定神学に近いことを自覚した上でなされているという点で、大きな意味をもっている。

さらに、デリダとラカンの関係について東はこういう。脱構築とは「不可能なものの領域」のことだというデリダの命題と、現実界とは「不可能なもの」だというラカンの命題に従って両者の関係を見れば、「不可能なもの」への思考は不可避であると考えている点で両者は同じである。しかし、ラカンにとっての「不可能なもの」はひとつ（単数）であり、シニフィアンに覆われた世界（象徴界）が決定不可能性に陥った地点に現われる、とされる。それは象徴界に空いた欠如であり、その穴を塞ぐもの、実体化されたものが「対象ａ」と呼ばれる。

これに対して、デリダにとって「不可能なもの」は複数であり、途中で行方不明になったり、仮に届いたとしてもはじめのそれとはまったく異なった「不可能なもの」でありうる。デリダにとって真理というただひとつの手紙が確実に届く保証は何処にもない。

こうして東は、このデリダの脱構築の否定神学性に対する新しい戦略を、伝達や了解の本質的な不確実性、言い換えれば「誤配」の可能性としての「郵便制度」として提示する。

東の主張を敷衍するとつぎのようになるだろう。すでに見たように、「否定神学」は、言語表現では決して捉えられない何らかの存在があること、しかし世界認識においてはこの存在を何らかのかたちで想定せざるをえないことの不可避性、をいいつづける。

このことが「神学性」を帯びる理由はひとつで、この「名指せないもの」をある単数の

「何か」として暗示するからである。表現しえないものとして示唆された単数の「何か」は、つまり「超越的なもの」となる。すなわちそれは、一切の規定を超えた存在としての「神」、といった神秘神学的類型に重なるものとなる。

よく知られているようにラカンは、人間の「欲望」の名づけえぬ根拠として、象徴としての「去勢されたもの」、母親には存在しない部分に与えられた記号としての「欠如」(＝ファロス)を想定する。しかもそれはある絶対的な「欠如」として実体化される。そもそもラカンのファロス理論は、フロイトの「エディプス・コンプレックス仮説」という実証不可能な「物語」を、さらに人間的欲望の絶対的起源として形而上学化(＝物語化)したものである。私の考えでは、ラカンのファロス仮説の要諦はつぎのような点にある。

人間の欲望は生物のような固定性をもたない。それはいわばただ他者への欲望の欲望としてだけ存在する。象徴的にいえば、子どもの欲望はまず母親にとって必要なものとなることだが、それは母親にとって「母親がそれを欠いており欲望するもの」となることである。つまり、「父親のペニス」に差し向けられているのだが、それはまさしく「欠如されているもの」「ないもの」である。そこで子どもの欲望は、この根源的な欠如「ないもの」のある種の「喩」となるもの、言い換えれば「ないもの」をシニフィエとして指示するシニフィアンへ向かう(「欲望とは存在欠如の換喩である」とされる)。しかしこのシニフィアンは実体ではないので、この「シニフィアン」(ある根源的な何かを示し、ほのめかすもの)を指示する「シニフィアン」がさらに現われ、このシニフィアンの連鎖は果てしなくつづく、ということになる。

このようなラカンの説明方式は、フロイトの去勢コンプレックス仮説(物語)をメタ論理化したものにほかならない。ここでのメタ論理化の意味は、人間の「欲望」の根拠となるものを最終的に根拠づけることはできないという事情を、形式論理的極限形式として表現したものだということだ。つまり、人間的「欲望」の本性は、実体的な対象に向かっているのではなくある「欠如」への充填としてのみ論理化されるのである。

しかしこの「欠如」の根拠を何か実体的な内実として示せば、欲望の根源性を措定することになるだろう。そこで、ラカンは、フロイトの「去勢コンプレックス」仮説をてがかりとして、もともと「欠如」としてしか表象できない「母親が欠いているもの」を欲望のメタ論理の極限地点として措定する。このことで、実体的な意味での人間的欲望の根源的根拠は「抹消」できるからである。

しかし、わたしの考えでは、まずラカンが依拠している「去勢コンプレックス」仮説自体が原理的に検証されえない仮説(=物語)にすぎない。子どものはじめの欲望が、母親にとって「ないもの」に向かっているという考えは、可能な論理的説明のひとつといえるにすぎず、そのリアリティは潜在的にフロイト仮説の権威に依拠しているといわざるをえない。

事実、母子関係に人間的欲望の起源性を求める学説はメラニー・クライン以後の対象関係論派などを中心として存在し、そこからもさまざまな他の仮説が等権利的に提出されてきた。ともあれ、このことでラカンは、人間的「欲望」の実体的な根源的根拠を「抹消」しているわけだが、この「抹消」自体がある「根源仮説」に依拠しているために、別の意味の実体化を帯びる（つまり単数性をもつ）ことになるのである。[3]

ここでは詳論しないがレヴィナスの「他者」の概念もまたこれと似ている。また、後期ハイデガーの「存在」概念ほど、現代哲学における「語りえぬもの」についての形而上学的思考を象徴的に示すものはない。[4]そういう点で東がこれらの思想家たちに「否定神学的」規定を与えているのはきわめて妥当であるといえる。

形而上学的な「根拠」を問いつめる思考は、その問いつめがラディカルであるほど、最後に〈決して言葉では語りえず（規定されえず）、しかし、それなしには世界認識の構築性が成り立たない何かが存在する〉という思考へとゆきつく。たとえばハイデガーは、「存在」の概念を哲学的思考の最終項として定め、「存在」の思考によって従来の形而上学の「存在者の思考」を乗り超えると宣言する。またレヴィナスは、この「存在」の思考に対して「倫理」の思考の優位を説く。存在の哲学は「同」と「全体性」の思考であり、むしろこれらの観念を審問する「他」と「無限」の形而上学を置くべきである、と彼は考える。[5]

しかし、レヴィナスの「倫理」と「他者」の形而上学は、ハイデガーの一切の存在者の絶対的な存在根拠を指し示す「存在」の哲学を、ちょうど対極的に裏返したものになっている。ハイデガーが「存在」の贈与という概念を「語りえないもの」として提示するのと対照的に、レヴィナスは「他者」を人間的諸関係における「倫理」の「語りえない」根拠として提示する。これらは、ともに、ヨーロッパの神学的＝形而上学的思考の現代哲学における最後の残照なのである。

「存在」問題についての最終項を「語りえないもの」として語ることの禁止の原理は、すでにカントとヘーゲルによって示されている。カントではアンチノミーにおける「形而上学批判」として、ヘーゲルでは「真理」は概念の展開としてのみ可能となるという考えによって。

「倫理」についても同様で、「倫理」に関して不可視の、あるいは規定不可能な根拠について語ることは、存在の形而上学が存在者の存在の絶対的根拠について語るのと同じ論理類型であり、これを「語りえない根拠」として示すことは、「神聖なるもの」の存在の代行となるほかない。つまり「倫理」の根拠については、ロマンやニヒリズムの存在本質とおなじく、人間関係という状況の内でのその存在の「可能性の条件」として語る以外にはないのである。

ポストモダン思想におけるこのような「空無化された超越性」は、世界に対する時代的な否定性が形而上学化されたものであり、私はかつてこのポストモダン的否定性を「絶えず世界に異和を唱えつづける、そしてその異和の根拠を空無化しておく」こと、と特徴づけたことがある。[6] つまり、現代哲学、現代思想において特徴的なのは、この「語りえないもの」の超越化が、あらゆる既成の制度性、観念、言説への批判の拠点となったということであり、しかしそれは見てきたように、どんなものをも否定しその正当性を相対化しうるが、しかし自らの根拠を示すことのない「メタ批判理論」となった、ということなのである。

おそらく東はこういった事態を鋭敏に察知して、これを「否定神学」という概念で呼び、総体的なポストモダン思想論として提示したのだと思える。(7)

こうして東は、現代哲学の大きな流れをつぎのようなプロセスとして描く。

(1) 論理主義的段階→ヘーゲル、フッサール、ソシュールの形式規定主義的真理主義。

(2) 脱構築的段階→この克服としての、ゲーデル的、ラカン的、ハイデガー的脱構築(形式的規定性の不可能性、語りえないものの存在の示唆)→否定神学性をはらむ。

(3) 郵便的、誤配的段階→否定神学性の克服の戦略としてのデリダ的「郵便」「誤配」という概念へ。

つまりこういうことになる。東によれば、デリダはテクストの「決定不可能性」という場面から出発し、形而上学解体の戦略としての脱構築の大きな流れを作ったが、これは相対化と否定の論理を基本方法とすることに由来する「否定神学」化を避けることができなかった。体系の決定不可能性を証明することは、「批判のてことして利用したはずのシニフィアンを超越論化し、また別のタイプのシステムを安定化させることに帰着する」(8)のである。デリダはこの事態を自覚し、「脱構築」の論理を超えて「郵便」や「幽霊」といった概念を作り出すことで、「不可能なもの」の多数性の思想を構想した。これをもっとも象徴的に示すのが東によって強調される「誤配」の概念である。

さてしかし、私の考えをいえば、東浩紀のこのデリダ擁護は十分な説得力をもつとはいいがたい。なぜなら、この議論の核心は、懐疑論的方法によって絶対的な「根源性」や「同一性」の概念の不可能性を論証することを形而上学批判の精髄としてきたデリダの思想が、その後いかなる思想原理の本質的変更を果たしたか、という点にあるといわなくてはならず、しかしわたしの見るかぎり、デリダの思想の方法的本質は後期においてもほとんど変わっていないからである。

東浩紀は、デリダの「語りえぬもの」が、ラカンやハイデガーやレヴィナスやジジェクなどのそれと違って単一ではないこと、つまり一種空無化された絶対的な「超越性」となってはいないことを、その擁護の根拠としている。現代思想における「否定神学」的性格について、東が指摘するような他の思想家たちに対するデリダの自覚と優位は、相対的にはありうるかもしれない。だが、わたしの考えでは、そもそも「語りえないもの」という中心概念自体がポストモダン思想のメタ論理的性格によって要請されているのだが、まさしくその点に現代思想の最大の弱点がある。

つまりその疑義は、デリダはこの概念が必然的に呼び寄せる矛盾を、やはりあの懐疑論的な脱構築の方法で回避あるいは相対化しているだけではないか、という点にある。

デリダは、厳密論理や客観認識の不可能性と同時に脱構築思想を貫徹することの不可能性をも自覚してこれを思想的に超え出ようとする試みを行なったかもしれない。にもかかわらず結果的には、ちょうど「主体の死」や「アルシ＝エクリチュール」などの概念によって

「根源性」の概念を禁止したのと同様の仕方で、デリダはただ、「幽霊」や「郵便」という概念によって脱構築思想を形而上学化することへの「禁止要求」を添付したにすぎないのではないか、ということなのである。

われわれの立場からは、そもそもヘーゲルやフッサールの思考に「厳密論理主義」や「真理主義」を読みこみ、これを懐疑論的形式論理によって無根拠化するというデリダの思想的戦略の出発点自体に、すでに大きな誤解と踏み外しが存在している。

デリダ的脱構築が「否定神学的」性格をもつのはその懐疑論的相対化という方法の本質に由来する。ここまでわたしが示してきたのはそのことだったが、デリダが脱構築的〝デリダ派〟の蔓延に否定神学性を感じ取ってこれを批判するとき、その相対化自体がやはりあの形式論理の追いつめによる〝無根拠化〟の方法によっているとしたらどうだろうか。またハイデガー、ラカン、レヴィナス、デリダなどに共通する「語りえないもの」という現代思想に特有の概念が、この形式論理の極限化によって要請されている無根拠化の概念にすぎないとしたらどうだろうか。

もしそうだとしたら、デリダ的な否定神学批判を擁護することは、本質的な哲学の思考にとって袋小路を示すものとなるだろう。実際、デリダの思想の方法は、ずっと後期、九〇年代に入ってもその懐疑論的本質を変更しておらず、そのことは、東の指摘に反してむしろいまもデリダ思想の形而上学的傾向を深く規定しているように見える。私は以下にそれを実証してみようと思う。

2 正義のパラドクス――「法の力」

たとえば一九九四年のテクスト『法の力』[9]で、デリダは、脱構築思想は思想批判のみに終始して現実からは背を向けるニヒリズムに属するものではないか、とする批判に自ら答えて、「脱構築」は「正義に対する／による無限の要求によってすでに担保されている」という前提のもとに、「法」と「正義」についての脱構築的検証を敢行してみせる。つまりここには、脱構築の方法の弱点をうすうす自覚し、そのためこれを正当化し根拠づけたいという動機が明瞭に表われている。

デリダはまず、彼一流の方法によって「法」の根拠をつぎのように脱構築してみせる。一般的には、「正義」は「法」によってその根拠を与えられるとされる。しかし、「正義にかなっている」という事態に、すでに「規則のパラドクス」を見出すことができる。「正義＝法」は「規則」(ルール)に根拠をもつが、規則は繰り返し見てきたようにその最終的根拠を確定できない。規則は規則自体のうちに根拠をもつことはできず、厳密には自らの根拠をその外部に、つまり「暴力」にもつというほかはない。

「法」の起源は「国家」であり、「国家」の起源はそれを可能としたはじめの暴力だとすると、「法」は「正義」の絶対的な根拠とはならないことになる。

こうしてデリダは、「法」の権限と根拠を脱構築によって無効化する。つづいて彼は、こんどは「正義」それ自身を脱構築してその不可能性を主張する。

この主張においてもデリダはパラドクス的手法を使用する。これを「正義をなすことのパラドクス」と名づけることができる。

まず、一般には、「正義」の基準は合法的であること、つまり規則（ルール）にのっとって行為することだといわれる。しかし、人は単に規則に従うことによって「正義」をなすことはできない。なぜなら、ある規則に従ってなされる行為はいわば規則の機械的適用にすぎず、そこには「正義」と呼べるものは現われない。

たとえば裁判官の裁きは、規則の形式的適用であって、そうである以上それを「正義」の行為あるいは決断と呼ぶことはむずかしい。すなわち、一面ではたしかに、ある決断が正しい決断と呼ばれるには、それが何らかの掟、または指示、つまり規定に従うものでなくてはならない。しかし他面、「正義」による決断や行為と呼べるものがあるとすれば、それは単なる規則の機械的適用であってはならず、つまり何が「正しいか」を規定する「規則」があらかじめ存在し、それに〝従って〟決定が行なわれる場合ではない、ということになる。

このパラドクスはつぎのように説明される。

要するに、ある決断が正義にかなうものでありかつ責任ある／応答可能なものであるためには、その決断はそれに固有の瞬間において（略）規制されながらも同時に規則なしにあるのでなければならない。[10]（傍点引用者）

あるいはまた、

判断／判決は、反復可能性（itérabilité）を必ずもっており、それに応えるための仕組みや技術が生まれる。（略）しかしそうである限り、人がこの裁判官について次のように言うことはないだろう。すなわち、彼は純粋に正義にかなっており、自由であり、また責任を負っている／応答可能である、と。しかし、次のような場合にもこうは言わないだろう。すなわち、裁判官がいかなる法／権利にも、いかなる規則にも準拠しない場合。または裁判官が、どんな規則であれ、自分の解釈の手の及ばないような所与であるものはないと考えているために、自分の決断を宙吊りにしたり、決断不可能なものによって足止めされたり、さらには一切の規則や原理の枠をはずれてその場しのぎをする場合。[11]

つまり、デリダによれば、「正義」の決断や行為と呼べるものがあるとすれば、それは、正しさについてのある規則を絶対的な規定根拠とするのでもなく、しかしまた何らかの規則にまったく依存しないわけでもないようなある根拠性においてはじめて存在しうる、ということになるのである。

ところでわたしたちはすでに第6章で、ヴィトゲンシュタインの「規則についてのパラドクス」を見てきたが、ここでデリダが示している論証が、〈規則に従うとは規則の機械的適用ではなく、またその自由な選択ともいえない〉というヴィトゲンシュタインのパラドクスの変奏形であることを理解できるはずだ。[12] こうして「正義」の根拠は、絶対的な規定性をもたないという点で「脱構築不可能」なものだといわれる。

しかし、デリダはさらにつづけてこう主張する。このように「正義」自体は脱構築不可能であるにもかかわらず、一方でわれわれが「正義」を規定するもの（＝「法」）を脱構築しうるのは、われわれがある無限な「正義の理念」をもつからだ、と。

すなわち、現前する正義には規定をなすだけの確実性が備わっているとする推定をことごとく覆す脱構築があるとすると、この脱構築そのものは、ある無限の「正義の理念」にもとづいて作用する。それが無限であるのは、それ以外のものに還元することができないからであり、それ以外のものに還元することができないのは、それを他者に負っているからである。他者に負っているとはいっても、それはおよそ契約以前の話である。なぜなら、正義の理念は、やって来たからである。すなわちそれは、他者が、常に他なるものである特異性としてやって来ることである。（略）この「正義の理念」は、その肯定的な性格において、破壊しえないものだと思われる。肯定的な性格とはつまり、交換することなく贈与せよと要求することである。[13]

さらにデリダはこういう。この「贈与」という「正義」は、承認や計算や合理的理性を超えたある無前提な「狂気」に近いものであり、「脱構築は、まさしくこの正義に狂う」。したがって、このような意味での「正義」は「法／権利」ではなく、「それは、法／権利や法／権利の歴史のなかに、あるいは政治の歴史や歴史そのもののなかに働く脱構築の運動そのものである」と。

さて、ここでデリダによる「正義」の根拠づけの核心は、まず「法」＝「国家」を「脱構築可能」なもの、つまり絶対的な正当性の根拠をもたないものとして論証し、つぎに「正義」を「脱構築不可能なもの」、つまり「無限な」根拠をもつものとして論証する点にある。そしてこの論証の型は、デリダの思考の論理的本質をよくわれわれに教えるものだ。

デリダはここで、一見、「法」が脱構築可能であることを、つぎに「正義」が脱構築不可能であることを論証しているかのように見える。しかし、この議論を立ち止まって検討してみると、デリダはただ同じ論証を二度反復しているにすぎないことが分かる。

すなわち、彼はまず「法」＝「国家」がその究極的な正当性の根拠をもたないことを懐疑論的パラドクスを利用して論証する。「法」を根拠づけるのは「国家」だが、「国家」は暴力によってしか根拠づけられないというのである。

つぎに彼は、「正義」の実行ということが規則による絶対的な規定を超え出たものであることを論証する。そして前者については、これを「法」の「脱構築可能性」と呼び、後者については、これを「正義」の「脱構築不可能性」と呼んでいるのである。

しかしこのふたつの論証、「法」の正当化の不可能性と、「正義」の行為の絶対的な規定不可能性の論証の内実は、じつは共に、われわれが何度も見てきた懐疑論的方法による「絶対的な根拠づけの不可能性」の論証にほかならない（つまり、これはどんな事柄に対してもなしうる議論である）。そして彼は、ただ前者と後者でその意味づけ（＝解釈）を変更しているだけだということが分かる。

すなわち、「法」についても「正義」についてもわれわれはそれに絶対的な規定や根拠を与えることができないわけだが、デリダは、前者についてはこれを「法」が正当化されないことの根拠とし、後者については「正義」（あるいはそれを支えるものとしての「他者」の概念）が規則的なものに還元しえないこと、すなわち「無限な根拠」をもつことの証左としているのである。

しかもそれだけではない。「正義」の〝還元不可能性〟は、ここで合理性を超えたある「特異性」、理性的な承認や計算を超えたある「狂気」に近いものとして「やって来る」ものだ、といわれる。すなわちデリダはここで、懐疑論的形式論理のはてに、「正義」や「倫理」の根拠を超越化しているといわねばならない。

つまり、この「正義のパラドクス」には、「法」や「国家」を相対化したいという信念補強的動機(14)があらかじめ埋め込まれているのである。

ともあれ、われわれはいま見てきたデリダの「正義」の理論の要諦を、つぎのようなふたつのメッセージにまとめることができる。ひとつは既成の制度としての「国家」や「法」に「正しさ」の根本的根拠を置くことができないこと、もうひとつは、「正義」の本質的な根拠は「他者」に対するある絶対的なつまり脱構築不可能な配慮（これを彼は狂気に近い「贈与」と呼ぶ）であるということだ。

このように言い換えてみると、これらはさほど難解な論理ではなく、むしろ「正義」の観念について人々に共有されているある種の自然な倫理感覚を暗黙の前提としていることが分かる。

すなわち、デリダのパラドクスは、「法」一般、「国家」一般は正当化しうるか、といった社会正義一般の問いを暗黙のうちに提示しているのだが、このような場面から出発すると、すでに自明となっている素朴な「自然倫理」が暗黙の前提となり、これ自体を検証できないままに進むことになる。デリダの「無限な根拠」をもつものとしての「正義」は、その論理的仮象にかかわらず、じつはいわば自然倫理的な「正しさ」の意識の絶対化、理念化であるというほかない。

嘘は悪い、暴力は悪い、支配は悪い、戦争は悪い等々といった自然倫理は、ある側面では人間生活上の普遍的な倫理性として意味をもつが、しかし、それはまた一般的な善意や同情の感情性として共同体的習俗の中に埋め込まれているものでもある。この自然倫理は、生活世界の中では基本的なものだが、社会関係や政治的関係では、思想化されることなくして共同体間の問題を超えていくことができない。したがって、「倫理」の問題の本質考察のためには、むしろこの「自然倫理」の根拠自体が検証し直されなくてはならないのである。

またつぎの点にも注意する必要がある。デリダは「正義」の観念をポストモダン的パラドクスを利用して証明するのだが、このような形式論理の使用は、問題を知的なパズルとして示すだけで提出された観念や理念を本質的に検証することができないということだ。

つまり、このような「パラドクス」の論証の中では、人は問題の本質について思考することも、これを検証することもできない。だがまた、そうであるからといって、デリダがここで示した「正義のパラドクス」が何ごとをも表現していない、というわけではない。それはデリダのある思考表象（メッセージ）を読者に伝えているのだが、ただ哲学的な本質考察に耐えうるような仕方で提出されてはいない、ということなのである。

そこでわれわれは、デリダによって提出された「正義」の問題のパラドクスにいわば実存論的還元をほどこして、それがはらんでいる問題について本質考察を行なってみたいと思う。

3　倫理の現象学――他者の声／自己の声

はじめに、「正義」の問題を考察する上で、ふたつの基本契機が存在することを指摘しておかなくてはならない。

ひとつは「正しさ」という概念の実存論的契機であり、われわれはどのような実存的場面において自らの「倫理性」を問うのか、という側面である。もうひとつは「正義」という概念の社会的性格の本質であり、われわれは一体どのような事態を社会的、公共的な「正義」

と呼んでいるかという契機である。

デリダでは、このふたつの問題は混同されひとつのものとされているが、その適切な区分は「倫理性」の本質という問題を考える上で不可欠なのである。その理由は以下の考察の中で明らかになるだろう。

(1) 倫理の実存論的本質

「正義」についてのデリダのパラドクスは、正義の行為(決断)は「規制されながらも同時に規則なしにあるのでなければならない」というものだった。またこれは、ヴィトゲンシュタインの、〈規則に従うとは、規則の機械的適用ではなく、また完全に自由な選択ともいえない〉という規則のパラドクスの応用形でもあった。

これらのパラドクスが表現している問題の本質をひとことでいうことができる。つまりそれは、人間の倫理的な行為や決断は、実存論的な「自由」を根拠とするものであって因果論的な規定のみによっては捉えることができない、という問題にほかならない。

これはじつは哲学的には古典的な問題で、たとえばベルクソンはすでにこの問題についてこう述べている。

今や次のように付言すべきときである。すなわち内的因果性の関係は、純粋に動的なものので、お互いに制約し合う二つの外的現象の関係とはいささかも似ていない。なぜなら外的現象は等質の空間内で再現されることのできるものであって、法則の構成に参加するが、一方、深い心的事象は一たび意識にあらわれ出ると、二度とふたたびあらわれることはないだろうからである。[15]

ベルクソンは、ここで、人間が自由な行為や思念と考えているものも、じつは絶対的な因果性のうちに存在しているという可能性を排除できない、といったスピノザ的な因果性の概念に反対している。「具体的自我とその自我の果たす行為との関係が自由と呼ばれるのだ。この関係は、われわれが自由であるというまさにその理由によって、定義し難いものである[16]」。

つまり、彼は、「内的因果性」と「外的因果性」という区分を置くことで、心的な経験の因果性（＝自由）は物質世界の因果系列の秩序とは異なった本質をもつということを示そうとしている。

ヴィトゲンシュタインの「規則に従うことのパラドクス」が表現しているのも、この問題とつながっている。人間が規則に従うという場合、それはある意味で合法則的な行為と言えるが、しかしそこに自由がまったくないわけではない。少なくとも、自分の行為がある規則に規定されておりそれに従うべきである、という「判断」が存在しているからである。

それは因果としては規則に規定された行為だが、いわば「内的因果性」としては「自由」を含む。このような人間の行為のあり方は、いわゆる規則的な因果性としては理解できないからだ。すなわち、デリダのパラドクスもまた、この事態の「倫理」問題への適用と考えてよい。

われわれはこれをつぎのような問題に書き換えることができる。すなわち、人がある状況の中で倫理的な意味でひとつの行為や決断を迫られるという場合（これを「倫理的状況」と呼んでおこう）、人が経験しているのはどういう事態か、という問題である。ここでも倫理の問題について実存論的な問題設定を行なっているのは『存在と時間』におけるハイデガーである。彼はこう書いている。

現存在は、おのれ自身を、つねにおのれの実存から、つまり、おのれ自身であるか、あるいはおのれ自身でないかという、おのれ自身の可能性から、了解している。[17]

ハイデガーの実存論には、つねに「本来性－非本来性」という二項対立的（＝形而上学的）要素が組み入れられているので、この文章もきわめてミスリーディングな側面をもっている。しかしそれでもこの言い方には、人間存在がつねに自己存在それ自身への「気遣い」（配慮）をもちつつ実存していること、またそのことが人間的な価値秩序（善・美）の根拠となっているという事態がよく表現されている。

この言い方からわれわれはつぎのようなことを取り出すことができる。すなわち人間はある「倫理的状況」において、最終的には自己自身の存在の「ほんとう」（本来性）を配慮するのであり、この自己配慮こそが「倫理」の実存論的本質である、ということ。さらにもうひとつ重要なのは、この配慮はつねに「おのれ自身」でありうるか否かという葛藤に伴われ、この葛藤というあり方がまた倫理的な行為や決断という状況の内的な本質でもある、ということだ。

われわれは「青信号」では車を走らせ、「赤信号」では止まる。あるいはまた、人から借りた金銭は返済し、仮に露見する可能性がまったくなくても友人の持ち物を秘匿したりしない。これらのことは、ある意味で倫理的ルールに従っているが、しかしたいていの場合誰もそれらのことを「倫理的行為」とは考えない。

つまり、「倫理的状況」の本質についてさしあたりつぎのようにいうことができる。「倫理的状況」は大なり小なり内的な葛藤を通して現われるが、それはそこで人間の実存論的な「自由」の問題が示されているからである。

人間の「自由」は、何らかの規則や規範の拘束を一方の前提とし、つねにその規則や規範の適用についての選択的決断として現われる。この企投的な選択や決断は、ある場合異種の規範間（たとえば忠と孝のような）の対立として顕在化する場合もあれば、道徳規範と傾向的な欲求（快いものへの欲求）の対立として生じる場合もある。しかしどの場合でも企投的な選択や決断は（問題が他者への配慮をめぐるような場合であっても）、最終的には自己自身への存在配慮や存在了解の問題として現われるといわねばならない。

このとき選択と決定を規定するものが完全に自明であってその適用にどんな問題もありえ

ない場合は（上述したような場合には）葛藤もまた企投的な「決断」もなく、そういう場合われわれはそこに倫理的問題があると見なさない。言い換えれば、そこでは自己存在についての実存論的配慮が動いていない。「決断」や「選択」が何らかの葛藤を伴って現われるときに、われわれは「倫理的状況」のうちにあるといえる。

たとえば、救命ボートに五人しか乗れないのに人間が七人いる場合どうするか、といった極限状況に直面したとき、ぎりぎりの恐ろしい葛藤に襲われない人間はいない。ここではさまざまな考え方が存在し、自明の解決がなく、どんな決断も明確な納得を生むことができず、人は自問し煩悶し葛藤するほかない。このような煩悶や葛藤は不可避であり、むしろそれは人間が自由な存在であることの証左ともいえる。

こういう場面で人は、いわば自分が「おのれ自身であるか、あるいはおのれ自身でないか」という自己のあり方を極限のかたちで自問せざるをえない。もちろんこのような極限状況は極端にすぎる例であろう。むしろ人間は、日常生活の中で、こうした深刻なかたちではなく、たえずそのつど自己自身の存在のあり方を考慮するという状況にぶつかっている。そして何らかの仕方で行為や決断（選択）を行なっているのだが、それについての自己認知のあり方が「自分とは何であるか」についての自然な存在了解を形成することになる。つまり、この絶えざる企投的選択や決断についての自己了解が、人間の自己アイデンティティの自然な内的根拠なのである。

さきに見たデリダの「正義をなすことのパラドクス」は、これを実存論的に還元すれば、このような人間における「倫理」と「自由」および「自己了解」の間の本質関係の問題として書き換えることができる。

われわれが何らかの倫理的、道徳的規則や規範に従うとき、そこにどんな葛藤や判断についての迷いも生じないのであれば、われわれはその行為や選択をそもそも倫理的な行為と意識することすらない。つまり、われわれに「倫理的」行為と意識される状況は、必ず何らかのかたちで自己自身の存在配慮についての葛藤や判断を伴い、それがひとつの「自由」な選択の要素を含むような場合なのである。

ここではわれわれは、規則的（機械的）な仕方ではなく、ある規則（規範）に従ったり従わなかったりする。そして、このような倫理的状況を形式論理的に表現するかぎりで、それは〈正義の行為は、規制されながらも同時に規則なしにあるのでなければならない〉というかたちをとるのである。

デリダは倫理的行為についてのこのパラドクスから、「正義」の「脱構築不可能性」という概念を取り出した。しかしそれはただ、人間の倫理的企投という状況では「自由」と「規則」は論理的には矛盾するものとして現われる、ということを示しているにすぎない。すなわち、このようなメタ論理学的（＝一般論理学の上位に立ち、その形式論理の矛盾を指摘する論理学の）思考では、人間の「自由」や「倫理」の本質を表現することはできないのである。

さて、「倫理」についての実存論的な考察は、さらに、つぎのようなことがらをより本質的な問題として示す。

つまり「倫理」は、まずあくまで人間の実存的な存在配慮（自己配慮）に、またその内的な自己確信ということにその本質的根拠をもっている。しかし「倫理」の本質の全体性はまたこの実存論的「主観性」の圏域のうちでは完結されえず、必ず「間主観的」領域へとすなわちその「外部」へと展開されざるをえない、という問題である。

たとえばわれわれは、「倫理」の問題が実存の「外部」に何らかの根拠をもたざるをえないということのひとつの例を、カントの「最高善」というかたちで見出す。「最高善」とは、あらゆる人間が有徳かつ幸福であるような社会の状態を理想状態とする理念であり、これによって、人間の行為は、世界をこのような公準に近づけうるかぎりにおいて「善」であると規定されることになる。

しかしカントは、ここから「道徳」（＝倫理）の問題の最大のアポリアとして「徳福一致のアポリア」を提示する。[18]「最高善」の理念では、もっとも有徳な人間がもっとも大きな幸福を得るような世界を理想とするが、しかし現実には、人間の「徳」と「福」は一致する保証をもたない。そこでこの矛盾（アポリア）をどう考えるかということが重要な問題となり、カントはこれに対する答えとして「魂の不死」や「神の要請」といったあらたな理念を導き出す。

ともあれ、「最高善」の理念が意味しているのは、倫理というものが内的実存における自己了解に根拠をもつものでありながら、それだけでは絶対的規準を措定できないために、主観の「外部」に捉えられたより普遍的な「善」の根拠が要請されている、ということである。

誰も理解するように、内的な自己確信はどこまで行っても主観的確信であって、〝客観的〟なものではありえない。そこで「倫理」の普遍性とその本質を確保するためには、必ず何らかの「外部」を措定するほかない。この構造はシンプルかつ本質的であって、近代以前には、「神」「王」「皇帝」といった絶対権威がその役割を果たしていた。ニーチェが正確に見抜いていたように、カントの「最高善」とは、まさしく脱聖化された「至上存在」なのである。

さて、もうひとつの典型的な倫理の「外部」的根拠がある。それがまさしくデリダも措定しているところの、そして現代思想においてしばしば呼び寄せられている「他者」の概念である。(19)

「他者」の概念を倫理の普遍性を根拠づける原理として本格的に提出したのは、周知のようにエマニュエル・レヴィナスである。しかしいまレヴィナスの原理をくわしくたどる必要はない。デリダはレヴィナスの「他者」の概念の中に、それが倫理の普遍性の根拠となりうる一定のヴィジョンを読みとり、それをここできわめてシンボリックなかたちで提出しているので、われわれはそれをそうしたかたちのまま扱うことにする。

デリダによれば「正義の理念」はそれ以外のなにものにも還元できないがゆえに「無限」

であり、それがなにものにも還元不可能なのは「それを他者に負っているからである」[20]。こうしてここでは、「他者」が、倫理の普遍的根拠として（繰り返しいうが、デリダではそれを「根拠」というかたちで提示することは禁じ手となっているために、脱構築不可能なもの、なにものにも還元不可能なものという表象として）示されているのだが、じつはこのこと自体は誰にも理解しやすい側面をもっている。言い換えれば、「他者」こそは「正義」の根拠であるという表象は、「最高善」をその根拠とする考えよりはるかに自然で受け入れられやすいものなのだ。

その理由をふたつあげることができる。ひとつは、人間の根源的な「自己中心性」を相対化する原理は「他者」（との関係）だけだからだ。もうひとつある。人間は社会的関係の中で生きているが、社会の本質はそれが約契的な集合的体系（つまり、「ルール」の網の目）であるということだ。そして「ルール」の本質は、いわば赤裸々な力の対立を抑制しつつ共同的関係を作り上げること、人間生活にルールゲーム的要素を導き入れることである。すなわちそこでは、「他者」たちと共に協働しつつ生きること、強者だけでなく弱者も生きうること、不幸な者に手をさしのべること、といったことがらは、人間的徳のもっとも中心的な経験的な本質をなす。

「他者」こそ「正義」あるいは「倫理」の本質的根拠であるという理念が、その表象だけですでに一定の説得力をもつのはこのためだ。

しかし思想にとって必要なのは、このような一般的表象をつねに内実をともなった「概念」にまで鍛え上げることである。そして哲学の思考では、しばしば「アポリア」がその役割を果たす。たとえばさきに示したカントの「徳福一致のアポリア」は、まさしくそのようなものとして提示されているのだ。

「徳福一致のアポリア」が意味するのは、社会全体にとっての最高目標は万人が有徳な存在（＝善）であることだが、各人の実際的な生の目標は「幸福」でありこのふたつは合致する保証がまったくない、ということだ。言い換えれば、社会の全体性から見れば、すべての人間が有徳な存在（＝善）として生きるということは明らかにこの上ない社会の理想的目標であるが、しかし各人の個的な実存のうちにはこの目標に向かう原理が存在しないのだ。

このアポリアに対する「神の存在要請」といったカントの解答は、しかし、ヘーゲルの徹底的な批判を見るまでもなく明らかに不十分なものである。にもかかわらずカントがこのようなアポリアをはっきりと設定していることは高く評価できる。なぜなら、およそ理想は、それが純粋で美しい理想であるほど思想としては脆弱であることが避けられず、まさしくそのためにこのようなアポリアを設定してこれを「現実」によって試すことが不可欠の作業となるからだ。

では「他者」という「外部」の根拠はどうだろうか。結論としていえば、さきに示されたようなデリダの「正義のアポリア」は、「他者」という根拠理念を現実によって試すようなかたちになっておらず、むしろそれをほとんどスコラ神学的な仕方で擁護しているにすぎない。ここでは「他者」を正義の無限な根拠としたときに必然に生じる「アポリア」が適切に取り出されていないのだ。

「他者」という概念はたしかにある意味で倫理の「内的な自己確信」の「外部」として措定されうる。しかしじつはそれは、すでに歴史的な限界にぶつかっているといわねばならない。これを簡単に説明してみよう。

倫理の根拠としての「他者」の理念は、じつは「最高善」の理念以上に素朴であって普遍的な「正義」の根拠理念となりえない。その理由は明らかであって、倫理において「他者」という原理は、「われわれ」と「かれら」という共同的な区分の原理を、すなわち「共同体」の論理を克服できないからである。そしてこれが「他者」を「正義」の本質的根拠としたときに必然的に現われる克服しえないアポリアなのである。

ひとことでいって、人は誰も、「他者」を尊重すべきことの必要性と重要性とを暗々裏には知っている。生において、「他者」を理解し、苦しみや喜びを共に分かち合い、同情し共感しあうことが人間の生においてもっとも重視すべき要素であることは明らかである。しかしにもかかわらず各人は、あらゆる他者を等しく愛し尊重すべき内的理由、内的原理をもっていない。

まさしくこの理由によって、「他者」への普遍的な愛の理念は、ただひとつの可能性を除いて、共同体どうしがせめぎあう状況の中では原理的に実現不可能な理念なのである。

このただひとつの可能性とは何だろうか。それはつまり、ある聖なる絶対的な存在（真理としての唯一神、至上存在）といったものが創設され、万人がこの絶対性に帰依するという場合だけである。

だが、この普遍的な「他者」への愛という理念は、すでにイエス・キリストによってヨーロッパ史に登場していた。しかしそれは、結局、世界宗教という理念の場所で行き止まりになるほかなかった。宗教戦争を克服する原理は宗教の理念自体のうちには存在しないからだ。そしてこう考えると、カントの「最高善」の理念がすでに、この普遍的な「他者」への愛という根拠理念を克服するための原理だったことが分かる。

ところで、私の考えでは、カントの「最高善」の理念は、近代的な「善」の原理としてひとつの極限理念をなしている。それはつまり、「善」という概念の根拠を、極限的理想状態から逆算的に導こうとしているのである。

しかしすでに見てきたように、現象学の方法では、「倫理」や「善」の本質を捉えようとするなら個別的な内的実存におけるその本質から出発し、そこからこれを「間主観的」に展開していくという順序をとらなくてはならない。そして、この方法によって取り出される「倫理」の問題の本質的アポリアは、「徳福一致」や「万人への愛」といったアポリアではなく、「信念対立」というアポリアにほかならない。

いまこのことを内在的な倫理的確信の場面から考察してみよう。

大づかみにいって、内的な存在配慮における自己の「本来性」（ほんとう）選択の「確信」は、いくつかの規準がせめぎあう葛藤の中からつかみとられる。いくつかの規準とは共同体の一般的道徳規範、自己の内的規範（自己理想）、そして傾向的欲求意志（快への欲求）などである。そしてどういう場面でもある倫理的行為の決断は、最終的に自己自身の選択であるというかぎりで「自己確信」をもたらす。

この場合ある行為が倫理的であるか否かについての外的な判断や評価は問題にならない。それら外部の要請や威圧や異議申し立てといった「他者の声」をも含めて、最終的な判断や企投は結局自己自身の「内的な声」に委ねられるほかないからである。しかし倫理的状況は多くの場合、われわれの倫理的な企投をして、不確定かつ決断不可能な諸要素に直面させる。このことがまた自由な倫理的企投にとっての特質でもある。

その理由は、どんな人間も自分の決断と行為がもたらすその結果、それがより広範な社会関係の中でもつ意義や影響について決して全知ではありえないからだ。また、ひとつの行為は、その前提となる価値判断や事態の判断として現われるが、人はこれらの価値判断を限定された材料によってしか行なうことができず、その意味でも判断の絶対的な確実性はなんら保証されないからである。しかしそれにもかかわらず、われわれはそのつど自分の感覚と思考の能力をあげて、自分なりの決断や選択を行なうほかはない。

したがって範例的に言えば、われわれはぎりぎりのところ、自分の判断の絶対的な不完全性を自覚しつつ、なお自己の「内的な声」（おのれ自身の「ほんとう」でありうるか）に従ってのみ判断（選択・決断）し、またその結果として現われる現実のすべて（それは意図を超えたかたちで現われることもある）を自己の実存に属するものとして「引き受け」る、という仕方でのみ、自己の「自由」を内的な確信としてつかみ取ることができるのである。

「倫理的自由」の決定におけるこのような本質条件についての深い自覚と自己洞察のあり方をヘーゲルは「良心 Gewissen」と呼んだのだが、ここがいわば実存論的な「倫理」のあり方の核心部だと言ってよい。

ところで、しかしまた、この倫理的自由にともなう「自己確信」はこの地点では決して完結されえない。それは、一般的には「私はかくかくのことを正しいこと（善）と信じる」という形式をとり、そのかぎりで必ず他者関係あるいは社会関係の中で「他の信念」と対立しあうという、もうひとつの本質をもつのである。

この「信念対立」の問題は、宗教や世界観、価値観の対立としてもっとも普遍的なかたちで現象してきたし、また近代哲学の「認識問題」（主客の一致）の本質的動機でもある。

実存論的には、人間は自己配慮と自己了解の本質を、自分自身の内的な「ほんとう」の確信、つまり「自己の声」というかたちでもち、これを超える根拠をまったくもたない。たとえば、「神」の命令といった絶対的な超越性が人の行動を規定している場合でも、それは「神」の命令を至上と見なす内的な自己確信だけがそれを支える。自分の行為の規準が（それが「法」であれ、「神の命令」であれ）自己自身の納得において選んだものか外的に強いられたものかは、一般的には必ず誰もこれを認知できるからである。

しかしまさしくそれがゆえに、つまり内的確信という本質をもつがゆえに、この確信は、普遍性の絶対的な保証をもてずつねに新しい対立に出会うことになる。だからこそ「善悪」の問題は哲学的思考にとって、つねに解決しがたいアポリアとして存在しつづけているのである。

しかしまた、この倫理的「信念対立」が不可避で本質的であるということ、倫理の内的自己確信が必ずこの対立に直面してそれを克服しようとする本性をもつこと、このことに倫理の普遍性の根拠がある。

内的に閉じられた倫理的「信念」は、それが本来的な自己確信と自己納得にまで届こうとするかぎり、この対立の場面で「倫理的確信」の核である「本来性」という契機自身を危険にさらすことになる。倫理的確信の対立は、「私の正しさ」と「他人の正しさ」の絶対的な対立、その解決不可能性を明らかにし、そのことで必ず内的な信念における「本来性」という感覚の核を脅かすのだ。

なるほど、世界には、自己の抱く倫理的信念の絶対的正しさを頑なに信じることで、自己存在を守ろうとする信念も多くある。しかしそのことは何ら「倫理」の普遍的本質が根拠のないものであることの証左ではない。絶対的な「自己の声」と絶対的な「他者の声」という対立は、それらが一切の外的な超越項から自立して実存的な内部の「自己の声」にのみ依拠するかぎりにおいて、「倫理」の本質を各自的な実存の場面からさらに社会的な普遍性の場面へと連れ出し、この解きがたい矛盾の解決を迫らせる根本的動機となるのである。(21)

もはや明らかだろうが、このときわれわれの「自己の声」は、絶対的な「他者の声」に押されその要請を聞き届けようと身構えるのではない。つまりここには「強者」と「弱者」(それが、また「正当化する者」と「異議を申し立てる者」が典型的に存在するのではない(それはいかにもヨーロッパ的図式である)。そうではなくて、倫理的な自由と自己確信についての絶えざる「信念対立」が存在するということ、そして各々の「信念」がその内的な自己確信をもっているということこそが普遍的な布置なのである。

「強者」と「弱者」という布置や「正当化する者」と「異議を申し立てる者」という関係の布置は、決して本質的ではなく、むしろ「信念の対立」が確信的な「自己の声」として対立しあうという布置こそが、倫理が普遍的なものへと展開しうることの根拠であり前提なのだ。「良心の疚しさ」の問題が「良心」の問題、つまり自己自身の内的な「ほんとう」の了解に先行することはありえないのだ。

こうしてわれわれは、「倫理」の普遍性の根拠を、外部的な絶対的理想理念に置くこともできず、また外部的で絶対的な「他者の声」に置くわけにもいかない本質的な理由を知る。その理由はただひとつであって、絶対的な「外部」の「最高善」の理想も、絶対的な「外部」の他者の理念も、「信念対立」という場面では決してそのアポリアを超え出ることができないからである。

じつはそもそも近代哲学は、「神」を根拠とする普遍的な「他者」(への愛)の理念をどのような新しい原理によって超え出るかという動機をもっていた。そこにすでにカント―ヘーゲル―ニーチェ―ハイデガーなどによる本質的な展開があったのだが[22]、ここでは、もはや普遍的あるいは絶対的な「他者」の理念が原理として再提出されることはなかった。

この理念がすでに歴史的な役割を終えていることを彼らの誰もが深く理解していたし、また彼らのうちの何人かは、むしろまさしく「信念対立」のアポリアを解くことに問題の本質があるということを自覚していたからだ。そしてこの問題が、はじめに示唆しておいた倫理におけるもうひとつの側面、「倫理」や「正義」の社会的本質という問題を、近代哲学における新たな中心問題として構成したのである。

(2)「正義」の社会的概念について

以上のような予備考察を置いた上で、われわれは社会的な「正義」の概念の本質について考えてみよう。

デリダによれば、「法」の根拠を遡行すると「暴力」にたどりつくが、「暴力」は悪である以上、これに根拠づけられた「法」は正当化されえない、とされる。また彼は、「正義」をいわば理性を超えた「狂気」性として根拠づけることで、近代哲学が基礎づけてきた「法/権利」の歴史性を無効化しようとする。しかしこのような「法」(=国家)の正当性の無根拠化の主張は、伝統的ヨーロッパ哲学の水準でこれをみればまったくの退化現象というほかはない。

さしあたりいえば、ここで示されている国家=法=暴力=悪=非正当性といった直観的推論の根拠となっているのは、さきに見た素朴な「自然倫理」にすぎない。暴力は「悪」である、戦争は「悪」であるといった一般的な自然倫理は、人間社会における支配関係や暴力といった現在のところ不可避な理由をもつ現実性に、純粋かつ無垢な理想理念を端的にかつ二項対立的に対峙させるのだが、まさしくそのことでこの現実性の条件を適切につかみ出しこれを解除してゆくという課題を設定することができず、単なる理想要請主義として終始するほかないのである。

デリダ的な「法」の批判の論法は、現在、たとえば国家は幻想の共同的制度にすぎない、とか、法は権力を根拠としているにすぎないといった、誰にでも可能な一般的批判として大いに流通している。しかし、国家は幻想関係だというより、あらゆる人間社会の制度性が幻想関係を本質としているのである。そして、この幻想関係には、たとえば宗教という存在が象徴しているように、動かしがたい必然性がある。

もし宗教や国家という制度に許容しがたい矛盾があると思えるとき、われわれはまずこれを克服しうる新しい社会的、政治的原理を構築し提示してみなくてはならない。この構想が人々の広範な合意をうる場合にだけ、その主張ははじめて「正当化」されるであろう（かつてマルクス主義が唯一そのような正当性を主張しえていた）。

要するに、国家や宗教や法は歴史的に規定されたものにすぎず、絶対的正当性の根拠をもたない、といった相対化と非正当化の論理は、直観的な自然倫理にのみ基礎を置く、したがってまたいわば誰でもが可能な〝一般批判表象〟にほかならず、本質的な構想をもつ批判思想としての資格をもたないのである。

繰り返すと、デリダは「法」と「暴力」のパラドクスによって、近代国家の根拠を相対化する。そして「法」という近代的な「正義」の根拠に対して「他者」という概念を提示する。しかしこれは明らかな顚倒というほかはない。「正義」はどこから来るのか。根本的には「他者」（まだ見えぬ他者も含めて）から来る、といわれる。しかし見たように「他者」への自然な同情、憐憫、協働、共生の感情は、歴史的には必ず「共同体」という臨界でせき止められる。そしてこのことには必然性があり、誰もこの事態を非難し断罪する権利をもたない。

「共同体」の原理はまた、人間が多様な言語や宗教や文化、また地理的偏差をもつことの必然的な結果である。そして「共同体」の原理は共同体どうしの対立、緊張、支配関係を必然化し、そのことはまた共同体における権力と権威の集中の本質的な動因となる。まさしくこの理由によってあらゆる共同体は、近代以前的な位階制度（政治的、宗教的身分制度）の社会システムを普遍化してきたのだ。

　近代哲学の大きな流れが、このような伝統的共同体の位階制度の理念を覆そうとする動機に動かされていたことは常識に属する。そしてこれに代わる新しい理念が、近代市民社会の理念にほかならなかった。一方でわれわれは、近代の市民社会理念が国民国家と資本主義という巨大な矛盾の源泉だったことを知っているために、近代哲学によってうち立てられた近代社会の基本理念を根本的に批判すべきだという衝動に駆られている。しかしこの見取図が仮に妥当性をもつとしても、新しく提出される原理は、かつての原理の本質的な弱点を克服するような原理でなくてはならない。

しかし、われわれが見たように、デリダの提出している「他者」の概念はその課題を果たしているというより、むしろ思想的に明らかな後退、ニーチェのいう典型的な思想の反動形態を示している。デリダは、近代哲学を形而上学として本質的に批判したいのであれば、近代哲学の残した政治や社会の正当性の原理をまず本質的なかたちで受け止め、これを正面から原理的に批判するべきであった。しかし彼の批判は、国家一般や法一般の「正当性」を論理的パラドクスによって相対化し、無根拠化するというものでしかなかった。

ともあれ、近代哲学の残した政治や社会の「正当性」の原理はきわめて深く考え詰められたものだ。それは伝統的な宗教理念（隣人愛）が共同体対立の原理を超ええないことを起点として、これを克服する新しい原理の創設として提示されているのであり、とうていデリダ的な論理のパラドクスによって作り出された古典的な「他者」の概念によって本質的な批判を受けるものではありえない。わたしはいまそれをできるだけ簡明に示してみよう。

たとえばルソーは、社会がいかなるものであるべきか（またありうるか）ではなく、政治権限というものが「正当なもの」と見なされるとすればその条件をどのようにいえるか、というきわめて本質的な問いを設定した。[23] 彼の答えは以下のような簡潔にして本質的なものである。統治権力は、社会の成員の対等な政治権限の委託として統治権をもち、社会の成員全員の「一般意志」を代表するものとしてその責務を執行している場合にだけ「正当化」される、と。「一般意志」の概念は近年十全に理解されているとはいいがたいが、近代社会の根本的構成原理であって、カントもヘーゲルもこの原理の根本的な本質性を認めているといってよい。

理想主義的かつ自然主義的な倫理主義に立つ論者たちの中には、市民社会の「一般意志」とは他者を排除する共同体的な意志にすぎないという者も多くいる。しかし、このような反論もまた市民社会原理への無理解を示しているにすぎない。むしろ市民社会的な「一般意志」の原理が、身分的階位による政治＝宗教的秩序、および異邦人の排除を原則とする共同体的政治原理を克服しうる根本原理として創り出されたものなのである。

ここで「市民」（シトワイアン）は、各人が宗教や人種や言語の違いという多様性をもったまま、その違いを超えて共存しうる社会集合の原理を意味するのであり、それは、はじめて「他者」や「隣人愛」やその絶対根拠としての「神への信仰」といった概念の限界を超え出るものであった。まさしくその点で「市民社会」や「一般意志」は、「共同体」に代わる新しい社会システムの理念となりえたのである。

また、「暴力」と絶対悪を直結するデリダのレトリックも、その素朴な自然倫理の本質を如実に暴露しているというほかない。

市民革命は「暴力」によって成し遂げられたが、われわれはそれが人民の大きな総意を代表していると見なされる以上、その結果成立した政治権力を「正当なもの」と考える以外にない。倫理の根拠としての「他者」という理念は、せいぜい普遍的な宗教理念に転化しうるだけで、このような政治権力の正当性についてどのような根拠も展望も与えることができず、すなわち「共同体」のアポリアを克服する原理をもたない。市民社会理念に対するほとんどの批判者たちは、資本主義の現状と市民社会の原理を混同してこれを相対化しているにすぎず、自らは「共同体」の原理を克服する「政治権力」の正当性の理論を提出しえていないのである。

ヘーゲルは、ルソーが「一般意志」の概念で示した「法」と市民の関係についての基本原則を、「自由の相互承認」という概念によって、いっそう本質的なかたちで示した。ヘーゲルは、人間は「自由」であるとか、自由であるべきである、とは言わなかった。彼の設問は、人間の「自由」というものが社会的に実現されるとすればその制度的な本質条件はなにか、というものだった。

各人が、その所有するさまざまな諸差異にかかわらず、相互に他者を、個人としての「自由」（自己決定権限）をもった自立した存在として公共的に承認しあう場合だけそれは可能となる、というのがその答えである。この「相互承認」概念もきわめて本質的な原理であり、人間の諸権利やまた政治権力の正当性の根拠としてこれを超える原理はまだ誰からも提出されておらず、しかしその射程の深さもまだ十分に理解されてはいない(24)。

ニーチェはどうだろうか。彼もまた「暴力」と「法」についてきわめて優れた本質考察を残している。彼は、十九世紀後半の社会思想において「正義」や「法」の考えが、理想主義的観念論に退行しているのをはっきり見て取ってつぎのように主張した。人々は「善」や「道徳」や「正義」といったものの本質を、市民社会の中で自明となった自然倫理と取り違えている。つまり、「善」や「正義」は美しい利他的な精神に根拠をもつと考えている。しかしここにまさしく起源論的顚倒がある。

「よいこと」「善」「正義」という概念は、本来、生への「意志」と「力」にその本質的根拠をもっている。「正義」自身も、利他的心情からではなく、むしろ現実的な「力」によってはじめてもたらされたものだ。圧倒的な征服民族が強大な帝国を作り上げ、そこでの統一的「力」の実現においてはじめて「法」の一般的実効化ということが可能となり、また「法」のもとの対等ということも可能となった。つまり、個別的な「力」のせめぎ合いでは決して実現できなかったことが、圧倒的な政治権力の出現によってはじめて可能となった。

力を行使しないこと、憐憫の情や利他性といったもの、それが「正義」や「善」の根拠であるという自然倫理の素朴な信憑には、思考の不可避的な顚倒が隠されている。この信憑は僧侶的支配が完成された後に一般化される「善良なるもの」の神話にすぎない。各人は生への意志に基づく自己配慮の力をもっている。この力をより高貴なものに高めて社会的な実効性へと転化すること、ここにだけ「正義」の普遍化の根拠がある。『道徳の系譜』その他でニーチェはほぼこのような考え方を鮮明に示した。

ニーチェの「力」の思想は、権力の論理に回収されるといった批判もあるが、これも素朴な理想主義に由来する通俗的批判にすぎない。総じて、ルソー、ヘーゲル、ニーチェなどの近代社会についての原理的思想に対して、素朴な自然倫理やロマン主義的理想理念によってこれを批判することはできない。前者が、後者の現実否認の弱点を克服するために現われた思想であり、原理的な力として明確な優位を保っているからである。

また「暴力」と同様、「権力」一般を悪と考える自然倫理の立場からは、政治統治の正当性の原理も決して具体的には構築できない。サン・シモンの産業主義やフーリエの協同社会主義、またプルードンやクロポトキンなどの無政府主義が思想史的に挫折したのはそのためである。ここでは政治と統治原理に対する素朴なロマン主義が克服されなかった。むしろ人々の自由と対等を実現するための「権力の正当性の原理」を明確にすることこそ本質的な問題なのであって、そのことと現在の資本主義の諸矛盾を克服する原理やプランを構想することはまた別問題なのだ。

いまある社会には絶対的な「正当性」があるなどという者はファナティスト以外ではないが、そこにどんな正当性も存在しないというような主張も、思想としてはこれと表裏一体なのである。

したがって、市民社会における「政治統治」の「正当性」は、それが一般意志に支えられたものとして「合法的であること」に根拠づけられるという以外にはない。「法やその他規定のルール」に則って統治や司法を実行することは、政治的な「正しさ」の第一の原則であって、もしこれが行なわれなければ統治は恣意的なものとなり、人権や諸権利の確実性はたちまち脅かされ、人々にとって自分の力以外に確実に頼れるものはなくなり、まさしく社会「正義」の根拠がなくなるからである。

裁判官が「規則」に則って判決を下すとき、それは規則の機械的適用であるから「正義」とはいえないとデリダはいう。なるほど、裁判官は日々の業務の中で自分は毎日、「正義」

の行為を積み重ねているなどとは考えないだろう。しかし、彼が間違いなく「規則」に適合していると思える一定の原則でいわば機械的に「判決」や「裁定」を下すことが、社会的な「正義」が実効的に機能するための本質的な条件なのである。

さて、われわれはここまできて、デリダのパラドクスが、「正義」や「倫理」が人間にとってもつ実存的な本質と社会的な本質とを混同することで成り立っていたことをはっきりと理解できる。見てきたようにこのパラドクスは、人間の「倫理」の問題について何も語っていなかったわけではない。しかしそれは、近代哲学において展開されてきた「倫理」の問題の本質的なアポリアを解明するものでも推し進めるものでもなかった。

「倫理」の問題は、まず実存論的な内的自由の場面を起点とし各自的な存在配慮と存在了解の場面においてのみ動き出す。しかしまたそれはこの圏域のうちで完結することはありえず、存在配慮における「自己確信」的本質の自覚が深まる度合いに応じて、必ず「信念対立」という社会関係性のアポリアに直面し、かつこれを超え出ようとする本質をもっている。

「正しさ」における「信念対立」のアポリアは、自覚された倫理性の内的本質である。まさしくその理由で、内的な「倫理」は、このアポリアを克服する原理に向けて自己を外化し普遍化するという課題を通って、もう一度実存論的領域へ還帰してくるのでなくてはならない。そうでなければ、「倫理」の問題は、「善悪」の規準についての一般的な「判断」、嘘や自己中心性や暴力は「悪」である、という「善悪」についての一般表象や一般信念にとどまるほかはない。ここでは「倫理」が「倫理」であることの本質条件が欠けている。なぜならそこで「倫理」は、各人の生を実質的なかたちで、つまりその実存的自由の本質の中で動かすものとはならないからである。

だから、ハイデガーが「倫理」の問題を内的な「声」の問題として、つまり徹底的に実存論的な問題系列として語ったことには大きな意義があった[25]。

「倫理」の本質は、「善悪」についての一般的価値判断の問題とはまったく違った本質をもつ。大雑把にいっても、理念や考え方としてきわめて美しく高尚な理想を抱く人間が、自己の具体的な人間関係においては「倫理的」であるとはかぎらないということは、誰もが知っている事態であろう。「倫理」は最終的に実存論的な思想として根拠づけられなければ、つまり各人の生のうちを各人の自由の本質として生きるのでなければ、結局、単なる理想についての趣味判断の問題に終わるのである。

デリダの脱構築の思想が、現在の資本主義の矛盾の克服の試みという動機によって強く促がされていたことはもちろん理解できる。しかし、善き意志が生きつづけるのは、それが優れた思考法の中で展開されるときだけである。優れた思考法は相手を相対化するよりむしろ自分自身の思考を本質的な仕方で、つまり「原理」の展開によって試すのだ。

ポストモダン思想は、あるひとつの観念を顚倒したいという切実な望みによって、哲学の本来的思考法と引き替えに、一切を醜いものとなしうる強力な魔法の杖を手に入れた者に似ている。それはいま、絶対的批判の魔力に憑かれて初発の動機を見失っているのである。

終章　現代的「超越項」

1　「語りえないもの」の複数性――ギュゲス的批判

デリダによるフッサール言語論批判、イデア的同一性や絶対的起源の観念の批判、音声中心主義批判などの検討からわれわれは出発した。そしてそれは、現代哲学全体を性格づけるヨーロッパ的形而上学批判の言説の流れへと合流すること、またこの言説の総体が「言語の謎」という言語論的アポリアをめぐっていること、さらに、この言語論的アポリアは、現代哲学に特有の形式論理的、懐疑論的批判主義に主導されているために決して本質的な解明に至らぬことを見てきた。そしてわれわれは、これに代わって現象学的方法による「言語」の本質的考察を対置した。この本質的考察が正当に理解されるなら、現代哲学が反復してきた「言語の謎」についての形而上学的議論は、やがて終焉することになるだろう。

しかしはじめに述べたように、この論考の中心のモチーフは、哲学の本質的思考の根拠づけという点にあった。私が前章で示そうとしたのは、現代哲学における形式論理や懐疑論的相対化という方法の本質的欠陥である。この論考で、私はそれを「形式論理的思考」－「本質考察」という対立項で示したが、この論考を締めくくるにあたって、それをふたつの点において明示しておきたい。

ひとつは形式論理的思考の根拠相対主義的本性について、もうひとつは、その「超越項」的性格ということについてである。

見てきたように、東浩紀のデリダ擁護は十分な説得力をもっているとはいいがたかった。われわれはそれを、デリダの「法」についての議論の検証を通して確認してきたが、さらに簡潔にその本質的理由をいうとつぎのようになる。

「語りえないもの」を、絶対的なもの（単数のもの）としてではなく複数化するという構想、つまり人間の「了解」の本質構造を「誤配」的郵便制度として想定することで思想の超越化を回避する、という構想自体が、そもそも「同一性－差異」「絶対－相対」「単数－複数」といった対立的二項性を特質とする形式論理的思考を前提とする。つまり、デリダの思考の発端には、「同一性」「絶対」「普遍」といった観念に象徴される何らかのイデオロギー性への対抗があり、この観念の自明性や正当性を相対化するための装置として、さきの二項対立的論理図式が設定されているのだ。

しかしこれを分析的論理で追いつめると、こんどは対抗概念のほうが絶対的な根拠という性格を帯びる。そして、「語りえないもの」という概念は、この対抗概念の超越化を抹消するものとして要請されているのである。

しかし形式論理の分析力は、さらにまた必然的に、この「語りえないもの」を相対化する根拠を指し示さずにはいない。「語りえないもの」という項目が複数化や微分化の必要にさらされるのは、この根拠の絶対化をもう一度禁止するためである。

こうして「語りえないもの」の複数化という概念が意味するのは、それがたとえ一切を相対化する根拠であるとしても、それ自体が超越的な根拠性となることの禁止の要請、ということを意味している。したがって「複数化」という概念自体が、ある時代の支配的観念に批判、対抗する手段として形式論理的な思考を方法化したことの結果なのである。

私の考えでは、このような二項対立的論理図式の使用による時代批判という類型の先行者は、意外にもハイデガーである。ハイデガーに特徴的に見られるこの二項対立的論理図式は、ハイデガーの思考にもともと含まれている形而上学性に由来する（本来性‐非本来性）。そして、この形式論理的思考は「原理」を提示しつつこれを展開してゆく近代哲学の思考方法とは異質なものだ。

形式論理はたとえば、「差異」という項に潜在的優位をおいた上で「同一性‐差異」という二項性を措定し、そのことで「同一性」の概念の非自立性を〝論証〟する。「複数」「他者」という概念に潜在的優位を与えておいた上で「複数‐単数」「他者‐主体」といった二項性を措定し、そのことで「単数」や「主体」の概念の価値剝奪を行なう。形式論理的思考は――これはすでにプラトンが繰り返しテーマとしたことだが――そのような方法によって事態の本質を検証することなくさまざまなことを論証しうるために、必然的に「信念補強的」思考の傾向を強くする。

これに対して原理的な哲学思考は、たとえば「意識」「自己意識」「理性」「精神」といった概念群をおいて、ある事態（ここでは人間精神の対自−対他的展開）のありようの総体性を提示する。「感性」「悟性」「理性」といった機構的構造全体の分節化や、「内在−超越」「ノエシス−ノエマ」といった本質構造の分節化もまた同様である。重要なのは、ここではこのような概念群、術語系列の設定自体が「原理」の提示であり、この「原理」は人間の世界経験に置き入れられてそこでその妥当性を試され、検証されうるかたちをとる。このことによって哲学的思考は、つねに現実によって検証され「原理」（キーワード）が編み変えられつつ絶えず再展開されるような言語ゲームとなっているのである。

形式論理的思考は、その二項対立的特質によってつねに世界を、潜在的に、肯定的なものと否定的なものに大きく分節する。またそれは論理矛盾を作り出して帰謬論的に敵対する項を否定し、そのことで自項の正しさを相対的に証明する。だからそれは自己の正当性を積極的に提示する必要がない。われわれはここに、まさしくニーチェのいう僧侶的価値評価様式の特質、つまり反動的価値評価という特質をみる。

ポストモダン思想の基礎的方法がこのような形式論理的思考に深く規定されていることは、その華々しさにまどわされない者なら容易に理解できるはずである。たとえば、ポストモダン思想のもう一人の代表的思想家であるジル・ドゥルーズでは、その批判の根本構想は、第一に「ツリー」（体系的システム）概念に「リゾーム」という概念を対抗原理として対置することであり、第二に、欲望の「制度性」に対してその「強度」を対置する点にある。また、ミシェル・フーコーでは、「アルケオロジー」という概念が、必然的歴史性の概念と自明なものとなった諸制度や権威を無根拠化する戦略の根本的武器となる。

たとえば『性の歴史』(1)における最も重要な対立項は、「欲望」－「快楽」という対立項であり、「快楽」によって制度が作り出している「欲望」の装置を超えること、というのがその基調をなすメッセージである。彼らの思考の中には興味深い本質考察がまったく存在しないというわけではない。しかしその基本構想は、現にある社会、国家、イデオロギー、制度性に対して、新しい対立項の原理を導入、対置することでその「正当性」を相対化、無根拠化するという方法によって支えられているのだ。

こうしてポストモダン思想は、思想としてすでに信念補強的性格を帯びていたことが分かる。何が解体すべき対象であるかが予め前提されているのである。繰り返しいえば、懐疑論的な分析的形式論理は、一切のものの根拠（正当性）を否定し、相対化し、無効化するが、必然的に自らの「原理」を提示することはできなくなる。したがってそれは、自分からは他者を見る（批判できる）が他人からは決して見られえない（批判されない）、いわばギュゲス的性格をもつことになるのだ(2)。

そのためにそれは類型的にふたつの思想的方向性をとることになる。ひとつは批判思想の根拠を「物語」化すること。もうひとつは根拠を論理的に論拠づけられないために思想的な「ジャンプ」によってこれを「超越化」することである。

2 現代的「超越項」について——無根拠へのジャンプ

「物語」は、任意の、検証されえない起源や根拠の想定をこととするが、「深層心理学」は、近代以後、これを宗教的な仕方ではなく科学的な体裁で提供してきた典型的かつ代表的な学である。

たとえば、東浩紀自身は、対項的形式論理の方法の限界を鋭敏に察知しているのだが、しかしこのアポリアを回避するために彼は、深層心理学の領域から新しい可能性を取り出そうとしている。それはフロイトの「終わりなき分析」に象徴される無意識の「転移」という概念、「意識」ではなく「無意識」による他者了解の可能性という概念によって示される。(3)

東の議論についてここではこれ以上詳論しないが、私の考えでは、東のこの構想も、「意識－無意識」「主体－他者」といった二項論理をいわば微分的に（つまり差延的に）超え出ようとする基本性格をもち、思考そのものは内在的な動機に発しているが、方法としてはデリダ的なそれを十分に超え出ているとはいいがたい。それは、デリダが行なってきた脱構築の方法の相対主義的な限界を、「言語」の領域から「無意識」の領域へと越境させることによって超え出ようとする試みなのである。

しかし、私の考えでは、フロイトの「深層心理学」のディスクール自体が「語りえないもの」についての形而上学的「物語」という本質をもっており（ラカンはまさしくこの方向でフロイトを受けとった)、東の議論はフロイト的枠組みを引きとって、「同一性‐多義性」「絶対性‐相対性」といった二項性の代わりに「意識‐無意識」「主体‐他者」という新しい二項性を主導的概念として導き入れている。しかしわれわれにとっては、むしろ精神分析という方法全体の本質的な批判(解体＝構築)がまず必要なのである。この批判なしには、それは「心の謎」というもうひとつの形而上学を作り上げることになる。

もともとポストモダン思想に先行する構造主義は、フロイト的深層心理学を方法上のひとつの骨格としたが、ポストモダンではそれは、歴史意識や時代意識による主体の被規定性という性格を説明する格好の後ろ盾となった。つまりそれは、「君がそのように感じる(考える)としたら、それはまさしく時代的、社会的な構造によってそう感じる(考える)ように規定されているのだ」という言説のタイプをとる。フーコーやドゥルーズでも、この意識規定論的構造主義という性格はきわめて強い。

もうひとつ重要なことがある。フロイト的＝深層心理学的文脈ではいわば「語りえないもの」の領域が二重化されるということである。

まず、無意識の領域それ自体が「語りえないもの」として措定されている。そしてその上に、この無意識の領域を作り出しているもの、無意識という領域を動かしている力動性自体、つまりその根本原因や根拠自体が、また「語りえないもの」とされるのである。ラカンはこの極限的原因をファロス(これ自体が、名づけえないもの＝根本的欠如に与えられた名である)と呼ぶ。そしてこのことは、現代思想におけるもうひとつの根本性格、つまりポストモダン的批判主義は、脱構築されえぬ「語りえないもの」の領域を確保することによって、その批判の根拠を絶えず空無化された「超越項」として創出しなくてはならない、という性格をよく説明する。

繰り返せば、ポストモダン思想は自明化した制度性やイデオロギーを根本的に顚倒するために、懐疑論的相対主義という戦略を選んだ。それは「あらゆるものを批判しうる方法としての脱構築」という基本性格をもつ。しかし、一切のものの無根拠化は、とうぜん無根拠化することの根拠自体の相対化にまでゆきつく。そこでポストモダン思想は、一切のものを批判する場所を確保しておき、その上でこれを〝無根拠化〟しておかなくてはならない。「語りえないもの」という領域あるいはまたその複数化は、そのような動機によっていっそう切実で不可欠なものとなる。そのような理由によって、ポストモダン思想では、世界に対して何らかの積極的態度をとる必要がある場面では、必ず「倫理」や「正義」や「他者」といった概念が提出され、しかもそれは必ず、それ自体としては根拠づけられないある「語りえないもの」として示されることになるのである。

われわれはデリダの「正義」の概念がまさしくそういったものとして論理化されているのを見た。彼は「正義」を脱構築不可能なものとして、つまり規定もできず根拠づけもなしえない何か、という表象において提出し、そして最後にこれを何ものによっても根拠づけられない「他者」への贈与という概念へと超越化する。

こうしてデリダ的な「正義」の概念は、現代思想のもうひとつの超越項の源泉であるレヴ

イナスの「倫理」や「他者」における「無限性」の概念と酷似してくるのである。(4)

私は、この論でふたつのことを論証しようとした。ひとつは現代思想における「言語理論」が「言語の謎」という特有の形而上学的思考の迷路に入り込んでいること。この謎を解明するためには、現代哲学の方法的特質として現われた形式論理的分析では不可能であり、言語や言語の意味についての現象学的、本質論的考察が不可欠であること。

もうひとつは、現代哲学および現代思想の総体が、時代批判と社会批判を行なうにさいして、哲学の本質思考に従ってその動機の検証と原理論的再始発という方向を取らなかったこと。むしろ形式論理による大がかりな根拠相対主義という方法を取ったため、「言語の謎」を解明することもできず、また時代批判や社会批判としても、マルクス主義の原理さえ十分に克服できなかったということである。

ここで言語理論の創出の試みということが中心的動機だったわけではない。むしろ思想や哲学において方法原理というものが人間および社会にとってもつ意味こそ、この論考でわれわれが示したかったことである。すでに十九世紀の終わりに、ニーチェは、人々の自由の自覚の急速な進展が従来の共同体と倫理の解体を決定的なものにまで推し進め、結果、ヨーロッパのニヒリズムが必然的となっているということをマニフェストした。また彼は、このような歴史の状況の中で、三つの思想類型が登場することを正確に予見していた。ひとつは、デカダン思想（モード的シニシズムとニヒリズム）、ひとつは、過去の倫理的根拠への反動的回帰（保守思想および反近代思想）、もうひとつは、新しい「超越性」の捏造である。またニーチェは「これまでの最高価値の批判」だけではなく「新しい価値定立の原理」の創出こそ必要であることを何度も強調した。

現代思想は、それがヘーゲル＝マルクス主義のドグマ性と見なしたもののうちに、現代の克服すべき形而上学を見出した。ヨーロッパの啓蒙的理性と合理主義的知性、論理中心主義、ヨーロッパ的普遍主義、そういったものこそ二十世紀になって激しい矛盾を露呈したヨーロッパ的原理の〝根拠〟だと考え、この形而上学性を克服することに新しい時代の思想の課題があると考えた。しかしこの考えは、哲学の思考の本質的な原則を踏み外していた。

現代の哲学者や思想家たちは、総じて近代哲学が残した原理的思考の重要な功績を理解せず、むしろ近代的市民社会原理、近代国民国家、そしてそれらを支える共同体原理の内破と顚倒という時代的動機に押されて、形式論理的批判思想を作り出した。それは従来の最高価値を批判し顚倒することはできたが、しかしもっと重要なこと、つまり新しい「原理」を構想できず、この弱点を補塡するために思考の超越的ジャンプを行なうほかなくなっているのである。

こうしていまや、二十世紀的思想の役割は終焉しつつある。われわれは、もう一度、哲学の本質的思考の原理を再構築し直さなくてはならない。その方法原理をわれわれはこの論考の中ですでに輪郭づけてきたのであり、いまやそれを十全に展開させるべき場面に立っている。

註

第1章

（1）ジャック・デリダ『声と現象――フッサール現象学における記号の問題への序論』高橋允昭訳・理想社・一九七〇年 Jacques Derrida, *La voix et le phénomène: Introduction au problème du signe dans la phénoménologie de Husserl*, Presses Universitaires de France, 1967.

（2）エドムント・フッサール『論理学研究』（全四巻）立松弘孝／松井良和／赤松宏訳・みすず書房・一九六八－七六年 Edmund Husserl, *Logische Untersuchungen, I・II*, Max Niemeyer, 1900–01（zweite ungearbeitete Auflage 1913).

（3）ジャック・デリダ『根源の彼方に――グラマトロジーについて』（上・下巻）足立和浩訳・現代思潮社・一九七二年 Jacques Derrida, *De la grammatologie*, Minuit, 1967.

（4）ジンメルは『社会学の根本問題』（社会思想社・一九六六年）でこう言う。十八世紀における「自由」の観念は、人間の本来的性質の絶対的同一性の確信に基づいていたが、十九世紀に入るとこのような「自由」の観念の輝きは消え、それは現実的な不平等な矛盾を象徴するような言葉となる。「しかし、歴史的社会によって制限され不具にされたと感じた個人がもつ、こうした自由にたいする欲求は、それが実現されるにさいしては、自己矛盾におちいることになる。なぜなら、社会が、内面的にも外面的にもまったくおなじ特典をもちまったくおなじく強い諸個人から成るときにだけ、個人がもつ、こうした自由にたいする欲求は、明らかにたえず実現されるからである。しかし、こうした条件はどこにも存在しない。むしろ、権力を賦与し地位を決定する人間の能力は、まったくはじめから、質的にも量的にも不平等である。（略）すなわち、一般的制度があたえる自由は、個別的関係のためにふたたびまぼろしとなる。（略）こうした優先する者の自由は、つねに、抑圧された者の自由を犠牲にして展開されるであろう」（一二一－一二二頁）

（5）コント「実証精神論」世界の名著46『コント／スペンサー』所収・霧生和夫訳・中公論社（中公バックス）・一九八〇年 Auguste Comte, *Discours sur l'esprit positif*, Garnier, 1926.

（6）クロポトキン「近代科学とアナーキズム」世界の名著53『プルードン／バクーニン／クロポトキン』所収・勝田吉太郎訳・中央公論社（中公バックス）・一九八〇年 Pierre Kropotkine, *La science moderne et l'anarchie*, Stock, 1913.「一八五六年から一八六二年にいたるわずか五、六年の短期間のうちに（略）、これらの業績が一時に開花した結果、当時の学者たちの基本的見解に一大変革が生じ、科学は一度に新しい道へと驀進することになった。人知の全部門は、驚くべき速さで整備されるようになった。（略）著述の仕方自体も、すっかり変わった。前述した学者たちは、一人残らず帰納的方法の特徴となっている、あの文体の簡潔さ、正確さ、美しさへたちもどっているのだ。そして、こうした文体は、形而上学を捨て去った十八世紀の文筆家たちのものでもあったのである」（四五六頁）

（7）ディルタイ『世界観の研究』山本英一訳・岩波書店（岩波文庫）・一九三五年 Wilhelm Dilthey, *Die Typen der Weltanschauung und ihre Ausbildung in den metaphysischen Systemen*, 1911.「かくて形而上学体系の抗争は、結局に於て生そのもの、生活経験及び人生問題に対する諸々の態度にもとづくことがわかる。体系の多様性と、同時に、これら体系のうちに一定の類型を区別する可能性とはかかる態度の内に存する。これらの類型はいずれも現実認識と生の評価と目的の定立とを自己の内にもっている」（四七頁）

（8）ニーチェ『権力への意志』原佑訳・河出書房・一九六七年 Friedrich Wilhelm Nietzsche, *Der Wille zur Macht: Versuch einer Umwerthung aller Werthe* (1906), Kröners Taschenausgabe.「形而上学の心理学によせて。――この世は仮象である、したがって或る真の世界がある、――この世は制約されている、したがって或る無制約的な世界がある、――この世は矛盾にみちている、したがって或る矛盾のない世界がある、――この世は生成しつつある、したがって或る存在する世界がある、――これらの推論はまったくの偽りである（略）。こうした推論をなすよう霊感をあたえるのは苦悩である。すなわち、根本においてはそれは、そのような世界があればとの願望である。（略）すなわち、現実的なものに対する形而上学者たちのルサンチマンがここでは創造的となっているのである」（二五四頁・五七九節）

（9）パース「論文集」世界の名著59『パース／ジェイムズ／デューイ』所収・上山春平／山下正男訳・中央公論社（中公バックス）・一九八〇年・二三二頁 Charles Peirce, *Collected Papers of Charles Sanders Peirce*, Vol., I-VI, ed. by Charles Hartshorne and Paul Weiss, Harvard University Press, 1960.

（10）「リゾーム」は、ジル・ドゥルーズによって、「ツリー的」（体系樹的）システムと「リゾーム的」（茎根的）システムという対比で使われた概念。

（11）『論理学研究』では、まだ「現象学的還元」の概念（したがって「本質観取」の概念も）は明確なかたちで提示されていない。ここでデリダの批判が、フッサール中期以降のもっとも重要な方法概念である「現象学的還元」自体に向けられているのではないことについて、留意しておく必要がある。つまり彼は、フッサール現象学におけるもっとも弱い環の部分を突いているといえなくない。

（12）「一切の前提なしに」は、すべてのドクサを意識現象にまで還元する現象学の方法の基本原則。詳しくは本書第2章1節「『純粋自我』の逆説」参照。

（13）前掲書『声と現象』一二頁

（14）『イデーンI-I』二四節参照。エドムント・フッサール『イデーンI』（全二巻）渡辺二郎訳・みすず書房・一九七九－八四年 Edmund Husserl, *Ideen zu einer reinen Phänomenologie und phänomenologischen Philosophie*, Martinus Nijhoff, 1950.

（15）前掲書『声と現象』一三頁

（16）「イデア的なもの」は、現象学では、感性的事物、経験的事象、事態と区別された、理念的な諸存在者を意味する。数や数学的領域における関係、法則、「一」「有限」「実在」などの諸概念、また論理法則など、いわゆる実在的でないものもまたある意味で「存在」する。このような、実在的とはいえないが人間存在にとって動かしがたく存在しているといえる諸理念的、概念的存在を「イデア的なもの」と呼ぶ。「イデア的同一性」は、そのようなひとつひとつの理念的存在者が、単なる観念ではなく、ある意味で客観性や確実性をもって存在していることを指す概念。たとえば、感性的な存在者、ひとつのリンゴという言葉は聞く者によってさまざまなニュアンスを喚起するが、「半径10㎝の円」、「正三角形」は、誰にとっても「同一」の観念を与えるものと考えられる。この場合「正三角形」という概念によって「イデア的同一性」が与えられている、という。

(17) 前掲書『声と現象』二二一頁

(18) 前掲書『声と現象』一五頁

(19) 内観心理学は、自己の意識体験(心的現象)を自ら観察(内省)し、記録していくという方法をとる。体験に内在してそこから考えるという発想はフッサール現象学に引き継がれた。

(20) 廣松渉にもほぼ同型の批判がある。『哲学入門一歩前』(講談社現代新書・一九八八年)ほか参照。

(21) 前掲書『声と現象』二五頁

(22) 前掲書『声と現象』一四八頁

(23) 前掲書『声と現象』一五一頁

(24) 前掲書『論理学研究』第二巻一一〇頁

(25) 『論理学研究』においてフッサールは「意味作用」を「意味賦与作用」と「意味充実作用」という区分において考察している(第二巻四八-四九頁)。このふたつの概念については、ほぼつぎのように考えるとよい。フッサールの言い方では、言語表現は、まず「物理的現象」と、これに「意義」や「直観的充実」を与える「諸作用」に分かれる。これはソシュールの用語では、ほぼ「シニフィアン」(記号表現)と「シニフィエ」(記号内容)という分割に対応する。そしてフッサールでは、後者の言語の「意義」作用の側面がまた、「意味賦与作用」と「意味充実作用」に区分される。前者は、ある言葉は表現として「何かを思念し」、そのことで「表現は対象的なものに関係する」。後者は、この関係が単なる意味志向の作用にとどまらず「直観的な充実」を与えられるという側面である。つまり、言葉が概念として指し示す対象性と、それをさらに具体化し充実化する働きを「意味賦与作用」と「意味充実作用」と呼んでいる。しかし、わたしの考えではこの概念は記号理論として曖昧性を残し、適切な区分とはいえない（「意味賦与作用」について「意味賦与作用」と「意味付与作用」というふたつの訳出がありニュアンスの違いもあるが、混乱を避けるため以後本文は「意味付与」で統一する）。

（26）ここでの「類的身体性」は一般的には「生理的身体性」を、「幻想的身体性」は一般的には、感情性、情緒性、無意識、感受性、美意識、価値観等々を意味すると考えるとよい。

（27）前掲書『声と現象』一五三頁

（28）前掲書『声と現象』一五三－一五四頁

（29）前掲書『声と現象』一五七頁（『講義』補遺I・仏訳・一三一頁）

（30）前掲書『声と現象』一五九頁

（31）前掲書『声と現象』一五九－一六〇頁

（32）ジャック・デリダ『エクリチュールと差異』（上・下巻）上・若桑毅他訳・一九七七年／下・梶谷温子他訳・一九八三年・法政大学出版局（叢書・ウニベルシタス）Jacques Derrida, *L'écriture et la différence*, Le Seuil, 1967.

（33）ティモン（BC三二〇頃－二三〇頃）風刺詩「シロイ」によって哲学者の独断を批判。ディオゲネス・ラエルティオス『ギリシア哲学者列伝』（下巻・加来彰俊訳・岩波文庫）参照。

（34）ラッセル『西洋哲学史』（全三巻）市井三郎訳・みすず書房・一九七〇年・二三五－二三六頁 Bertrand Russell, *A History of Western Philosophy*, George Allen and Unwin, 1946.

（35）「帰謬論」は、論理学的には、あるものごとを積極的にではなく否定的に証明する間接的証明法のひとつとされる。したがってそれは、論争相手の論証の論理的背理性を指摘することで、自分の命題の正しさを相対的に証明するという性格をもつ。七世紀仏教哲学における中観派の思想家チャンドラキールティは、この方法を自覚的に用いて「帰謬論証派」と呼ばれる流派をなした。

(36)ブケファロスはアレグザンダー大王の乗馬。

(37)「イエナの勝者」と「ワーテルローの敗者」はともにナポレオン。

(38)『論理学研究』第二巻―第一章第一節でこの区分が立てられる。「指標(Anzeichen)(略)という意味での記号は、それが指示する(Anzeigen)機能以外に、さらに意味機能を充たすのでなければ、何ものをも表現しはしない」(三三頁)というように、「指標」は記号が単に何かを指示する「指示的記号」の側面を、「表現 Ausdruck」はこれを超えて発語者の「意」にかかわる「有意味的記号」としての側面を表わす、とされる。

(39)前掲書『声と現象』一七一頁

(40)前掲書『声と現象』一七六―一七七頁

(41)「語義 Bedeutung」は「指標」としての言語記号に対応し、「意味 Sinn」は「表現」としての言語記号に対応する。

(42)前掲書『声と現象』一八一頁

(43)前掲書『声と現象』一八二頁

(44)はじめに「言わんとすること」があると考えるのも錯覚で、じつは人間は話すべきことを考えてから話すわけではなく、考えながら話し、話しながら考えるというのが実態だ。だから、はじめに「言わんとすること」があり、言語がそれを表現するという図式自体も間違っている、という主張もある。たしかにそのような場面も考えうるが、しかし議論としては妥当なものとは言えない。言語論は言語の本質を理解するために、どういうモデルが適切かを探求するものであって、まず「意」があり、これを伝えようとする言語「表現」があるというモデルは、基本的なものである。「表現」が先か「意」が先かは判断できない、というのは、ある特殊なケースを一般化し、これを一般的なものへの反証とする、懐疑論的相対化の典型的な反論である。デリダの批判はそういうものではない。彼はいったん「意」と「表現」の前後関係を認めた上で、そのさきの意味作用について問題にしている。

(45)　前掲書『声と現象』一九五頁
(46)　前掲書『声と現象』一九五頁
(47)　前掲書『声と現象』一九七頁

第2章

(1)『イデーンⅠ』での区分では、「純粋意識」の契機として、「純粋自我」と「純粋な意識相関者」がある、とされる。この領域全体が超越論的主観の領域。しかしここでの文脈では、「純粋自我」と「純粋意識」はほぼ同じ意味と考えてよい。

(2)　拙著『意味とエロス』（作品社・一九八六年→ちくま学芸文庫・一九九三年）、『現象学入門』（NHKブックス・一九八九年）、『はじめての現象学』（海鳥社・一九九三年）を参照。「確信成立」はフッサールでは「妥当」や「定立」、「世界定立」という術語で呼ばれているが、きわめてミスリーディングなので、その動機を汲んで「確信成立」や「信念」の成立といった用語を用いるのがよいと思える。西研の『哲学的思考』（筑摩書房・二〇〇一年）で明晰な解説がなされている。

(3)「ドクサ」は、もとギリシャ哲学における「ドクサ」（思い込み）と「エピステーメー」（真なる知）という対立概念から取られている。一般的には「臆見」のこと。「自然主義的ドクサ」は、世界の客観存在を哲学的な確かめなしに信じ込んでいる近代以降の一般的かつ自明の世界像を指す。

(4)　主観－客観の「一致」という近代哲学の認識問題は、新教と旧教の対立、キリスト教的世界像と自然科学的世界像との対立、ヨーロッパ的世界像と異文化世界像との対立といった、近代特有の世界観の対立の克服という動機をもっていた。

(5)ここでの「超越論的問題」とは、人間の認識は経験に現れ出たものの認識にすぎず経験を超えたそれ自体としての諸対象や諸存在の認識をどのように考えるべきかという認識原理の問題を指す。

(6)この「絶対的確認」の不可能性は、厳密には感性的事物の存在確認についてもあてはまるのである。現象学ではこれを感性的事物知覚の「超越」性という概念で呼んでいる。

(7)カントの「純粋統覚」は、人間の観念が先験的にもっている「我考える」という経験統合の能力。先験的な「統覚」の能力だから、それについて構造や条件を分析したり反省することはできないことになる。先験的統覚ともいわれる。ベルクソンの「純粋持続」もまた、いわば世界を時間性という様式で生きつづける人間の先験的能力である。物質ではこの能力は低下する。ベルクソンではそれは創造的能力とされる。いずれにせよ、これらは人間の経験事実をある概念で呼んだものだが、それについての自覚が明確でないため、一種の実体化を帯びている。

(8)現代思想のヘーゲル批判は、ポスト構造主義のデリダ、ドゥルーズ、フーコーのみならず、フランスではバタイユ、ブランショ、リオタール、レヴィナスなど、ドイツでもアドルノをはじめとするフランクフルト学派、また英米系のプラグマティズムや分析哲学など、きわめて広い範囲に及んでいる。反ヘーゲルは、現代哲学および現代思想の基調音と言ってよい。その最大の理由は、ヘーゲルが近代国家の擁護者であると見なされているからである。しかしこの現代思想の全般的なヘーゲル批判は、フッサール批判やプラトン批判と並んで、近代哲学の根本理念に対する基本的な誤解の上に築き上げられたものといわなくてはならない。

(9)ヘーゲル『哲学史講義』(全三巻)長谷川宏訳・河出書房新社・一九九二-九三年 Georg Wilhelm Friedrich Hegel, *Vorlesungen über die Geschichte der Philosophie.*

（10）前掲書『哲学史講義』中巻第二篇D・三三〇–三三一頁

（11）アレクサンドリアとアテナイで活動した古代ギリシャの医者、哲学者。著書に『ピュロン主義哲学の概要』（金山弥平／金山万里子訳・京都大学学術出版会・一九九八年 Sextus Empiricus, *Pyrrhoniae hypotyposes*）などがある。

（12）前掲書『哲学史講義』中巻第二篇D・三三四頁以降。括弧内は『哲学史講義』からの引用。

（13）哲学の方法の基本原則と、この方法に固有につきまとうアポリアとしての「存在の謎」と「言語の謎」については、「近代哲学再考」（明治学院大学国際学部紀要『国際学研究』第二〇号・二〇〇一年三月）で詳論したので、これを参照。

（14）ゼノンのパラドクスの詳しい解明については拙著『プラトン入門』（ちくま新書・一九九九年）第一章を参照。

（15）ソクラテスとプラトンはこのような意味で最初の形而上学批判を敢行した哲学者だったと言える。

（16）前掲書『哲学史講義』中巻第二篇D・三三二–三三三頁

（17）ロラン・バルト『物語の構造分析』花輪光訳・みすず書房・一九七九年 Roland Barthes, *Introduction à l'analyse structurale des récits*, sélection 1, Le Seuil, 1961–71.

（18）ロラン・バルト『テクストの快楽』沢崎浩平訳・みすず書房・一九七七年 Roland Barthes, *Le plaisir du texte*, Le Seuil, 1973.

（19）前掲書『物語の構造分析』八九頁

（20）前掲書『声と現象』一五五頁

第3章

（1）ヘーゲルの「真理」概念を「絶対知」といった言葉と結びつけ、スピノザ的な汎神論的全体知として理解することは長くつづいてきた通念である。しかし、「弁証法」の概念や『精神現象学』におけるヘーゲルの「真理」概念の使用法は、このような通念が完全な誤解であることを教える。また、ヘーゲルの「絶対知」も、流布されているような世界の総体についての完全かつ全体的な知ということを意味していない。それは、人間の理性的精神と宗教的精神（あるいは啓蒙と信仰）という本質的な二契機の統合、ということを意味するにすぎない。これについても拙著「近代哲学再考」（前掲）を参照。

（2）ニーチェ「道徳の系譜」ニーチェ全集11『善悪の彼岸／道徳の系譜』所収・信太正三訳・筑摩書房（ちくま学芸文庫）・一九九三年 Friedrich Wilhelm Nietzsche, *Zur Genealogie der Moral* (1887), Kröners Taschenausgabe.

（3）ニーチェは、近代の科学や実証主義を、客観的事実、客観的認識（＝真理）という背理的な情熱に取りつかれたものとしてつぎのようにコメントしている。「すなわちあの真理への無条件的意志とは、じつは禁欲主義的理想そのものにたいする信仰なのである。（略）この点を見誤ってはならない、――それは一つの形而上学的価値、真理の価値そのものにたいする信仰なのであり、しかもこの価値たるや禁欲主義的理想のうちでのみ保証され確認されるものなのだ」（「道徳の系譜」第三論文二四節五六七–五六八頁）

（4）カント『純粋理性批判』（全三巻）篠田英雄訳・岩波書店（岩波文庫）・一九六一年 Immanuel Kant, *Kritik der reinen Vernunft.*

（5）世界の「究極原因」や「根本原理」という概念の「背理性」については、カントですでに十全な原理が把握されたわけではない。それはヘーゲル、ニーチェを経由して、フッサールに至ってようやく本質的なかたちで解明されることになる。

（6）フッサール『論理学研究』では、Sinn は「意味」、Bedeutung が「意義」と逆に訳されているが、その訳のほうがむしろ一般的と思える。Sinn（意味）は、言葉が含む発話主体の「意」やその「表現性」を意味し、Bedeutung（意義）は語の指示対象（レファレンス）を意味する。

（7）フレーゲ「意義と意味について」『現代哲学基本論文集Ⅰ』所収・土屋俊訳・坂本百大編・一九八六年・

勁草書房（双書プロブレーマタ⑥）Gottlob Frege, "Über Sinn und Bedeutung (1892)", *Kleine Schriften.* Herausgegeben von Ignacio Angelelli. Wissenschaftlich Buchgesellschaft, Darmstadt, 1967 und G. Olms, Hildesheim, 1967.

（8）ラッセル「指示について」前掲書『現代哲学基本論文集Ⅰ』所収・清水義夫訳 Bertrand Russell, "On Denoting", *Logic and Knowledge*, George Allen & Unwin, 1956.

（9）ヴィトゲンシュタイン『論理哲学論考』藤本隆志／坂井秀寿訳・法政大学出版局（叢書・ウニベルシタス）・一九六八年 Ludwig Wittgenstein, *Tractatus Logico-Philosophicus*, Routledge & Kegan Paul, 1922.

（10）ヴィトゲンシュタイン『哲学的探究』（本書の引用は『「哲学的探求」読解』黒崎宏訳＝解説・産業図書・一九九七年）Ludwig Wittgenstein, *Philosophische Untersuchungen*, Basil Blackwell, 1953.

（11）「要素命題」を基礎単位とするヴィトゲンシュタインの言語理論は、言語の世界と現実の世界とが対応関係として存在する「写像理論」と呼ばれる。簡単な図で示すと以下のようになる。

●ヴィトゲンシュタイン「写像理論」の全体像

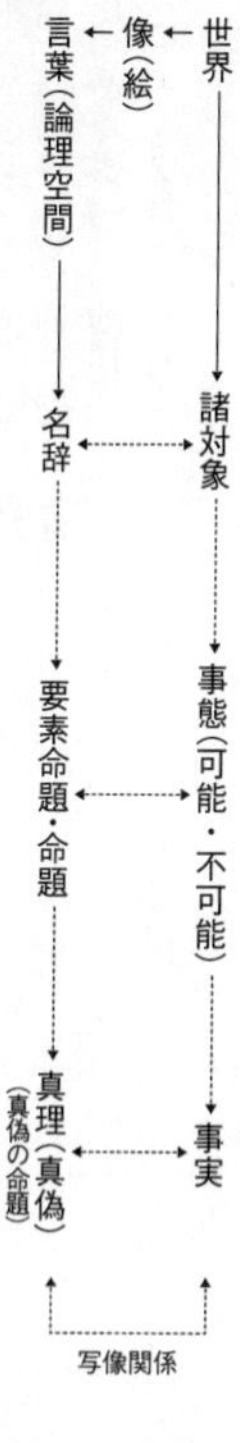

（12）「真理関数」は、ふたつのもっとも単純な命題つまり要素命題「p」と「q」を基本要素として、その論理的結合の可能な組み合わせの表（関数表）として示すと、つねに正しい命題（恒真命題）や、つねに矛盾する命題（矛盾命題）やつねに間違いであるような命題（恒偽命題）などのタイプが明らかになる。この考えでいくと、つねに正しい命題（恒真命題）は「$p \cup p \cdot q \cup q$」（pならばp、そしてqならばq）だけ、

つまり、同義反復的命題（トートロジー）だけということになる（前掲書『論理哲学論考』4・2以降を参照）。

(13) 前掲書『哲学的探究』四七節三六-三七頁

(14) 前掲書『哲学的探究』二四六節一七六頁

(15) 前掲書『哲学的探究』一九八節一五六頁

(16) 前掲書『哲学的探究』六五節五五頁

(17) 前掲書『哲学的探究』六七節五七頁

(18) たとえば、医療行為、考古学的探究、投資、企業戦略、スポーツ競技、ゲーム等々において、われわれはしばしば結果として現われたものから「真理」が何であったかを知り、これから逆算してはじめの予想や判断の「正誤」を決めている。しかしこの考えはまさしく「真理主義的」である。現象学的な考えからは、あらかじめ「絶対的な真理」を知ることはできず、ただそのつどの場面で、与えられた状況、条件、知り得ていたことから、ひとつの判断や確信の「妥当性」「不可避性」を検証することができるだけである。これはむしろ、あらかじめ「真理」が存在するという暗黙の了解が誤っているのである。この現象学的思考の医療行為への適用可能性を論じたものに、行岡哲男『医療とは何か――現場で根本問題を解きほぐす』（河出ブックス・二〇一二年）がある。

(19) 現象学的還元の方法原理が、一般に言われているような世界像の「構成」を跡づけることによる厳密な認識の「基礎づけ」ではなく、意識経験における「確信成立」の条件と構造の解明という点にあることについては、拙著『現象学入門』（前掲）、『意味とエロス』（前掲）などを参照のこと。

(20) オースティン『言語と行為』坂本百大訳・大修館書店・一九七八年・第二講「不適切性の理論」以降 John Langshaw Austin, *How to Do Things with Words*, Oxford, 1960.

(21) たとえばもっとも知られたものとしてオグデン、リチャーズの意味の分類がある。彼らは『意味の意味』で、意味の本質を定義するのに、「意味」という語の一般的な使用法を十六の項目に分類し、これをまた三つの群に区分している（『意味の意味（新版）』石橋幸太郎訳・新泉社・二〇〇一年・二六二頁以降 Charles Kay Ogden, Ivor Armstrong Richards, *The Meaning of Meaning*, Routledge & Kegan Paul, 1923）。

(22) デリダは論文「署名 出来事 コンテクスト」（高橋允昭訳・『現代思想』一九八八年五月臨時増刊号・青土社 Jacques Derrida, "*Signature événement contexte*", in *Marges de la philosophie*, Minuit, 1972）でオースティンの言語行為論を批判する。本書第5章1節「一般言語表象と言語の多義性」参照。

(23) 『論理学研究』においては「還元」の概念は確立されておらず、したがって言語現象を確信成立の構造として解明するという視線が自覚的となっていない。しかし言語においても還元の方法は完全に適用可能であり、いまこの方法で言語現象の本質的考察を行なってみる。

(24) ハイデガー自身は、この分析を、現存在分析、あるいは存在論的解釈学と呼んでいるが、これが現象学の「本質観取」の方法の原則に則ったものであることは、以下の展開にみるように明らかである。

(25) ハイデガー「存在と時間」世界の名著74『ハイデガー』所収・原佑／渡辺二郎訳・中央公論社（中公バックス）・一九八〇年・三二節二七六頁 Martin Heidegger, *Sein und Zeit*, Max Niemeyer, 1927.

(26) ハイデガーでは人間の実存は「内存在」と呼ばれる。『存在と時間』の第一部第一篇第五章「内存在そのもの」で彼は、内存在の現存在分析を行なう。つまり人間的実存の「本質」の取り出しで、ここは本質観取の方法のみごとな存在論的適用のモデルになっている。

(27) Zuhandensein は「用具的存在」あるいは「道具的存在」という訳が一般的。ここでは「道具的存在」をあてる。

(28) 前掲書『存在と時間』三二節二七五－二七六頁

(29) 「気遣い」を中心として、また「気遣い」に相関して事物の存在意味（何であるか）が開示される、というハイデガーの事物存在の存在性の規定を、「気遣い」の概念を拡張して、わたしは「欲望相関性」という概念で呼んでいる。ハイデガーの「気遣い」相関性は、実存の企投性に相関した存在意味の現われだが、存在事物はそれ以前に人間固有の欲望＝身体の相関性としてその存在性（存在様相と存在意味）の下図を持っており、それを土台にしてそのつどの実存的企投に相関してその存在意味を変様させる。この主体と対象の実存論的本質関係の総体を「欲望相関性」と呼び、事態に応じて「欲望＝身体相関」、「欲望＝関心相関」、「目的＝関心相関」などと変奏される。拙著『ハイデガー入門』（講談社選書メチエ・一九九五年）、『エロスの世界像』（三省堂・一九九三年→講談社学術文庫・一九九七年）、「〈欲望〉存在の構造」（『試されることば』所収・JICC出版局・一九九一年）他参照。

第4章

（1）カルナップ「科学の普遍言語としての物理的言語」『現代哲学基本論文集Ｉ』所収・竹尾治一郎訳・坂本百大編・勁草書房（双書プロブレーマタ⑥）・一九八六年 Rudolf Carnap, "Die physikalische Sprache als Universalsprache der Wissenschaft", *Erkenntnis*, 1932.

（2）クワインは論文「経験主義のふたつのドグマ」（『論理的観点から』所収・飯田隆訳・勁草書房・双書プロブレーマタⅡ⑦・一九九二年 Willard Van Orman Quine, *From a Logical Point of View: 9 Logico-Philosophical Essays*, Harvard University Press, 1980）でカルナップの「物理的言語主義」を取り上げこれを批判的に検討し、カルナップの主張するような「分析的」という概念は厳密には自明でなく、規定不可能であることを論証する。「分析性の問題という観点からは、意味論的規則を伴った人工言語という概念は、とりわけひとを惑わすものである。ある人工言語における分析的言明を規定するものとしての意味論的規則が関心を引くに足るのは、分析性の概念がすでに理解されているときに限られる。それは、分析性の理解を得るには何の助けともならないのである」（五五頁）

（3）「彼が『赤』という語を聞いたとき、彼は、どの色を選ぶべきかを、如何にして知るべきなのか？——

非常に簡単だ：彼は、その語を聞いたとき彼の念頭に浮かぶものが、その色の像になっている色を取るべきなのだ。——しかし彼は、どの色が『彼の念頭に浮かぶものがその色の像になっている』色であるのかを、如何にして知るべきなのか？　そのためには、更に規準が必要なのではないのか？（略）『「赤」は、「赤」という語を聞いたとき私の念頭に浮かぶ色を意味する。』——これは一つの定義であろうが、語による記号づけの本質についての説明ではないであろう」（前掲書『哲学的探究』二三九節一七一－一七二頁）

（4）「表現」という言葉について、少なくともふたつの「意味」の区別をしておく必要がある。ひとつは、たとえばこの言葉は話し手の意図をよく「表現」しているという場合の「表現」、つまり「言語記号」のリテラルな意義を超えて発語主体の「意」の内実を表現するものという意味であり、もうひとつは、発語者の「意」が言語記号として定着されたそのかたち、つまり「言語表現」という意味である。言い換えれば、第一が、主体の内面あるいは「意」の内的な「表現性」。第二が、そのいわば痕跡としての「言語表現」。ここでは、第二の意味が明確になるように「言語表現」を使った。

（5）「インターテクスチュアリティ intertextualité」は、ジュリア・クリステヴァによる記号学概念だが、ポストモダン記号論の重要なキーワードのひとつとなった。「テクスト相互関連性」という訳が一般的。「それは、言葉（テクスト）はいくつもの言葉（テクスト）の交錯であり、そこには少なくとももうひとつの言葉（テクスト）が読み取れる、ということである。（略）この厳密さの欠如は、むしろバフチーンによって文学理論のなかにはじめて導入された発見を示している。すなわち、どのようなテクストもさまざまな引用のモザイクとして形成され、テクストはすべて、もうひとつの別なテクストの吸収と変形にほかならないという発見である。相互主体性という考え方にかわって、相互テクスト性〔intertextualité =テクスト連関〕という考え方が定着する」（クリステヴァ『記号の解体学——セメイオチケ1』原田邦夫訳・せりか書房・一九八三年・六〇－六一頁 Julia Kristeva, *Recherches pour une sémanalyse*, Le Seuil, 1969.）

（6）「ノエシス－ノエマ」は、純粋意識における確信成立（＝妥当）の本質構造として取り出されたもの。一般的には、ノエシスは意識の作用的側面で、ノエマは対象的側面などと言われる。しかしこのような言い方だけでは、それが確信成立の構造を示すものであるということが判明でない。重要なのは、これが確信成立、妥当成立、定立成立の「本質構造」として取り出されているということだ。フッサールの言い方を祖述すると、「ノエシス」は意識主体に暗黙のうちに働いている、対象の何であるかを確定しようとする志向性的態度。一様ではなく、自覚的な場合も無自覚的な場合もあり、また時間的なあるいは主題上の多数性、複層性をもっている。「ノエマ」はこれを通して現われる対象存在についての暗黙の「確信」のこと。

（7）前掲書『論理学研究』第二巻二〇一頁

（8）後の章で見るが、ポストモダン思想では、分析の極限化によって現われるこの認識の臨界点は、つねに「言葉によって語りえないもの」というかたちで考えられ処理される。しかしこの態度の取り方は原理的に超越者の設定を意味し、「存在」や「無限なもの」や「超越論的シニフィアン」といった概念を生み出すことになる。現象学ではこれをただ「分析可能性の限界」として確定するのであり、そのことによってこの臨界点を実体化（神秘化）することなく、むしろそのような分析の臨界点が存在していることの「意味」（＝本質）を明らかにする。フッサールではそれは「意識」であり、メルロ＝ポンティではそれは「身体」と概念化された。竹田ではそれは「欲望＝身体」である。そしてその「意味」（本質）は、まさしくそれが〈われわれの世界の対象化、世界への企投を可能にしている当のものである〉、ということになる。ここには神秘化も実体化もありえない。

（9）「妥当」の概念は、現象学的には対象と認識の「一致」あるいは「合致」という概念に代えて、意識領域での対象志向（ノエシス）とその相関者（ノエマ）の対応性を表現する。ここではこれと区別して、意識内の信憑構造として、自己の思念と言語表現とが同じものとして対応している、という確信性を表現するものとして「妥当＝一致」を使うことにする。

（10）前掲書『論理学研究』第二巻四五‐四七頁

（11）「『他人は私の痛みを持つ事が出来ない。』――では、どのような規準を満たす痛みが私の痛みなのか？そしてこの場合、何が私の痛みの同一性の規準なのか？」（前掲書『哲学的探究』二五三節一八〇頁）

（12）ここで「言語表現」とは最低限の表現性が存在すること、つまり内言、独語、陳述などをいう。単なる「感じ」や「直観」、つまり前言語的思念・表象だけでは言語的意味の問題を構成しないからである。

（13）前掲書『論理学研究』第二巻九二頁

（14）スピノザ「エティカ」世界の名著30『スピノザ／ライプニッツ』所収・工藤喜作／斎藤博訳・中央公論社（中公バックス）・一九八〇年・一七四頁 Benedictus de Spinoza, *Ethica ordine geometrico demonstrata* (1675).

（15）ここでの「意味」の「一般的表象」は、語義に一般的に付着しているだけの「意味」で、具体的な言語におけるような「意」の信憑を作り出さない。これについては後にさらに詳しく論じる。

（16）西垣通『こころの情報学』筑摩書房（ちくま新書）・一九九九年・四五頁

（17）バタイユ『呪われた部分』生田耕作訳・二見書房・一九七三年・一五頁 Georges Bataille, *La part maudite*, Minuit, 1949.

（18）カント『実践理性批判』波多野精一／宮本和吉訳（篠田英雄改訳）・岩波書店（岩波文庫）・一九五九年・三六頁 Immanuel Kant, *Kritik der praktischen Vernunft*, 1788.

（19）サルトル『想像力の問題』（サルトル全集12）平井啓之訳・人文書院・一九五五年 Jean-Paul Sartre, *L'Imaginaire*, Gallimard, 1940.

（20）「その変様は、いかなる『実行成果をも作り出さ』ない。その変様は、意識の上で、一切の実行成果を作り出す働きとは対蹠点に立つものであり、すなわち、実行成果を作り出す働きを中立化すること、なのである」（前掲書『イデーンI－II』一〇九節一七七頁）。フッサールはつぎのような作用のうちにはすべて中立変様が含まれるという。「括弧に入れる」「未決定のまま宙ぶらりんにして放置しておく」「ただ単に思い浮かべる」等々。

第5章

(1)東浩紀『存在論的、郵便的——ジャック・デリダについて』新潮社・一九九八年

(2)「否定神学」自体は、神は一切の規定を超えていて言葉によっては把捉できず、ただ否定的表現を通してのみ捉えうる、という神秘神学の伝統的立場を言う。東は、脱構築の方法を批判論理として使用するいわゆる〝デリダ派〟の思想家たちは、この立場に近づいていると指摘する。東の提唱した現代思想における「否定神学」性という考えについては、第7章で詳論する。

(3)前掲書『存在論的、郵便的』九四―九五頁

(4)前掲書『存在論的、郵便的』二三―二四頁

(5)現代分析哲学の「言語論的転回」という自己規定について、渡邊二郎がリチャード・ローティの説を紹介しつつ、つぎのように書いている。「そして大事なのは、『哲学における言語論的転回』が、やはりこの種の改革の試図の一つとして、『似而非(えせ)の学(略)』としての『哲学』に刃向い、『哲学』を、『論拠を示すことによって』『同意』の『獲られる』問題圏域として考えようとしているという点である。『言語論的哲学』は、『伝統的哲学者たちが彼らの諸問題を定式化するときの言語の使用の仕方』について徹底的な『吟味』を施すことによって、『全哲学的伝統』を『防御』に追い込んだのであって、これだけでこの哲学運動を『哲学史の中の偉大な時期』に数えるのに『十分』である、とローティは言う」(『英米哲学入門』筑摩書房・ちくま学芸文庫・一九九六年・七四―七五頁)

(6)指示理論の概要については、冨田恭彦『哲学の最前線』(講談社現代新書・一九九八年)、飯田隆『言語哲学大全(Ⅰ・Ⅱ・Ⅲ)』(勁草書房・一九八七―九五年)、渡邊二郎『英米哲学入門』(前掲)などが詳しい。とくに『英米哲学入門』は、現代分析哲学の理論水準をヨーロッパ哲学の立場から相対化しつつ再検証する視線があって、解説の的確さとあわせて秀逸である。

（7）アリストテレス『形而上学』岩崎勉訳・講談社学術文庫・一九九四年 Aristotle, *Metaphysics*, Harvard University Press, 1933, 1935.

（8）サール『言語行為』坂本百大／土屋俊訳・勁草書房（双書プロブレーマタ⑤）・一九八六年 John R. Searle, *Speech Acts: An Essay in the Philosophy of Language*, Cambridge University Press, 1969.

（9）クリプキ『名指しと必然性』八木沢敬／野家啓一訳・産業図書・一九八五年 Saul A. Kripke, *Naming and Necessity*, Basil Blackwell and Harvard University Press, 1980.

（10）サール『志向性』坂本百大監訳・誠信書房・一九九七年 John R. Searle, *Intentionality: An essay in the philosophy of mind*, Cambridge University Press, 1983.「それゆえ、クリプキ型の因果説は、次のような奇妙な特徴をもっていることになる。すなわち、外在的因果連鎖は実際には対象にまで到達せず、ただ対象の命名儀式に——名前の導入儀式に——到達するだけであり、そこから先では、指示の固定はある志向内容——必ずしも対象との外在的因果結合を有しているとは限らないような——によってなされる、という特徴である」（三二七頁）

（11）指示理論における個々の議論の展開については、必ずしも評価が定まっていない。指示理論はポストモダン思想でも素材のひとつとなっており、そこではクリプキの確定記述説への反証は、むしろ反ロジシズムの文脈で捉えられている面が強い。しかしローティの整理では、クリプキ、ドネラン、パトナムらの反確定記述説はむしろロジシズムに論拠を与えるものと見なされている。これについては後出の柄谷説を参照。

（12）「双子宇宙」はパトナムによる論理パラドクスのプラン。現在われわれが生きているこの宇宙とくらべて、水の分子構造だけが違っていて後はすべてのものが同一であるようなもうひとつの宇宙、「双子宇宙」の存在を想定し、そこから「確定記述」の成立しえないことをパラドクシカルに論証しようとする。ある時点までは、地球人も双子宇宙人もさまざまな事物に同じ「確定記述」を与えていたが、水の分子構造が明らかになっていらい、ふたつの世界では確定記述の束は同一のものではありえず、ずれてゆくことになる……。このようなパラドクス創出の論法は形式論的帰謬論の典型であり、結論をそのつど二項的に予期しつつ、これではありえない、あれではありえないというかたちで、はじめの否定的「信念」を補強していくという思考類型をとる。われわれはこういう議論を、たとえばプラトンの『パルメニデス』における反イデア論的反対弁証などによって典型的なかたちで知っている。問題の本質的核心が取り出されないまま、形式論理上のパラドクスがつぎつぎに見出され、議論が果てなくつづけられるのである。

(13) ローティ『哲学と自然の鏡』野家啓一監訳・産業図書・一九九三年 Richard Rorty, *Philosophy and the Mirror of Nature*, Princeton University Press, 1979.

(14) Hilary Putnam, "What Is 'Realism'?", *Proceedings of the Aristotelian Society*, 1976.

(15) 前掲書『哲学と自然の鏡』三三六頁

(16) クワインはカルナップの論理実証主義を強く批判したが、現代分析哲学における反＝厳密論理主義陣営を代表する論者のひとりである。相対主義的経験主義者としての彼の考えをよく表明するマニフェストがある。「地理や歴史についてのごくありふれた事柄から、原子物理学、さらには純粋数学や論理に属するきわめて深遠な法則に至るまで、われわれのいわゆる知識や信念の総体は、周縁に沿ってのみ経験と接する人工の構築物である。あるいは、別の比喩を用いれば、科学全体は、その境界条件が経験である力の場のようなものである。（略）いくつかの言明に対して、真理値が再配分されなければならない。（略）だが、場全体は、その境界条件、すなわち経験によっては、きわめて不十分にしか決定されないので、対立する経験がひとつでも生じたときに、どの言明を再評価すべきかについては広い選択の幅がある。どんな特定の経験も、場の内部の特定の言明と結び付けられているということはない。特定の経験は、場全体の均衡についての考慮を介して、間接的な仕方でのみ、特定の言明と結びつくのである」（前掲書『論理的観点から』所収「経験主義のふたつのドグマ」六三－六四頁）

(17) 柄谷行人『探究Ⅱ』講談社・一九八九年（↓講談社学術文庫・一九九四年）

(18) 前掲書『探究Ⅱ』第一部第二章二八頁

(19) これは指示理論のポストモダン的応用のひとつの典型例でもある。東浩紀は柄谷の説に関連して、クリプキの反確定記述説と「命名行為」論をつぎのように解説している。「固有名は確定記述の束に還元されない。言い換えれば固有名にはつねに、ある剰余が宿っている。前述のように柄谷はクリプキが示したその剰余を、確定記述の『特殊性』に対し『単独性』と呼んだ。（略）クリプキの解決はこうだ。固有名のこの剰余は、ひとが名とその『説明』、つまり名と確定記述とをセットで受け取ると考えるかぎり説明できない。それゆえ私たちは名の伝達において、むしろその名の『説明』以上のものもまた伝達されるのだと考えねばならない。（略）そしてクリプキはその力の源を、最初の『命名行為 baptism』により根拠づける」（前掲書『存在論的、郵便的』一一一－一一二頁）。東はさらに、このようなクリプキの定義不可能な「力」はジジェクによってラカンの「超越論的シニフィアン」の概念に結びつけられ、ポストモダン的な否定神学的思考に接続されるとする。

私の考えでは、ここにも言語の形式論理分析がぶつかる矛盾に対して、メタ論理学を置いてこれを超えようとするポストモダン思想の特徴がよく表われている。言語の謎を本質的に解くという課題が、「定義不可能なもの」という概念、そして深層心理学的な「超越論的シニフィアン」といった概念によって「すりかえ」られ、問題の本質が形而上学的物語の中で覆い隠されているのである。

(20) この誤った前提への反動形成として、また、「名」の「意味」を特定の確定記述に還元できない以上、言語の「意味」は、言語外的なある客観性－本質性によってのみ根拠づけられる、という考えも現われている。たとえば、冨田恭彦によれば、パトナムにつぎのような主張がある。われわれはたとえば「レモン」という言葉を使用するが、その意味を確定的に記述することはできない。では何が「レモン」という語の一般的意味を保証しているのか。「レモン」という事物について、それを客観的に知る学的な専門家たちが存在するからである（前掲書『哲学の最前線』）。おそらくこれは、名辞の「意味」は数学的「理念」のように厳密には確定できないが、しかしそれを規定するものが何もないともいえないために、いわば共同的に確定された「知識」がこれを規定する、という言い方になるのだと思える。しかし、これも言語の「意味」を厳密に規定可能か否か、といった二者択一的な図式で考えようとすることからくる無理な整理であろう。ここでも事態は同じで、言語の「意味」は言語に〝内在〟しているのでもなければ、言語外的な実体性に根拠づけられているのでもない。それはただコンテクストに応じて「意味連関の展開可能性」をもつといえるだけであり、この概念の展開可能性は発語者と受け手の信憑構造にのみその根拠をもつのである。

(21) この問題は、フッサールが『ヨーロッパ諸学の危機と超越論的現象学』(細谷恒夫/木田元訳・中央公論社・一九七四年↓中公文庫・一九九五年)で述べた、精神科学(人文系科学)の基本方法をめぐる現代思想の本質的欠陥という問題にかかわっている。フッサールによれば、現代の人文諸学の本質的な危機は、それが、近代自然科学が自然世界の厳密な把握(認識)方法として作り上げた数学的形式化という方法を、そのまま社会認識にも適用しうると考えたことに根本的原因をもつ。

第6章

(1) 柄谷行人『隠喩としての建築』講談社・一九八三年↓講談社学術文庫・一九八九年

(2) *das Zeug* は、原佑/渡辺二郎訳「存在と時間」(中公バックス『ハイデガー』所収・一九八〇年)、細谷貞雄訳『存在と時間』(ちくま学芸文庫・一九九四年)などで「道具」と訳され、これが一般的だが、かなり誤解を呼びやすく注意が必要。日本語では、ふつう「道具」は、ハンマーやナイフやペンなどといった一定の使用目的をもとに製作された事物を指す。そしてこれはむしろ事物の一般的、客観的規定を意味する。しかしハイデガーの *das Zeug* は、あくまで、そのつどの人間の欲望と相関的に立ち現われる存在意味や規定性をもつところの事物の事物性を意味する。だから風は、あるとき方位を知るための「道具」であり、ある人の顔つきは、あるとき彼の機嫌を知るための「道具」である。こちらは事物の存在論的規定である。そのようなわけで、「道具」という語は、日本語では、事物の一般的に与えられた機能的規定を意味するため、むしろハイデガーの与えた概念とは逆の意味で受け取られやすい。したがって、たとえば「用在」という訳がよりよいかもしれないが、ここでは「道具」という訳を踏襲しておく。

（3）ここでの「固有性」は、存在者の各自的「固有性」のことではなく、単に「一般性質」を意味する。

（4）前掲書『存在と時間』三三節二八四－二八五頁

（5）フッサールの言う「孤独な心的生活における表現」にあたる。前掲書『論理学研究』第二巻四五頁参照。

（6）本書第4章2節一三一頁の「ブタに小判」の例を参照。

（7）「超越」－「内在」は、現象学において、対象存在の確信条件を解明する超越論的還元によって取り出された中心概念。目の前に存在するリンゴから、世界の客観存在についての諸認識に至るまで、外的な対象存在は、その信憑構造として捉えられるかぎりで本質的に「超越」という性格をもつ。これは「リンゴ」だ、これが「かくかくのものだ」という存在確信はあくまで意識の諸与件にささえられたひとつの「確信像」（＝ノエマ）であって、原理的に与件の変様によって確信像の変更が生じうる。その意味であらゆる外的な「対象存在」の確信は、絶対的なもの、最終的な確定者としては与えられない。フッサール自身の解説は以下のようである。「これに反して（「内在」の概念とは違って――竹田注）、われわれの知っているように、事物世界の本質には次のことが属している。すなわち、この事物世界の圏域においてはいかに完全な知覚といえども、或る絶対的なものを与えることはないというのが、それである。（略）たとえどれほど遠くまで経験が及んだとしても、そうしたどんな経験についてもみな、そこでの所与が、その所与の生身のありありとした自己現在についての不断の意識にもかかわらず、現実存在しないということの可能性の余地が、残されているのである」（『イデーンⅠ－Ⅰ』四六節「内在的知覚には疑わしさがないこと、超越的知覚には疑わしさがあること」一九九頁）

言語においても、「発語主体の意」は現象学的な信憑構造におけるこの「超越」的対象として存在する。「内言」や「独語」では、「発語主体の意」は「超越」ではなく「内在」である。したがって、「発語＝陳述」においてはじめて言語は、通常の意味での信憑構造をそなえることになる。

(8) 前掲書『哲学的探究』二七五節一八九頁

(9) 前掲書『哲学的探究』二七七節一九〇頁

(10) ここでの「幻想関係の世界」とは、人間の世界が言語的秩序によって分節された関係世界であることを意味するが、これをラカンに倣って「象徴界」と呼ぶことも可能である。ただラカンの象徴界は、存在しないもの（ファロス）を名指すことを端緒とする人間世界の意味の秩序性とされるが、これは典型的な「形而上学的反転」を蒙った「物語」である。むしろ人間が「価値」の秩序をもつことこそ、人間の世界が象徴的秩序として成立していることの根拠であり本質なのである。

(11)「約束することのできる動物を育成すること、——これこそは自然が人間を眼中において自ら課したあの逆説的な課題そのものではあるまいか？　これこそ、人間に関する本来の問題ではなかろうか？」（前掲書『道徳の系譜』四二三頁）

(12) クリプキ『ウィトゲンシュタインのパラドックス』黒崎宏訳・産業図書・一九八三年 Saul A. Kripke, *Wittgenstein on Rules and Private Language: An Elementary Exposition*, Basil Blackwell; Oxford, 1982.

(13)「クワス」は、x、yの和が57より小さい場合はx＋y＝x＋y、57より大きい場合はx＋y＝5（任意の数）という関数をあらわす概念で、クリプキがこのパラドクスのために作ったもの。

(14)「私は、他者（言語ゲームを異にする者）とのコミュニケーションが不可能だといいたいのではない。その逆に、コミュニケーションが合理的には不可能であり基礎づけることができないにもかかわらず、現実にそれがなされている事実性に驚くべきだといいたいだけである」（柄谷行人『探究Ⅰ』講談社・一九八六年・一五六頁↓講談社学術文庫・一九九二年）

(15) 前掲書『哲学的探究』二一七節一六六頁

(16) 前掲書『哲学的探究』二〇一節一五八頁

(17) 前掲書『哲学的探究』二二九節一六七頁

(18) ヴィトゲンシュタインのこの「規則のパラドクス」については、次章2節「正義のパラドクス」（二六二頁参照）でもう一度吟味されるだろう。

(19) 前掲書『哲学的探究』二四一節一七二頁

(20) ソシュールはこれを「言語の可易性」と名づけた。言語の「可易性」と「不易性」は、「シニフィアン－シニフィエ」や「共時態（シンクロニー）－通時態（ディアクロニー）」と並んで、言語の一般原理のひとつとされている。ソシュール『一般言語学講義』小林英夫訳・岩波書店・一九四〇年 Ferdinand de Saussure, *Cours de linguistique générale*, Charles Bally et Albert Sechehaye, 1949.

(21) 本書第6章2節「『発語』の現象学」二二四頁参照。さまざまな社会制度、すなわち宗教、経済制度、政治制度、親族体系等々もまた、そのような「社会集合的約定」の体系である。ヴィトゲンシュタインの「言語ゲーム」という概念には、社会の社会性をそのような独自のルール体系と見なす直観があり、そこがこの概念の独創性の所以である。

(22) 前掲書『哲学的探究』七八節六五頁

(23) フッサールは『イデーンⅠ－Ⅰ』の冒頭（第一篇第一章）で、この共通了解構造の本質的領域区分についての学問的基礎づけの試みを「領域的形相学」という概念で示している。しかしここでのフッサールの区分には多くの難点があり、われわれはこれを編み直す必要がある。

(24) ちなみに、「同一」－「差異」といった二項的概念対立によっては、「同一性」という概念の本質を捉えることはできない。論理的には「差異」によって「同一性」を規定しうるし、その逆も可能だが、それはまさしく形式論的規定にすぎない。「同一性」という概念はさまざまな側面をもつが、その核心的な本質は欲望相関的な対象＝意味同定ということにほかならない。「同一」であるとは、何かと何かが存在において「同一」であるということではない（これも形式論理である）。むしろそれは、欲望＝関心＝目的相関において、ある対象が、あるいは諸対象が、同じ対象性＝存在意味として、つまり、等しさ、対等性、相同性、同定性などとして現われるということなのである。つまり、了解や解釈の構造の中での意味論的「同一性」こそがその核心である。しかし、われわれはしばしばこの経験の痕跡を事後的に形式論理のうちに見出すのであり、そこで「同一性」は、たとえば対象それ自体、その諸性質それ自体の相同性や個別性や単独性を、一般的に意味することになるのである。

(25) 前掲書『哲学的探究』一〇九節八七頁

第7章

(1) 前掲書『存在論的、郵便的』一〇四頁

(2) 前掲書『存在論的、郵便的』九五頁

(3) 人間と世界の関係の根拠性を追いつめていくと、ある最終根拠ではなく必ずある「不可能なもの」(言いえないもの)へとたどるという思考は、形式論理的には、また必然的に、カントが同じものを「物自体」として括りだしたのと同様の論理型をもたざるをえない。人間の事物存在の認識の絶対根拠となるものをそれ自体として規定することはできず、したがって、それはただ「物自体」としてだけ想定できる。これがカントの思考だが、ラカンの思考は、人間の欲望一般の根拠を実体的には追いつめることはできず、したがって、それはただある絶対的な「欠如」としてしか想定できない、というかたちをとる。だがそれでは「不可能なもの」「語りえないもの」は、一種の「物自体」として措定されることになる。東がいうのは、この「不可能なもの」の単数性が、また根源的「抹消」という絶対化を生むので、そこに否定神学的要素が入り込む余地がある、ということであろう。

　ただ、ひとこと付け加えておくと、カントの「物自体」の概念には、「語りえないもの」の絶対化という「否定神学的」要素はない。それは、むしろ「語りうることに限界のあること」を示す原理であって、絶対

的な「語りえないなにものかの存在」の示唆というニュアンスはほとんどないからだ。そのことはアンチノミーによるカントの形而上学批判の本質を見れば明らかである。

（4）ハイデガーでは、『存在と時間』における実存論的分析の卓越性と、「転回（ケーレ）」以後、後期の「存在」思想の形而上学性の対照が際立っている（ハイデガー自身は、ヨーロッパ哲学全体が形而上学であるという批判を行なっているのだが）。前者では、その思考は見事な哲学的原理思考の範例を示しているが、後者では、「原理」が展開され「本質」がとりだされるプロセスはほとんどなく、ただ概念の対項的配置による物語的、形而上学的特徴が前面に出ている。拙著『ハイデガー入門』（前掲）第五章三節を参照。

(5）レヴィナス『全体性と無限』合田正人訳・国文社・一九八九年 Emmanuel Levinas, *Totalité et Infini*, Martinus Nijhoff, 1961.

（6）笠井潔／島弘之／絓秀実／竹田青嗣座談会「ロマン主義批判の帰趨」（『現代社会と「超越」』所収・海鳥社・一九九八年。初出は『季刊思潮』第八号・思潮社・一九九〇年四月）

（7）東によれば、脱構築的デリダ派のこのような「否定神学性」に気づいていた日本の思想家として柄谷行人があげられている。たしかに『批評とポスト・モダン』以後、柄谷行人は、デリダ派およびデリダ的ポストモダン思想を批判し、自分をそこから区別しようとさまざまな試みを行なってきた。しかし、かつてポストモダン思想の担い手として自己言及性や決定不可能性について先進的に論じた柄谷は、いま「他者」や「倫理」を新しい概念として論じるに至っており、その論理の範型の核心は、まさしくデリダやレヴィナスの「他者」や「倫理」の概念を踏襲したものにすぎず、いまや彼自身が、根拠を空無化した超越項として措定するもっとも代表的人物となっていると言わねばならない。

（8）前掲書『存在論的、郵便的』一三六頁

（9）ジャック・デリダ『法の力』堅田研一訳・法政大学出版局（叢書・ウニベルシタス）・一九九九年 Jacques Derrida, *Force de loi: Le"Fondement mystique de l'autorité"*, Galilée, 1994.

（10）前掲書『法の力』五六頁
（11）前掲書『法の力』五七頁
（12）本書第6章3節「規則のパラドクス」二三五−二三六頁参照
（13）前掲書『法の力』六三頁
（14）「信念補強的」思考は、哲学的な「原理思考」に対立する思考のタイプを示す。哲学の原理思考では、提出された「原理」の妥当性がこれと対立可能な諸「原理」によって反証されることを通して、「原理」の前提性をより根源的なものに編み変えていくプロセスを原則とする。しかし「信念補強的」思考では、諸知識や論理はただはじめに存在する「直観」や「信念」を補強するための手段にすぎないため、「原理」が弁証法的に検証され展開されるプロセスを持たず、傍証と物語的性格が強く現われる。『はじめての哲学史』（竹田青嗣／西研編・有斐閣アルマ・一九九八年）序章などを参照。
（15）ベルクソン『時間と自由』平井啓之訳・白水社・一九七五年・一九九頁 Henri Bergson, *Essai sur les données immédiates de la conscience*, Presses Universitaires de France, 1889.
（16）前掲書『時間と自由』二〇〇頁
（17）前掲書『存在と時間』四節八〇頁
（18）「徳福一致のアポリア」は前掲書『実践理性批判』第二篇第二章「最高善の概念規定における純粋理性の弁証論について」で現われる。「しかるに分析論によって明らかになったことは、徳の格率と自己の幸福の格率とはその最上の実践的原理に関して全然異なるものであって、徳も幸福もともに最高善を可能にするために必要なものではあるが、しかし両者は同一主体において互いにはなはだしく制限し否定し合ってとうてい一致しがたいものであるということである」（一六二頁）
　この徳福一致についてのアポリアは、〈善き行ないをする者が悲惨な生をおくり、邪悪なものほど栄え生を享楽する〉という感覚が人々にもたらす矛盾の意識をよく表現している。

（19）「他者」はしばしば倫理問題におけるキー概念としてもちだされる。しかし私の考えでは、現代思想において特徴的な「他者」という概念を根拠とする倫理思想は、暗黙のうちに自己を「強者」と置き、他者を「弱者」と想定する、ニーチェ的にいえば「良心の疚しさ」による無意識的顚倒を蒙った問題構成を取っているのである。つまり、ここで「倫理」は暗黙のうちに「疚しい良心」を起点として根拠づけられているのだ。

しかし、倫理における「他者」の概念は、必ずしも「疚しい良心」だけを本質的な根拠とするわけではない。なるほど倫理の問題は、基本的には「他者」との関係において生じる。この点で、倫理の問題がしばしば「他者」という概念によって語られることにはそれなりの理由がある。しかし後により詳しくみるが、私の考えでは、むしろこれを価値についての内的な「信念対立」の問題として設定するのがより本質的である。

（20）前掲書『法の力』六三頁

（21）まさしくこの理由で、ハイデガーの「倫理」問題の本質設定には限界があるといわねばならない。ハイデガーがそれを実存論的な存在配慮の問題（＝「良心の呼び声」）として示したことはどれほど強調してもしすぎることのないほど大きな功績だったが、しかしこの倫理的確信における「信念対立」のアポリアを解明するという課題についてはこれを十分果たせなかったことは、彼が「善」や「倫理」の根拠をいったんは「他者」との共存在というかたちで設定しながら、これを「本来的に生きる」か否かといった形而上学的二項対立の中で展開したために、結局「相続財産」（伝統）や「共同体」あるいは「民族」といった概念に還元したことで如実に示されている。前掲書『存在と時間』七四節を参照。

（22）カントでは「道徳」、ヘーゲルでは「良心 Gewissen」、ニーチェでは「生の肯定」、ハイデガーでは「良心の呼び声」というかたちで提出されている。

（23）ルソー「社会契約論」世界の名著36『ルソー』所収・井上幸治訳・中央公論社（中公バックス）・一九七

八年 Jean-Jacques Rousseau, *Du Contrat social*, Aubier-Montaigne, 1943 (rééd. 1967).「人間をあるがままに現実の姿でとらえ、法をありうる可能の姿でとらえた場合に、社会の秩序のなかに、正当にして確実な国家の設立や国法の基準があるかどうか、これを私は研究したい」(二三一頁)

(24) ルソーの「一般意志」やヘーゲルの「相互承認」の概念の本質については拙著「近代哲学再考」(前掲)で詳論している。

(25) ハイデガーの「良心の呼び声」を比喩ととる必要はない。外的な威力としてではなく自身の内的な声としてそれが現われることは、「倫理」が善についての一般信念や一般表象であること(善悪についての一般的判断)を超えて、個々人の実存的な自己配慮のあり方となるための本質条件だからである。

終章

(1) フーコー『性の歴史』(全三巻)渡辺守章/田村俶訳・新潮社・一九八六-八七年 Michel Foucault, *Histoire de la sexualité*, Gallimard, 1976-84.

(2) プラトン『国家』に、〝ギュゲスの指輪〟というよく知られた挿話がある。むかし羊飼いとしてリュディア王に仕えていたギュゲスという男がいた。ある日、大雨が降り、地震が起こって大地が裂け、地面にぽっかり穴があいた。ギュゲスは驚きつつその穴の中に入っていき、そこで自分の姿を消すことができる不思議な指輪を見つけた。彼はこの不思議な指輪の力を利用してまず王の妃と通じ、妃と共謀して王を殺す。こうしてギュゲスはやすやすと王権をわがものにする。

(3) 前掲書『存在論的、郵便的』第四章以降を参照。

(4) 柄谷行人も『倫理21』(平凡社・二〇〇〇年)でまったく同じことを反復している。

あとがき

この本は、現象学的方法による言語の本質学である。この著作で私が意図したことを、以下に手短かに述べてみる。

まずひとつは、近代哲学以来の認識問題の議論は、現代哲学では「言語論」の領域に移されているが、これを現象学的方法によって完全に解明すること。つまり、さまざまなアポリアによって議論の迷宮のようになった、現代における「言語の謎」を解くことである。発語主体と受語主体の間の「信憑構造」、「一般言語表象」、「言語コンテクスト」、「意味」の存在論などが、この問題の解明のための主要概念として示されている。

もうひとつは、現象学的思考の範例を置くことで、原理の提示とその展開によって「普遍洞察性」をめがける哲学的思考のエッセンスを提示することである。

哲学的思考の本質は「普遍洞察性」という概念で表示される（この概念については、西研の近著『哲学的思考』をぜひ参照されたい）。哲学的思考は「原理」を提示し、これを補助的諸概念で支えながら、われわれ自身が創設した人間的、社会的課題の核心に向かって自らを展開してゆく。この方法によって、哲学的思考は、認識の「絶対的妥当性」（＝真理）へ近づくのではなく、認識の「普遍洞察性」（＝共通了解の普遍性）に近づくのである。このような哲学の方法原理は、現代哲学および現代思想ではほとんど忘却され、枯渇しかかっていたのだが、その事情についても本書で明らかにされているはずである。

この本は、『プラトン入門』を出して以来ほぼ三年ぶりの単著ということになる。その間私が考えていたのは、哲学的思考の再興ということだ。

現代思想における最大の問題は、「資本主義のアポリア」、「資本主義の可能性」ということである。いまやあらゆる思想的言説はこの問題の外周をめぐっている。それは近代の創設期にあらゆる言説が信仰と啓蒙の対立をめぐっていたのと相似形をなしている。この問題の内奥に入り込みこれを克服する原理の提示なしに、思想の可能性は存在しえない。

これまで私は、現象学の可能性の原理を祖述しつづけてきた。が、いまやその方法が具体的に遂行されなくてはならない。実存論的存在論もまた敷衍されるだけではなくさらに展開されなければならない。

このような私の哲学的モチーフを全面的に汲んでくれた径書房、どんな注文や面倒もいとわず協力してくれた大庭雄策、出倉純、渡辺豊各編集諸氏に、いま深く感謝している。

二〇〇一年十一月　　竹田青嗣

学術文庫版へのあとがき

まず、現代言語哲学の全体像をおいてみよう。近代哲学では、主観－客観は一致するかという「認識問題」が第一の中心問題をなしていた。主客の「一致」が不可能なら、そもそも普遍認識を根本理念とする哲学の営みが無意味なものとなるからだ。

これに対して、現代哲学では、この認識問題が、認識と言語あるいは意味と言語の一致の可能性の問いとして展開された。「言語論的転回」というキーワードがこれを象徴する。およそ認識が言語によって可能となるかぎり、「認識の可能性」の問いはなりより言語の本質の探求でなければならないと。

さて、この発想の転換によって現代言語哲学は認識の問題を解明しただろうか。否である。

出発点は、フレーゲ、ラッセルによる現代論理学の創設の試みであり、前期ヴィトゲンシュタインとウィーン学団（論理実証主義）がこれに加わる。論理学の根本目標は（ソフィストに対抗してこれを創始したアリストテレス以来）、事実を一義的な意味として表現する言語使用の規則と秩序を打ちたてることにある。ヴィトゲンシュタインの『論理哲学論考』はこの試みを最もよく代表する。

しかし現代言語哲学は、その後、この厳密論理主義への反対運動へと転回する。その武器が論理相対主義である。すなわち、クワイン、後期ヴィトゲンシュタイン、ファイヤアーベント、クーン、ローティ、さらに、ジャック・デリダがポストモダン思想から参戦する。ここでは、事実（その認識）と言語の一致の不可能性の論証が、さまざまな方式で示されることになる。

＊

ヨーロッパ哲学の認識問題は、その象徴的な起源を、ギリシャのソフィスト、ゴルギアスにもつ。彼は、普遍認識の不可能性について以下の〝論証〟を行なった。

第一、存在は証明されえず、それゆえ存在はない。

第二、仮に存在があるとしても、認識されえない。

第三、仮に存在が認識されたとしても、この認識は言語で表現されえない。

こうして、ゴルギアスの論証は以下の構図で示される。「存在≠認識≠言語」。

この論証はキベン論を含む。しかし、にもかかわらず、以後ヨーロッパ哲学を通して、このゴルギアスの認識不可能性を有効な仕方で反証しえた哲学者は、一人として存在しない（ただし、私が示したようにフッサールを除いて）。それゆえ彼の論証は、その後の一切の哲学的懐疑論＝相対主義の、正確な要諦となっているのだ。

こうみると、現代言語哲学の進み行きの全体は、ギリシャ哲学以来の、普遍認識の不可能性という難問の、正確な反復、再演にほかならないことが明らかになる。フレーゲ、ラッセル以後の現代論理学の試みは、ゴルギアスの「不可能性」の哲学的克服の試みだったが、その後の相対主義言語哲学の隆盛は、この試みの〝挫折〟を意味しているのである。

認識問題を背景とする現代言語哲学の議論は、恐ろしく精緻かつ膨大なものになっている。しかしその核心はきわめてシンプルであって、ゴルギアスの三つの論証が、多くの現代のゴルギアスたちによって、それぞれの仕方で変奏されて反復されているのにほかならない。

＊

すでに私は、フッサール現象学が、ニーチェの本体論の解体と一つになって、ヨーロッパ哲学における認識問題を解明していることを論証してきた（『現象学入門』『現象学は〈思考の原理〉である』『哲学とは何か』など）。私がこの本で示そうとしたのは、現象学による認識問題の解明は、現代哲学の言語理論にも完全に適用されるということ、これによって、現代言語哲学の独断論（論理主義）と言語相対主義のあいだの不毛な論争は、解決され、終焉させられるということである。

フッサール現象学による認識問題の解明の核心は、一切の認識を「確信」（信憑）と考えよ、という点にある。この決定的な視線変更によって、普遍認識は、主観と客観、あるいは認識と言語の「一致」を意味するのではなく（そうであれば普遍認識は不可能である）、間主観的な不可疑性の成立、つまり動かしがたい信憑の成立として規定されることになる。じっさい、自然科学の客観認識は、主観－客観の一致の確証の結果ではなく、まず科学者のあいだで共有される事実・事象についての不可疑性（信憑）の成立の結果なのである。この現象学による認識論の解明の射程は、きわめて広く深い。その一つが、ここでの、現象学的解明の言語論的転移である。

＊

現代哲学の言語理論は、厳密論理主義であれ、これに対抗する言語相対主義であれ、ともに、言語を、論理的命題形式あるいは「テクスト」として〝分析〟する。このことで、一方は言語の厳密な規則を作り出そうとし、他方はその不可能性を論証しようとする。デリダによる「作家の死」の概念は、まさしく意味と表現のあいだの絶対的な「一致」の不可能性を意味する。

しかし対立する両陣営は、言語をただ、「一般言語表象」として、すなわち一般意味の束としてしか把握しておらず、このことによって、言語の現実的意味が生成する「言語ゲーム」の本質構造を把握することに失敗している。現代言語哲学の議論の全体を支えているのは、言語とその意味についての強固な「本体論」である。これをひとことでいえば、「言語論的転回」という扉を開くことで、現代哲学は、ほぼ一世紀にわたって、独断論と相対主義の対立という古くからの認識論の迷路に閉じこめられてしまったといえる。

スコラ哲学は、神の存在を前提することで（神の本体論）、神の存在本質についての答えの出ない議論を何世紀にもわたって延命させてきた。現代哲学は、認識問題を解明できないことによって、これとほとんど同じ事態を反復しているのである。

私が示した現象学的な言語本質論は、言語行為を、本質的に、発語者と受語者の間の〝信憑構造〟として捉える。このことだけが、認識－言語問題の難問を解明し、現代言語哲学の全体を――ヴィトゲンシュタインが示唆したように――認識問題という「蠅捕り壺」の迷路から抜け出させることになるはずである。

＊

言語の本質論は、認識問題の難問にかかわるだけでなく、哲学の本質論に直接つながっている。これについて私は、つぎのような大きな像を置いてみようと思う。

普遍認識は、世界客観－事実自体（＝「本体」）と認識（言語）との「一致」によって可能となる、という暗黙の本体観念が、現代哲学を瀕死の状態にまで追いつめてきた。われわれはむしろつぎのように考えねばならない。

哲学的認識とは、世界客観の「正しい言い当て」のゲームではない。それは、言語によって普遍的な世界の像を描くこと、つまり万人に妥当し、万人が納得しうる共通の「世界説明」を〝創出する〟言語ゲームである。

人間だけが言語によって「世界の絵」を描く。そのかぎりで、「物理的実在のみが世界である」という世界の絵も、「神が世界を統べる」という世界の絵も、「世界の真実は言葉によって描けない」あるいはまた「人々は自由な社会を必要とする」という世界の絵も、「世界説明」としてすべて等権利であって、ここに〝真偽〟は存在しない。問題は、どの世界説明が、万人に受け入れられ、万人に妥当するような条件をもつか、なのである。

さまざまな世界説明が可能であり、実際に生み出されてきた。しかし歴史がわれわれに教えるのは、万人にとって不可疑の信憑として成立する世界説明こそが、人間世界の普遍的な善に寄与しうるものとなってきた、ということだ。世界像の深刻な分裂や対立は、総じて、人間世界の普遍暴力と闘争の原理を高めるからである。

哲学の探求の目的は、絶対的な真実（本体）に到達することにはない。それはそもそも不可能である。むしろ、人間世界において善が栄えあるいは悪がはびこる可能性と条件が存在するのであり、哲学の本義はそれらを見出すことにある。

人間についても同じことがいえる。人間は、本来善であるか悪であるのか。これを真偽の問いとして問うのは無意味である。人間が悪へ向かいあるいは善を求めることの可能性と条件がある。その探求に哲学の本義がある。

ヨーロッパ哲学における認識問題が未解決のまま続いてきたこと、このことは二十世紀以降の現代哲学の全体をスコラ的議論の迷妄のうちに陥れていた。いまやわれわれは、それがいかに哲学の本来の営みを窒息させてきたかに気づかなくてはならない。

＊　＊

『言語的思考へ』は、二〇〇一年に径書房から出版されたものだが、今回、講談社学術文庫で若干の改訂を加えて新しく出版することになった。その過程で、編集部の互盛央さん、栗原一樹さんに万事にわたり世話になりました。この場を借りて感謝します。

竹田青嗣

二〇二一年八月五日

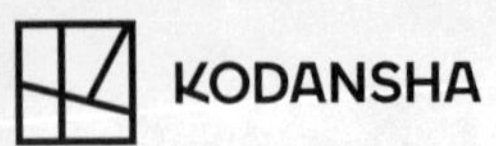

本書の原本は二〇〇一年に径書房より刊行されました。

竹田青嗣（たけだ　せいじ）

1947年生まれ。早稲田大学政治経済学部卒業。明治学院大学国際学部教授，早稲田大学国際教養学部教授を経て，現在，大学院大学至善館教授，早稲田大学名誉教授。哲学者，文芸評論家。著書に『現象学入門』，『人間の未来』，『完全解読　カント『純粋理性批判』』，『欲望論』1・2，『超解読！　はじめてのヘーゲル『法の哲学』』（西研との共著）などがある。

定価はカバーに表示してあります。

言語的思考へ
脱構築と現象学
竹田青嗣

2021年10月12日　第1刷発行

発行者　鈴木章一
発行所　株式会社講談社
東京都文京区音羽 2-12-21 〒112-8001
電話　編集（03）5395-3512
販売（03）5395-4415
業務（03）5395-3615
装　幀　蟹江征治
印　刷　豊国印刷株式会社
製　本　株式会社国宝社
本文データ制作　講談社デジタル製作

© Seiji Takeda　2021　Printed in Japan

落丁本・乱丁本は，購入書店名を明記のうえ，小社業務宛にお送りください。送料小社負担にてお取替えします。なお，この本についてのお問い合わせは「学術文庫」宛にお願いいたします。
本書のコピー，スキャン，デジタル化等の無断複製は著作権法上での例外を除き禁じられています。本書を代行業者等の第三者に依頼してスキャンやデジタル化することはたとえ個人や家庭内の利用でも著作権法違反です。Ⓡ〈日本複製権センター委託出版物〉

ISBN978-4-06-525060-0

「講談社学術文庫」の刊行に当たって

これは、学術をポケットに入れることをモットーとして生まれた文庫である。学術は少年の心を養い、成年の心を満たす。その学術がポケットにはいる形で、万人のものになることは、生涯教育をうたう現代の理想である。

こうした考え方は、学術を巨大な城のように見る世間の常識に反するかもしれない。また、一部の人たちからは、学術の権威をおとすものと非難されるかもしれない。しかし、それはいずれも学術の新しい在り方を解しないものといわざるをえない。

学術は、まず魔術への挑戦から始まった。やがて、いわゆる常識をつぎつぎに改めていった。学術の権威は、幾百年、幾千年にわたる、苦しい戦いの成果である。こうしてきずきあげられた城が、一見して近づきがたいものにうつるのは、そのためである。しかし、学術の権威を、その形の上だけで判断してはならない。その生成のあとをかえりみれば、その根は常に人々の生活の中にあった。学術が大きな力たりうるのはそのためであって、生活をはなれた学術は、どこにもない。

開かれた社会といわれる現代にとって、これはまったく自明である。生活と学術との間に、もし距離があるとすれば、何をおいてもこれを埋めねばならない。もしこの距離が形の上の迷信からきているとすれば、その迷信をうち破らねばならぬ。

学術文庫は、内外の迷信を打破し、学術のために新しい天地をひらく意図をもって生まれた。文庫という小さい形と、学術という壮大な城とが、完全に両立するためには、なおいくらかの時を必要とするであろう。しかし、学術をポケットにした社会が、人間の生活にとってより豊かな社会であることは、たしかである。そうした社会の実現のために、文庫の世界に新しいジャンルを加えることができれば幸いである。

一九七六年六月

野間省一

孔子
金谷（かなや）治（おさむ）著

人としての生き方を説いた孔子の教えと実践。二千年の歳月を超えて、今なお現代人の心に訴える孔子の魅力とは何か。多年の研究の成果をもとに、聖人ではない人間孔子の言行と思想を鮮明に描いた最良の書。

935

エコエティカ 生圏倫理学入門
今道友信著

人類の生息圏の規模で考える新倫理学の誕生。今日の高度技術社会の中で、生命倫理や医の倫理などすべての分野で倫理が問い直されている。今こそ人間の生き方に関わる倫理の復権が急務と説く注目の書き下し。

946

現代の哲学
木田　元著

現代哲学の基本的動向からさぐる人間存在。激動する二十世紀の知的状況の中で、フッサール、メルロ＝ポンティ、レヴィ＝ストロースら現代の哲学者達が負った共通の課題とは？　人間の存在を問う現代哲学の書。

968

淮南子（えなんじ）の思想 老荘的世界
金谷　治著（解説・楠山春樹）

無為自然を道徳の規範とする老荘の説を中心に、周末以来の儒家、兵家などの思想をとり入れ、処世や政治、天文地理から神話伝説まで集合した淮南子の人生哲学の書。諸子から戦国時代までを網羅した中国思想史。

1014

探究Ⅰ・Ⅱ
柄谷行人著（解説・野家啓一）

闘争する思想家・柄谷行人の意欲的批評集。本書は《他者》あるいは《外部》に関する探究である。著者自身をふくむこれまでの思考に対する「態度の変更」を意味すると同時に知の領域の転回までも促す問題作。

1015・1120

精神としての身体
市川　浩著（解説・中村雄二郎）

人間の現実存在は、抽象的な身体でなく、生きた身体を離れてはありえない。身体をポジティブなものとして把え、心身合一の具体的身体の基底からの理解をめざす。身体は人間の現実存在と説く身体論の名著。

1019

新田義弘著（解説・鷲田清一）
現象学とは何か
《客観的》とは何か。例えばハエもヒトも客観的に同一の世界に生きているのか。そのような自然主義的態度を根本から疑ったフッサールの方法論的改革の営為を追究。危機に瀕する実在論的近代思想の根本的革新。
1035

市川　浩著（解説・河合隼雄）
〈身〉の構造　身体論を超えて
空間がしだいに均質化して、「身体は宇宙を内蔵する」という身体と宇宙との幸福な入れ子構造が解体してゆく今日、我々にはどのようなコスモロジーが可能かを問う。身体を超えた錯綜体としての〈身〉を追究。
1071

G・ル・ボン著／櫻井成夫訳（解説・穐山貞登）
群衆心理
民主主義の進展により群集の時代となった今日、個人の理性とは異質な「群集」が歴史を動かしている。その群集心理の特徴と功罪を心理学の視点から鋭く分析する。史実に基づき群集心理を解明した古典的名著。
1092

森　三樹三郎著
老子・荘子
東洋の理法の道の精髄を集成した老荘思想。無為自然に宇宙の在り方に従って生きることの意義を説いた老荘。彼らは人性の根源を探究した。仏教や西洋哲学にも多大な影響を与えた世界的思想の全貌を知る好著。
1157

加藤尚武著
現代倫理学入門
現代世界における倫理学の新たなる問いかけ。臓器移植や環境問題など現代の日常生活で起きる道徳的ジレンマ・難問に、倫理学はどう対処し得るのか。現代倫理学の基本原理を明らかにし、その有効性を問う必読の倫理学入門書。
1267

プラトン著／三嶋輝夫訳
プラトン対話篇**ラケス**　勇気について
プラトン初期対話篇の代表的作品、新訳成る。「勇気とは何か」「言と行の関係はどうあるべきか」を主題に展開される問答。ソクラテスの徳の定義探求の好例とされ、構成美にもすぐれたプラトン初学者必読の書。
1276